別冊クライテリオン
criterion

「コロナ」から日常を取り戻す

刊行にあたって

新型コロナウイルスは、私達から「日常」を奪い去ってしまった。そして、感染が俄に拡大しつつあるこの七月、その傾向はさらに加速しつつある。

かつて当たり前だった会食も宴会も、観劇もコンサートも、そして職場の交流も親戚づきあいも皆、多かれ少なかれ「自粛」せざるを得ない事態に陥った。無論、その背景には「オーバーシュート／感染爆発」「ロックダウン／都市封鎖」「重大局面」「緊急事態」「八割自粛」といった目新しいキーワードで人々を煽りに煽った政治家、専門家、TVメディアの存在がある。そうした「煽り」の結果、心底コロナを怯える人々、いわば「コロナ脳」と呼ぶべき認識に陥った人々が量産されていったのだ。

コロナ脳に陥った人々はまず手始めに自分自身の活動を自粛し、自らの日常を破壊し始めた。しかし彼等はそれだけでは事足りず、普通の日常を続けんとしていたあらゆる人々に「不道徳者」「裏切りもの」とのレッテルを貼り、批難し、「自粛」を強要し始めた。結果、彼等は自らの日常のみならず、コロナに全く怯えていない人々も含めたあらゆる人々の自由を奪い去り、その日常を破壊していったのだ。

そして、緊急事態宣言なるものが解除された後もなお、一旦作り上げられてしまったその基本構図は今も厳然と潜在し続けている。「自粛」を言い募ってきた政府専門家達は今度は、他者と会うときは二メーターのソーシャルディスタンスを確保せよ、それこそが「新しき日常」なのだと命じ出したのだ。そしてそんな彼等の勢いは、「PCR陽性者数」が増えれば増える程に加速する。仮にその増加が単にＰＣＲ検査数の拡大によってもたらされたものであったとしても、さらにはそれが重症者数や死者数の増加にさして結び付いていないとしても、何ら状況は変わらない。

かくして我々の日常は未だ、コロナに奪われたままなのであり、かつ、さらなる危機に見舞われつつあるのが現状だ。

しかし、新型コロナウイルスの特性を様々な角度から検証すれば、その感染による重症者・死者数を医療限界の範囲内に的確に抑制しながら「日常」の破壊水準を最小化する医学的、疫学的方途は十二分に存在するのだ。そうであればこそ、我々にとってその方途を探り日常を取り戻すことを措いて他になすべき事など何も無いではないか。そもそも日常を奪われた生に生きる価値などどれほど宿ると言うのか。

無論、少なからぬ人々は「日常を取り戻す」取り組みに激しい反発、批難を差し向けることだろう。しかし彼等は間違っている。彼等は、そうした日常を取り戻さんとする取り組みが自分の、あるいは自分達の健康と生命を脅かす危険な取り組みと認識しているのだろう。しかし我々の健康と生命は新型コロナのみならず経済崩壊を含めたあらゆるリスクに晒されているのである。そしてそうしたあらゆるリスクから我々の「身体」そして「精神」を守るためにこそ、「日常」が取り戻されねばならないのである。

だからこそ、「危機と対峙」せんがために刊行している本誌表現者クライテリオンは、我々の日常を取り戻さんがために、本誌の一冊全てを「コロナ」問題に費やす別冊を発刊するに至った。是非とも最後までご一読いただき、それぞれの日常を取り戻すそれぞれの営為に本誌をご活用いただく事を、心から祈念したい。

表現者クライテリオン編集部

別冊クライテリオン *criterion*

「コロナ」から日常を取り戻す

論考

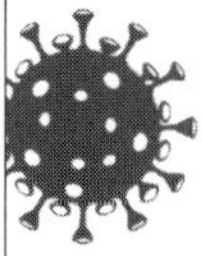

「半自粛」のススメ

専門家会議は、感染抑止もできないし経済社会を大きく傷付ける「新しい生活様式」を即刻取り下げよ！

藤井 聡
Fujii Satoshi

緊急事態宣言の延長にあわせて、専門家会議から「新しい生活様式」が提案されました。

この内容は、この提案をできるだけ「**わかりやすく**」纏めているNHKのサイト情報には、以下のように掲載されています。

感染防止の三つの基本

①身体的距離の確保
②マスクの着用
③手洗い

・人との間隔はできるだけ二メートル（最低一メートル）空ける
・遊びに行くなら屋内より屋外を選ぶ
・会話をする際は可能な限り真正面を避ける
・外出時、屋内にいるときや会話をするときは症状がなくてもマスクを着用
・家に帰ったらまず手や顔を洗う　できるだけすぐに着替える、シャワーを浴びる
・手洗いは三〇秒程度かけて水と石けんで丁寧に洗う（手指消毒薬の使用も可）
※高齢者や持病のあるような重症化リスクの高い人と会う際には体調管理をより厳重にする

もうこれだけでも項目数が多いですが、実は、これは単なる「序の口」で、その全文はこの何倍もの分量になります。全文は、文末の**付録**に掲載しますので、雰囲気だけでもご確認いただく趣旨で、文末をさっとご覧になってみてください。

……いかがでしょうか?

当方はコレを見たとき、あまりの理不尽さに、**激しい憤りを感じました**。

これでは感染症の拡大は防げないからです。

しかもこれでは、私達の社会も経済も大きく傷付くからです。

以下、その理由を説明します。

第一に、項目が多すぎで、誰も守れない。

上に記載した「**感染防止の三つの基本**」だけでも補足事項が**多すぎるし**、付録に記載した項目も含めれば、その情報量は文字通り「**膨大な量**」。これだけ全てを頭にたたきこめる国民はほぼいないでしょう。

当方は国民の行動変容を導く公共政策としてのコミュニケーションの研究を二十年以上続けていますが、その視点から言って、これは**文字通り、最悪**です。

なぜなら、**情報が多く、内容が「ややこし」ければ結局、国民に伝わらず、行動変容を誘発できず、感染症拡大が防げなくなってしまう**からです。

第二に、感染防止のために最も重要な諸事項が書かれていない。

これだけ大量の事項が書かれているのだから、これを全て真面目に覚え、従っていれば感染も防げ、重症者数・死者数も減らせられるのかと思いきや……驚くべき事に、**とりわけ重要なことがいくつも抜け落ちている**のです。

中でも特に大切なのが、

(1)(外出中には)目鼻口、特に「鼻の穴」を触らない

なのですが、この一点が、全く書かれていません。

いくら手を洗っても、手を洗った後に、テーブルやドアノブを触ってウイルスが手に付くかも知れず、その手で鼻の穴に指でも入れてしまったら**ウイルスが鼻の粘膜に練り込まれてしまいます**。

逆に言えば、**一切手を洗わなくたって、その手で目鼻口を触らなければ、感染はしないのです。それくらい、「目鼻口を触らない」という一点は大事なのに、それが書かれていないのは、極めて深刻な問題です。**

そして、具体的な行動として、

(2)(当面の間は)通常スタイルの宴会・カラオケは自粛

ということも書かれていない。

コロナの感染拡大は、おおよそ、宴会やパーティ、カラオケで起こっているのですから、ここを直接自粛、あるいは、禁止するように呼びかけることが最も効果的です。

（もちろん、「**お一人様**飲酒・**お一人様**カラオケ」はその限りではありません。）

「大皿は避けて料理は個々に／対面ではなく横並びで座ろう／料理に集中　おしゃべりは控えめに」とも書かれているので、それはそれでいいとは言えますが、こう言うよりも「宴会・カラオケは自粛」と言った方が圧倒的にわかりやすい筈です。

無論、自粛すべきはあくまでも「**通常スタイル**」の宴会やカラオケが自粛なだけで、「できるだけ声を小さくして、距離をとって」あるいは「食事は黙ってさっと食べて、飲むときはマスクをしてコップを口に付けるときだけマスクを一瞬外しながら飲む」等なら、ある程度収束してくれば構わないと思いますが、「**自粛から解除**」する「**出口**」では**宴会・カラオケ自粛というキーワードは、感染防止上極めて効果的です。**

そもそも**四月上旬に「感染者数が大きく増加」していますが、これは三月に多くの組織で送別会や年度末会を行ったからという疑義が濃密に考えられるくらいなのです。**

さらには、

（3）高齢者・基礎疾患者・妊婦の保護

（高齢者等との同居者の方の配慮も不可欠）

という一点が書かれていないのも、「**医療崩壊**」リスクの視点から言って、問題です。

もちろん、これについては、意見が分かれるところかと思いますが、事実として申し上げますと、**高齢者の「死亡率」**（＝「**重症化率**」）**は、五十歳以下の非高齢層の五〇倍から一〇〇倍以上。**したがって、**高齢者の間で感染者が広まると、重症者病床が瞬く間に一杯になってしまう**のです。

したがって、医療崩壊、感染死急増を回避するという視点に立てば、

高齢者・基礎疾患者・妊婦の自粛の継続

を出口戦略の一つとして掲げておくことは重要です（ただし、そうするかどうかは、最終的には政治判断になりますが）。

このように、**あれだけ膨大な項目を書いておきながら、肝心の「目鼻口を触らない」「宴会の自粛」「高齢者等の保護」という項目が書かれていない**のです。**これは極めて深刻な問題です。**

第三に、感染防止のために「無駄」なのに経済社会に「被害」を与える項目が多い。

この「新しい生活様式」では「身体的距離の確保」が「絶対条件」の一つのように扱われています。

これに従う限り、**電車やバスの混雑は絶対にダメ**、ということになりますし、**カウンターでの隣り合った飲食も絶対ダメ、ライブハウスなんてもってのほか**、ということになります。だから、**この条件を皆が守る限りにおいて、交通事業者も飲食店もライブハウスも、極めて深刻なダメージを受ける**ことになります。

しかし、**「身体的距離の確保」は、感染防止の視点から決して「必須」の項目ではありません**。

電車やバスについて言えば、しっかり「換気」がなされ、かつ、乗客が皆黙っている、あるいは、マスクをしていれば、少々近接していても、飛沫感染や空気感染（エアロゾル感染）が起こる可能性はほとんどありません。

同様に飲食店・ライブハウスにおいても「会話禁止」「歓声禁止」と「換気」が徹底していれば、少々隣接していても、感染リスクはほとんどないのです。

そもそも、専門家会議も、当初は三密の**「重なり」だけ**を避けるべしと言っていたわけで、そうした当初の主張のままなら、「距離の確保」だけをことさら強調するのは、論理的整合性を欠く、不誠実な主張だと言うこともできるでしょう。

いずれにしても、**交通事業者も飲食店も、工夫をすれば、「距離の確保」は必須ではなくなり、したがって、収益激減のリスクを回避することが可能なのに、専門家会議提言では、それが「不可能」となってしまう**のです。

これを**「無駄」な提案**と言わなければ、無駄な提案なるものは何も無いということになってしまう――というくらいに、「無駄」な提言だと筆者は考えます。

さらには、食事について先に紹介したように「大皿は避けて料理は個々に／対面ではなく横並びで座ろう／料理に集中　おしゃべりは控えめに」などと書かれていますが、こういう配慮は、**「外食時」**は、ということで十分だと思います。夫婦同士や恋人同士の食事の時、ある程度は注意するとしても、他人と同じ水準で注意していては基本的な人間関係が壊れてしまいます。つまり、この**提言は社会生活に対する配慮が不足**しているのです。

このように、専門家会議の「新しい生活様式」には、

第一に、項目が多すぎで、誰も守れない。

第二に、感染防止のために最も重要な諸事項が書かれていない。

第三に、感染防止のために「無駄」なのに経済社会に「被害」を与える項目が多い。

というずれをとっても深刻この上ない問題が三つもあるのです。

したがって、筆者は、この提案は即刻取り下げ、新たなものを再提案すべきだと考えます。

そして、筆者は、次のようなシンプルな**「出口戦略」**で十分だと考えます。

■基本方針　高齢者・基礎疾患者・妊婦の自粛の継続

手洗い・マスク・咳エチケットはもちろんのこと……

（同居者・同僚の「うつさない」配慮も不可欠）

■外出時の三つの注意点

①「飲み会」「カラオケ」等の自粛継続

（つまり、**他者と飲食中の近接〝発話〟の自制**）

（ただし、政府補償が必須）

②「鼻の穴」と「口」&目を徹底的に触らない

③「換気」の徹底

いかがでしょうか？

この提案は、

（1）シンプルで覚えやすいだけでなく、

（2）感染防止効果、死者数拡大抑止効果、医療崩壊リスク抑制効果のいずれもが「高」く、かつ、

（3）経済社会に対する被害も最小化できる

という、**専門家会議の提案よりも圧倒的に優越する提案だ**と考えています。

なぜそういうふうに作ることができたのかというと、この提案は、京都大学レジリエンス実践ユニットの**ウイルス学や社会心理学、防災学**の専門家らと議論を重ねた上で、**可能な限り無駄を省きつつ、わかりやすさ覚えやすさ実施しやすさに配慮し、感染防止の点から最も効果的な項目に絞り込んだもの**だからです。

だから、この「半自粛のススメ」にそって、緊急事態を徐々に解除していけば、

高齢者等を保護して医療崩壊を回避しつつ、

食事（とりわけ飲み会等）に注意して**「飛沫感染」**を防ぎ、

目鼻口を触らないようにして**「接触感染」**を防ぎ、

換気を徹底することで**「空気感染」**（厳密にはエアロゾル感染）を防ぐ、

ということが、効率的、効果的に可能となるのです。

逆に言うなら、**この三つさえ注意しておけば、接触機会を八割減などということをせずとも、「感染機会」を八割以上減らし、感染リスクを〇に近づけることが可能となるの**です。

政府、与党には是非、「専門家会議」の提案ではなく、この京大レジリエンス**「半自粛のススメ・自粛のススメ」**を採用いただきたいと思っています。

さもなければ、**「専門家会議」の提案のままでは、感染は拡大し、経済も社会も傷付くことは避けられない**と、心底危惧しています。

是非とも、国民の皆様からも、政府にご提案、ご推挙いただけると有り難く存じます。

何卒よろしくお願いいします。

（注：この記事配信は緊急事態宣言発令下の五月七日でしたが、ここで記載した方針は結局政府に採用されること無く、七月四日現在に至っています。そして、ここに記載していた予想通りに、七月上旬時点で「夜の街」を中心に徐々に感染が拡大していき、例えば東京では一日数名程度に抑えられていた新規感染者数が、一〇〇名を連続して超過する状況に至っています。）

付録：専門家会議の「新しい生活様式」

https://www3.nhk.or.jp/news/special/coronavirus/view/detail/detail_08.html

感染防止の三つの基本

①身体的距離の確保
②マスクの着用
③手洗い

・人との間隔はできるだけ二メートル（最低一メートル）空ける
・遊びに行くなら屋内より屋外を選ぶ
・会話をする際は可能な限り真正面を避ける
・外出時、屋内にいるときや会話をするときは症状がなくてもマスクを着用
・家に帰ったらまず手や顔を洗う　できるだけすぐに着替える、シャワーを浴びる
・手洗いは三〇秒程度かけて水と石けんで丁寧に洗う（手指消毒薬の使用も可）

※高齢者や持病のあるような重症化リスクの高い人と会う際には体調管理をより厳重にする

移動に関する感染対策
・感染が流行している地域からの移動、感染が流行している地域への移動は控える
・帰省や旅行はひかえめに　出張はやむを得ない場合に
・発症したときのため誰とどこで会ったかをメモにする
・地域の感染状況に注意する

日常生活
・まめに手洗い　手指消毒
・せきエチケットの徹底
・こまめに換気
・身体的距離の確保
・三密の回避(密集 密接 密閉)
・毎朝の体温測定　健康チェック　発熱またはかぜの症状がある場合は無理せず自宅で療養

生活場面ごとの例

買い物
・通販も利用
・一人または少人数ですいた時間に
・電子決済の利用
・計画を立てて素早く済ます
・サンプルなど展示品への接触は控えめに
・レジに並ぶときは前後にスペース

公共交通機関の利用
・会話は控えめに
・混んでいる時間帯は避けて
・徒歩や自転車利用も併用する

食事
・持ち帰りや出前　デリバリーも
・屋外空間で気持ちよく
・大皿は避けて料理は個々に
・対面ではなく横並びで座ろう

・料理に集中　おしゃべりは控えめに
・お酌 グラスやお猪口の回し飲みは避けて

娯楽　スポーツ等
・公園はすいた時間や場所を選ぶ
・筋トレやヨガは自宅で動画を活用
・ジョギングは少人数で
・すれ違うときは距離をとるマナー
・予約制を利用してゆったりと
・狭い部屋での長居は無用
・歌や応援は十分な距離かオンライン

冠婚葬祭などの親族行事
・多人数での会食は避けて
・発熱やかぜの症状がある場合は参加しない

働き方のスタイル
・テレワークやローテーション勤務
・時差通勤でゆったりと
・オフィスは広々と
・会議はオンライン
・名刺交換はオンライン
・対面での打ち合わせは換気とマスク

＊本記事は、政府の専門家会議が「新しい生活様式」を五月上旬に公表した直後の、二〇二〇年五月七日付けで配信された新日本経済新聞記事『「半自粛」のススメ～専門家会議は、感染抑止もできないし経済社会を大きく傷付ける「新しい生活様式」を即刻取り下げよ！～』である。

談会

コロナ「以後」の大暴動時代

施光恒
藤井聡
柴山桂太
浜崎洋介
川端祐一郎

身の回りの生活、生業から世界の政治、経済まで、
「コロナ」をめぐって大きな混乱や分断が生まれた。
われわれは「日常」をいかに取り戻せばよいのか。
そもそも取り戻すべき「日常」とは何か。
いわゆる「新しい日常」とはどう違うのか。

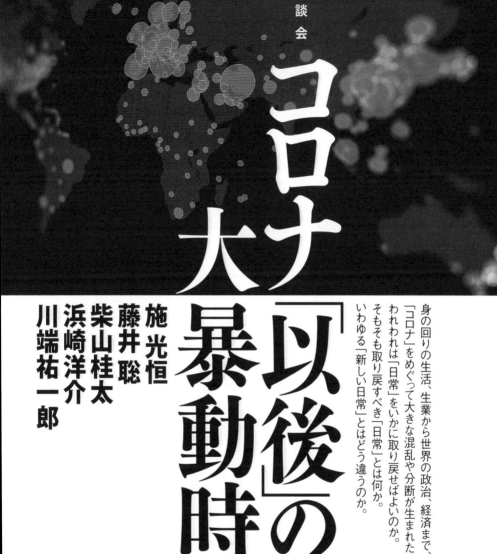

無意味に壊されてしまった日常

藤井▼本誌では「『コロナ』が導く大転換」を七月号で特集いたしましたが、さらにこの問題を深く論ずるために、一昨年の消費増税問題以来、本誌二冊目の「別冊」を発行することになりました。題して「『コロナ』から日常を取り戻す」。七月号の座談会は、緊急事態宣言が出された直後の四月十日。その時すでに、日本全体が濃密な自粛ムードに包まれていた頃でしたが、その中で我々が論じたのがいわゆる「コロナ脳」の問題でした。つまり、コロナを「過剰」に恐れるという、その空気そのものに対する違和感について議論しました。同時にちょうどカミュの『ペスト』の座談会もやりましたが、その最大のポイントも、感染症によって失われていく人間性をいかに回復していくのかというものだった。

こうしたコロナを巡る議論っていうのは結局、「コロナから日常を取り戻す」という一言に集約できるのではないか、というのが、この別冊を企画する基本的な着想です。本日は六月十三日、前回の座談会からちょうど二カ月が経ち、緊急事態宣言も解除され、社会が恐る恐る再起動し始めている状況下で、日常の取り戻し方を改め

て論じてみたいと考えています。皆さん、よろしくお願いします。

一同▼よろしくお願いします。

藤井▼ただし一言で「日常」といっても、本当に身の回りの日常から、日常的に展開される世界史的展開というものもある。いま中国ではコロナ禍で混乱する状況を利用するかのようにして中国共産党が香港の民主主義を事実上停止させ、配下に収める強攻策を講じ始めた。一方で、その中国と日々対立を深めているアメリカでは、感染症の拡大で膨らんだ国民の巨大な不満が、アメリカが歴史的に抱えていた黒人差別問題やアイデンティティ・ポリティクス（特定の弱者的立場の重要性をことさらに強調する政治）に対する不満と共振しながら激しい全国的な暴動が巻き起こっている。こうした世界の動きも一つの「日常」をなしているとも言えます。

　ついては、こうした政治的な日常も含めて考えるという趣旨で、政治学がご専門の九州大学の施さんをお迎えして、日常の取り戻し方について改めて、多面的に議論してみたいと思っています。

　ついてはまずは、施さんにここ最近の身の回りの状況をお話しいただくところからお願いできますでしょうか。

施▼では文字通り身の回りの状況ですが、私は三月の初めに仕事でロサンゼルスに行きました。日本人向けの講演や米国の大学の授業でのゲスト講師などの予定がありました。日本人向けの講演などは滞りなく行えましたが、米国の大学での仕事は、いま日本人が来ると、学生が騒ぐのではないかということで中止になりました。私が日本を出た頃は、米国ではコロナ被害はまだあまり出ておらず、日本の方がひどいと思われている時期でした。滞在中に、米国でも騒がれ始め、ロサンゼルスなどで緊急事態宣言が出されました。

　予定を早めて三月二十日頃、慌てて帰国したのですが、感染国からの帰国だということで勤め先の大学から

施 光恒（せ・てるひさ）

71年福岡市生まれ。慶應義塾大学法学部卒業。同大学院法学研究科博士課程修了。現在、九州大学大学院比較社会文化研究院教授。政治哲学・政治理論専攻。著書に『リベラリズムの再生』『英語化は愚民化 日本の国力が地に落ちる』『本当に日本人は流されやすいのか』。編著に『ナショナリズムの政治学』『「知の加工学」事始め』。共著に『「リベラル・ナショナリズム」の再検討』『成長なき時代に「国家」を構想する』『現代社会論のキーワード』『TPP 黒い条約』『まともな日本再生会議』など。

二週間ほど自宅待機を求められました。そうこうしている内に新学年が始まりました。今でも大学の授業や会議などはほぼすべてオンライン。ですから大学に入ってきたばかりの新入生は一度も登校できていない。過剰自粛ではないかと思うのですが、「ソーシャルディスタンス」なるものを二メートルほどとらなくてはならない。それをやると、多くの場合、授業を受講している学生を収容できる教室がない（笑）。期末試験もそういう理由で行えないのでレポートで代替。

緊急事態宣言は解除されましたが、あまり日常に復帰している状態からは程遠いという印象を持っています。

藤井▼我々の大学の状況も、似たり寄ったりです。大学組織の「運営」の話になると、文科省からの指示や学長や研究科長からの指示があれば、感染抑止上意味があろうがなかろうが従わざるを得ない状態が続いている。

施▼公務上、いろいろ決めなければならない場合は、後から文句が来ないようにと考えてしまう。藤井先生の批判なさっている「新しい生活様式」は、私も個人としては非合理なものだと思っていますが、組織の一員として動くときはそういうものを参考にせざるを得ません……。

藤井▼つまり我々は、「感染者が出たときに組織に迷惑をかけないようにするための対策」をやっているんですね。感染症はもうほとんど関係なくなっている。感染症対策で日常が壊れるならしょうがないと納得できますが、そうじゃない理由でもって、全く無意味に日常が壊されている。ホントにバカみたいな話です。

医療崩壊を防ぐための「経済崩壊」「社会崩壊」が世界中で今、進行している

藤井▼一方で今日は、身の回りの生活的日常だけでなく「世界史的」な日常にも着目して議論したいと思っていますが、そのあたりについてまずは柴山さんからお話しいただけますでしょうか。

柴山▼日本は、理由は定かではないものの、欧米に比べて死亡者数が極めて少ない。感染者の数も減ってきたので自粛モードが緩和され、経済活動が再開に向かっていますが、本当に大変なのはこれからです。社会に大きな傷が生まれた。それは、もともと広がりつつあった分断がはっきり見えてきたということだと思います。

一番分かりやすいのは経済ですね。八月に四～六月の

GDP一次速報が出ますけれど、年率換算でマイナス二〇%とも言われていますね。街に人が戻ってきたと言いますけれど、自粛前から消費が仮に一〇%減っただけでもGDPは三〇兆円減りますから、相当な落ち込みになります。さらに設備投資や輸出も減るので、下落幅は相当なものになるでしょう。

問題は、全体として経済が悪くなるという以上に、影響を受ける層と受けにくい層がはっきりと分かってしまったということです。高齢層はコロナによる死亡率が相対的に高いので、自粛によって感染者の数が減ればありがたい。その一方で、年金暮らしの場合には収入は変わりません。しかし現役世代は仕事を失い、所得を失う層が確実に出てくる。政府は持続化給付金などの措置を取っていますが、額が十分ではない上に、将来的な見通しが立たなくなれば廃業は確実に増えます。

藤井 聡（ふじい・さとし）

68年奈良県生まれ。京都大学卒業。同大学助教授、東京工業大学教授などを経て、京都大学大学院教授。京都大学レジリエンス実践ユニット長、2012年から2018年までの安倍内閣・内閣官房参与を務める。専門は公共政策論。文部科学大臣表彰など受賞多数。著書に『大衆社会の処方箋』『〈凡庸〉という悪魔』『プラグマティズムの作法』『維新・改革の正体』『強靭化の思想』『プライマリーバランス亡国論』。共著に『デモクラシーの毒』『ブラック・デモクラシー』『国土学』など多数。「表現者塾」出身。「表現者クライテリオン」編集長。

さらに厳しい状況に置かれているのは子供や若者です。先の敗戦でも小学校が休校になることはなかったのが、今回は二カ月以上も休校になっている。この前、小学校の先生が日本近代史上初ではないか、と言っていました。これから学校を再開するときでも、ソーシャルディスタンスを守らなければいけないので、学校側の負担は強烈に重くなる。ただでさえ予算がなく、非正規労働の先生も増えている状況でさらに負担がのしかかるわけですから、このままでは教育現場は崩壊します。

大学生も大学に行けず、サークル活動やアルバイトもできず、図書館も開いていないから本も借りられない。この状況はまだまだ続きそうです。高校から大学に進学して、人生経験を広げていく一番大事な時期に家に閉じ込められているわけです。当然、精神のバランスを崩す子も出てくる。経済学の用語で言えば、自粛による子供や若者の「機会費用」は相当なものです。

悲惨なのは、こういう苦境に社会が全く目を向けていないということです。企業は補償金が出ますが、教育の予算を増やすべきだとか、学生の学費を免除するべきだという声はほとんど上がってこない。自分たちは罹っても死なない若年層が自粛に協力しているのに、何ら補償も配慮もしないという恐ろしいことになっているわけです。

リモート化も、今のところ仕事を在宅に切り替えられるのは全体の三〇～四〇％と言われていますね。ということは、リモート化できない労働が六〇～七〇％あるということです。我々大学教員も含めて、ホワイトカラーの比較的恵まれた層はソーシャルディスタンスを守れとか、リモートワークに切り替えろと言われても対応できる。ですが、エッセンシャルワーカーと言われるような宅配業者や医療従事者、清掃員やスーパーの従業員の仕事はリモートなんてできません。宿泊や飲食の自営業者や、非正規労働者も厳しい。この層は、自粛による負の影響をもろに受けてしまった。

このように、コロナ自粛による経済的な影響は国民に等しく現れるわけではなくて、かなり偏りがある形で現れている。これは日本だけでなく、世界的に起きている現象です。アメリカの抗議運動も、背景に構造的な人種差別の問題があるのは言うまでもありませんが、それが暴動にまでエスカレートしたのは、やはりロックダウンの影響が大きいと思います。アメリカは失業率が一カ月で一〇％も上昇し、特に若年層や人種マイノリティーの失業率が跳ね上がっています。

日本は医療崩壊こそ防げたかもしれないけど、社会崩壊はとめどなく進行してしまった。もともとあった社会の分断が、コロナ危機でますます広がってしまったという印象を受けます。これから各国では、社会秩序が壊れていく中で、あえて刺激的な言葉を使えば「内乱」に近い状態が出現するのではないか。もちろん大規模な経済対策を打って、失業や所得の減少をカバーしていかなければならないんだけど、もっと深いところで起きている分断は簡単には埋められない。そういう大きな問題にも目を向けていかなければならないと思います。

藤井▼ありがとうございます。今の世界の流れを読み解く上で重要なエニウェアズ（どこでも働けるエリート層）対サムウェアズ（特定の場所に住まう庶民層）の対立の議論がありますけれど、その両者の分断がコロナによってさらに加速しているわけですね。つまり医療の崩壊は防げたのかもしれないけれど社会の崩壊はとめどなく進行する、というバカげた状況が起こっているということですよね。

コロナ禍で国民国家が世界中で再発見されつつある。ただし、日本以外で

浜崎▼そうですね、今、柴山さんがおっしゃったように、社会崩壊が加速していく一方で、だからと言うべきか、今回、世界中で、ネオリベラリズム・新自由主義の限界も明らかになりましたよね。たとえば、緊縮で病床を削ったせいで「医療崩壊」の危機を招き寄せたフランスは、さらに医療産業を全部海外に移してしまったことがたたって、マスクは自国で生産できないわ、人工呼吸器も作れないわで大混乱。また、イタリアとスペインがコロナ債を出してくれと言ったら、オランダとドイツが「いやだ」と言ってEUもバラバラだと。

さらに、それは安全保障の面でも同じで、コロナ感染者を出した四隻のアメリカ空母が、西太平洋を空にしたというニュースがありましたが、要するに、米国を中心とした軍事同盟でさえ、このコロナ禍においては機能しないということが明らかになった。

そこから、今回のコロナ禍の教訓を引き出せば、すでに以前から私たちが言ってきたことではありますが、「いざというとき、国民を守るものは国家しかない」という当たり前すぎる常識だったわけです。つまり、「国民国家」の存在論が、国民の実感レベルでも前景化しつつあると。たとえば、イギリスのボリス・ジョンソン首相が、「社会なんてものはない」というサッチャーの言葉をもじって、「コロナが証明したことがある。社会というものがあるということだ」と言ったらしいんですが（笑）、社会的危機が高まれば高まるほど、遅かれ早かれ先進国は「国民国家」の存在論と向き合わなければならなくなるでしょう。

その意味で言えば、今回のコロナ禍は、それ自体としては一つの大きな切断なんですが、しかし長期的に見る

柴山桂太（しばやま・けいた）

74年東京都生まれ。京都大学経済学部卒業。同大大学院人間・環境学研究科博士後期課程退学。滋賀大学経済学部准教授を経て、現在、京都大学准教授。専門はイギリスを中心とした政治経済思想。編書に『現代社会論のキーワード』など。共著に『ナショナリズムの政治学』『グローバル恐慌の真相』『「文明」の宿命』『TPP 黒い条約』『まともな日本再生会議』『グローバリズムが世界を滅ぼす』など。著書に『静かなる大恐慌』。新共著に『グローバリズム その先の悲劇に備えよ』（集英社新書）。

と、僕らが言ってきた通りのことが、今、起きているとも言える。

藤井▼本誌の一昨年七月号の特集「ナショナリズムとは何か」で論じた、ナショナリズム論ですね。

浜崎▼そうです。つまり「ナショナリズム」の意味を考え直そうという兆しが出てきたようにも見えるんですが、ただ、悲しいことに日本人だけは例外なんですね。たとえば、一番ずっこけたのが、自民党の「アフターコロナ」を考える勉強会（甘利明・新国際秩序創造戦略本部座長）の言葉。これからは「日本が米中の仲介役を務めなければならない」んですって（笑）。

この期に及んで、米中の「仲介」って、時代錯誤もいいかげんにしてほしい。米ソのエアポケットに嵌って非武装中立を気取れた冷戦時代はとっくの昔に終わっているし、そもそも、今の日本に、米中を「仲介」できるだけの実力は何もない。むしろ今、突きつけられているのは、香港問題を見ても分かる通り、「仲介」なんかじゃなくて、「国民国家」対「中華未来主義」のどちらを取るのかという明日は我が身の切羽詰まった問いでしょう。なのに、未だに自民党は「仲介」などというおためごかしを語っている。僕なんかに言わせれば、その当事者意識の欠如こそが、アフターコロナで、日本が孤立していくことの兆候ですよ。世界の中で次第に「国民国家」の存在論が見直されていく中で、しかし、未だにその必然を理解できない日本人。その二つの対照性が、僕の中に浮かんでくる風景です。

川端▼そういえば、自民党の議員がつくった、コロナ後の新たな国家ビジョンを構想するという議連もありましたよね。報道によると、それの第一の議題が「九月入学」ですよ。ギャグかと思いました。

高度に複雑な社会では、政治家ではなく専門家集団が物事を決めがちになる

川端▼朝日新聞なんかもアフターコロナ論の特集をやっていたし、いろいろ議論が出てきているのですが、コロナ後に経済不況がきて国際政治も混乱することは間違いないと思うものの、世界の政治経済の構造そのものが急に良くなるとか急に悪くなるというふうには思えない。むしろさっき柴山さんもおっしゃっていましたが、十年前、二十年前からずっと分かっていたことが、ありあり

と見やすくなったというのが当面のイメージだと思うんです。たとえばグローバル化に関しても、今回みんな反省したと思うんですよね。

さっきのフランスのマスクの話は面白いですが、要するにグローバル経済に依存しすぎていると、政府がマスクごときの問題についても責任を取れないわけです、中国で作ってるから。政府にがんばれと言っても、作れないんだからどうしようもない。そういう身近な問題から、グローバル化の中では民主主義が成り立たないことが実感できるので、「これはやばい」とみんな思うきっかけにはなったかもしれない。

ただ、じゃあどうやって望ましい方向に修正していくのかという点は、見えない感じがする。課題を認識できたのはいいことだと思うんですが、そうはいっても「グローバル化のやめ方」に関して我々はモデルを持っていないので、混乱が続いていくのだろうと思います。これはグローバル経済についてと同様、国内の政治的意思決定についても言えることです。たとえば日本の緊急事態宣言もそうですが、誰がどういう責任を持って、誰の声を代弁してあれだけ急進的な政策がとられたのかというのが、よく分からない状況になっている。

これって昔から言われていたことで、たとえば八〇年代にドイツの社会学者でウルリッヒ・ベックという人が、『リスク社会』という本の中で「サブ政治」という概念を使って論じている。産業や経済が高度に発展するといろいろなリスクが起きますが、たとえば環境問題なんかについて、政治家は素人なんで判断ができない。そもそも専門の科学者ですら予想できないような問題も、たくさん抱えることになる。すると、実は意思決定の手続きというのが不透明になるというわけです。民主主義の前面ではなく、むしろ後背で、専門家の集まりとか技術者の集まりによって、誰もよく理解できないままに物事が決まっていくようになるからです。

浜崎洋介（はまさき・ようすけ）

78年埼玉生まれ。日本大学芸術学部卒業、東京工業大学大学院社会理工学研究科価値システム専攻博士課程修了（学術博士）。文芸批評家、日本大学芸術学部他で非常勤講師。著書に『福田恆存 思想の〈かたち〉 イロニー・演戯・言葉』『反戦後論』。共著に『アフター・モダニティ 近代日本の思想と批評』。編著に福田恆存アンソロジー三部作『保守とは何か』『国家とは何か』『人間とは何か』。近共著に『西部邁 最後の思索「日本人とは、そも何者ぞ」』（飛鳥新社）など。

藤井▼なるほど。今回、日本でまさにそれが起こったわけですね。政策決定に関する法的責任は本来内閣にあるはずなのに、結局は、専門家会議が実質的に政策内容をほとんど全てコントロールするような状況になってしまった。

川端▼それにプラスして、今の新自由主義の特徴ですが、産業界の声なんかも裏から入ってきて、物事が決まっていくわけですよね。要するに今のような複雑な社会では、そもそも民主主義の枠組みで問題を扱うことが難しくなっている。民主的に選ばれた指導者では、判断できない事柄が増えるからです。だから、知らないうちに裏で何かの会議が開かれ、重要な物事が決められるというようなことが頻繁に起こる。この昔から言われていた問題が、コロナによって「なるほど、こういうことなのか」と分かりやすくなった。

でも、じゃあどうすべきかと言うと、これもよく分からない。安倍さんに感染症モデルの計算をやってくれって言えないじゃないですか。だから、問題は明らかなんだけど、未来の方針は混沌としているというのが僕のイメージです。

そこで思うのですが、特集の趣旨でもある「日常をどうやって取り戻すのか」について言うと、おそらく政治でも経済でも文化でも教育でも、いろいろなところで問題が噴出する状況になってくるので、「日常をどう取り戻すか」の前に、そもそも「日常を取り戻すことが目標だ」という規範を掲げることが重要なんじゃないでしょうか。問題がありすぎて整理が付かない中で、とりあえずまともな日常性を回復しようというのを統合的な目標に据えて、その上で「ところで俺たちの思う日常ってどんなもんだっけ」というのを細かく議論していけばいい。どうやって取り戻すかというよりもまず、取り戻すべきは日常だとはっきりさせることが、最低限我々にできることなのかなというのが今の印象です。

誰がモノを決めたのか分からない複雑な世の中だからこそ、専門家の常識的な「倫理的崇高さ」が求められる

藤井▼今、川端君がおっしゃった点が、今のコロナ禍の本当の危機と「対峙」する上で最も重要なポイントだと思います。自粛要請して補償しない政府がダメなんだ、専門家は単に情報を提供しただけなんだ、っていう言説が

しばしば言論界でも語られています。そんな構図が表面的に存在しているのは自明ではありますが、問題の本質はそんな浅い構図では描写しきれない。じゃぁ、どういう側面から、このコロナ禍という危機と「対峙」すべきなのか、という点について、個人的な話で恐縮なんですが、そのあたりから話をしたいと思います。

僕は今回のコロナ問題は、三月が、どういうふうにこの問題と対峙すべきかを決定する上で、ともすれば最も重要なタイミングだったと思うんです。あの時は不確実性が非常に高く、このウイルスについて分かることも幾分出始めたけれども、それでも分からないことは多いという時期だった。この時に、何を腹を括って発言するか——ここに言論人としてのレゾンデートル（存在意義）があるわけで、かつ、そういう発言の質がどの程度で、その質の高い言説が一体どれくらいその国の中で出てくるのか、ということが、その国の命運を分けることになるんじゃないかと思うんです。そしてそれは、どれだけ社会が高度で複雑になっていったとしても、というかむしろそうであればあるほどに、そうなんだと思うんです。つまり誰がモノを決めたのか分からないような複雑な世の中だからこそ、「胆力ある発言」が、そんな高度な社会を左右する上で枢要なのではないかと思うわけです。

僕はメルマガだとかラジオ番組などで毎週四、五回は個人的意見を表明しているわけですが、それだけ情報を配信していれば「コロナ」を無視し続けることもできなくなる。だから僕は集められる情報を集めるわけですが、それを踏まえてまず、三月初旬（四日）に簡単な確率モデルを使って「過剰自粛という集団ヒステリー」という原稿を書いた。つまり、この時点で、すでに、今の日本人が行っている自粛は「過剰」「やり過ぎ」だと断定したわけです。その後の当方の言説は、日々、この見解が間違っていないかどうかを様々な角度から吟味しながら、未だにこのとき間違っていなかったという確信を深めていま

川端祐一郎（かわばた・ゆういちろう）

81年香川県生まれ。筑波大学第一学群社会学類、京都大学大学院工学研究科博士後期課程修了。日本郵政公社、郵便事業株式会社、日本郵便株式会社を経て現在、京都大学大学院工学研究科助教。共著に『名言読解日本語』（多楽園出版）、『流行語で学ぶ日本語』（外語教学与研究出版社）。

す。

で、僕がそういうふうに、「過剰」な自粛だと確信したのは、次のようなことがあったからです。

この記事を書く前の日に僕が二十年以上一緒にやっているバンドメンバーの、日本ではけっこう有名なブルースピアニストがいるんですが、彼が「これはもう完全にヒステリーっすよね」とぽつっと言った。僕は、一ピアニストのそういう直感を、「神の啓示」だと確信した。そもそもすでにその時点で、感染リスクを避けるためでなく、自粛のための自粛が横行してたのだから確かにヒステリーと言わざるを得ないと確信した。で、「これで原稿を書こう」と決めて原稿を書いたんです。

それから欧米でロックダウンだなんだと騒ぎだした時、「欧米は怯えすぎて狼狽えている」「欧米人は普段は冷静に振る舞っているが、時にパニックに陥る。第二次大戦の時と同じだ」という論調の発言をした。

続いて「八割おじさん」こと、北海道大学の感染症の専門家で政府のクラスター班の西浦教授に対する批判を始めた。僕の目には、彼の四二万人死ぬだの、自粛は七割ではだめだ、八割じゃなきゃダメだといった一連の発言は、日本を守るために絶対にやってはいけない「過剰自粛」を、専門家という肩書きを使って煽りに煽る運動家にしか見えなかった。その発言が科学者としての誠実さの発露ならもちろん正当化されますが、我々理数系の研究者の目には、彼の計算値には微塵もそうした誠実さが見えなかった。しかも、川端君が指摘したベックの議論通りに、特定の専門家集団が、政治プロセスを全てすっ飛ばして世の中を実際に動かしている様がアリアリと見えた。ここまで構図が見えてくれれば、喜々として国民を脅す西浦氏や、そういう西浦氏ら専門家全員の発言を事勿れ主義で黙認し続けた尾身氏は、不道徳者以外の何者でもない、僕はそう感じた。

ただし、当方のこうした一連の「過剰自粛批判」の言説は、ネット上でかなり叩かれた。下品なネット批判から大変丁寧なご批判まで実に様々な批判・批難を頂戴することになる。ですが、そういう批判、批難に屈することは、僕の専門家としての倫理観からすれば絶対に許されないことだった。だから、そうした発言を繰り返した。

ただし、今どうなったかというと、たぶん僕の言っている方向になってきているように思います。もちろん、第二波の懸念が拡大しつつありますけど、それを防ぐのに全ての行為を一律で自粛するなんていうのはやはり過剰だという認識が広がりつつある。そもそも第二波の拡大は、我々がしつこく主張してきた宴会や会食に対するケアが薄いからなのであって、だから今の拡大を防ぐには宴会・会食の感染対策「だけ」を徹底することが最も効果的なわけです。全種類の行動自粛なんてナンセンス極まりないわけです。

そしてあの時、西浦氏や尾身氏らといった科学者に求められるのは、自身の一言一言やその話し方で人類の、あるいは日本の歴史が左右されるのだという自覚に基づくとてつもない崇高な倫理観だったんです。それがベックが言う高度に複雑な社会において、それぞれの国を、そして世界を救い出す考えられ得るほとんど唯一のアプローチだったんじゃないかと、僕は思ったわけです。でも、その肝心の政府の中枢の表舞台に実際に立った彼ら科学者にはその自覚が微塵もない、だからこのままだと日本はつぶれる、というのを僕は本能的に理解したんです。まぁ、彼らもこの腐りきった戦後日本の中で生まれ育った以上、ああなるのは仕方ないことだとは思いますが、でも、彼らさえしっかりしていれば日本は救えたんだし、かつ、それほど難しいことを要求しているわけでもない。普通の科学者としての常識的な倫理観さえあればよかったのに、というのが、当方の感触ですね。

浜崎▼おっしゃる通りです。個人的なことを言わせていただければ、僕は、もちろん感染症の専門家でも、公共政策の専門家でもないんですが、コロナが発生した当初の専門家たちの「語り口」を注意深く読みとっておきさえすれば、それこそ素人でも、ある程度のことは分かるはずなんですよ。

もちろん、藤井先生のメルマガ（統計）を読んでいたということもありますが、それ以前にも、たとえば、緊急事態宣言に最後まで慎重だったと言われる専門家会議の岡部信彦さん（川崎市健康安全研究所所長）や、精神科医の和田秀樹さんなんかも、非常に「具体的な語り口」で情報を提供していた。しかも、彼らの「温度」は、SARSやMERSとかのときとは明らかに違っていたし、彼らは、それを確信を持って断言していた。だから、それらの専門家の一連の対応を見ただけでも、「未知のウィルスだから、恐い、恐い」などということが、まずあり得ないだろうということくらいの予想はつく。つまり、落ち着いて「常識」さえ働かせれば、感染症の専門家でなくたって、状況から察して「さすがにただの風邪ではないが、過剰に怖れるほどのウィルスでもない」くらいのことは分かるはずなんですよ。

しかし、だからこそ、川端さんが言う「日常」を取り返すことが何よりも大事なんです。というのも、私たちの落ち着きや、勘や嗅覚も含めた常識の働きは、「日常」によってこそ担保されているからです。その「落ち着き」が奪われれば、ますます判断は狂っていく。

藤井▼そうなんですよ。

浜崎▼あと、「勘」や「嗅覚」ついでに言っておくと、ポイントは西浦さんの態度とか、尾身さんの立ち居振る舞いですね。それを詳しく描写することはしませんが、僕は、彼らの「顔」や「ふるまい方」を見て、西浦さんは「自分のワールド」に入っていくタイプだと判断した。尾身さんは「お人好しの〝専門家〟」です。それこそ、岡部さんの「語り口」と引き比べてみてください。差は歴然たるものですよ。そういうことを、彼らが提示する情報と一つ一つ引き比べながら判断していく。それこそ「常識」の働きでしょう。

その点で言えば、確かにベックが言うように、社会が複雑になれば意思決定が不透明化するというのはその通りなんだけど、不透明化するからこそ「常識」が必要なんですよ。たとえば、もし、僕が、感染症にズブの素人の総理大臣だったら、まず尾身・西浦両先生を呼んで、次に岡部先生を呼んで、おそらく藤井先生も呼んで(笑)、一人一人話を聞いて質問攻めにした後で、「折り合う場所」はどこなのかと考えますよ。別に専門家じゃなくたって、馬鹿じゃなければ、そのくらいのことは自分で判断できますよね、政治家なんだから。

藤井▼僕も全く同じような感覚があります。僕が西浦さんの批判が必要だと確信したのは、このままだと何十万人と死ぬ可能性があるという記者会見をした時の彼の話し方、顔つき、でした。あくまでも僕個人の感覚だと前置きして申し上げますが、日本中から注目されており、自分の一言一言で国の空気が大きく左右されるということの実感について、ある種の恍惚感をお持ちであるように見えたわけです。それはちょうど、僕のピアニストの友人の一言で「この自粛は集団ヒステリーの過剰自粛だ」

と確信できたのと方向は逆ですが、同じようなことだと思います。

浜崎▼今回のコロナ禍を巡る「空気」の問題は、つまり、日本人の常識力が払底していたということが最大の原因だったのかもしれませんね。

藤井▼一般の方のみならず、専門家や言論人と呼ばれる人々においてもそういう常識力が失われつつあり、それこそが問題の本質なんだというのが、今回のコロナ騒動でハッキリしたように思います。

現場の声を聞く常識的な意思決定システムが溶解し、専門家の暴走が始まった

施▼今のお話を聞いて思ったのが、「九月入学」に関する話です。九月入学論がまたぞろ唐突に出てきてしばらく政府が議論していたこと自体がかなり問題です。いま小中高の教育現場は本当に大変で、先生方もどうにかして教育の遅れを取り戻そうと、児童・生徒の家庭訪問を繰り返すなど必死です。そういう中で九月入学などが本当に決まったら、現場はものすごい仕事量になる。政府がそういうことを考慮せず、九月入学を本気で進めようとしていたのは驚きでした。

これは昨秋騒ぎになった大学入試の改革についても同じだと思います。大学入試の英語への民間試験導入というのも、高校の英語の先生方はだいぶ前から「これは無理だ、絶対に機能しない」と言っていた。だいたい、トーフルや英検、ジーテックなどの複数の試験のどれか一つを受験生が選んで受験するという方式では、現場の先生方はどの試験を念頭に置いて日々の授業や受験対策をすればいいか分からなくなり、高校の英語の授業が崩壊してしまいますからね。ですが、そうした現場の声を、文科省にしても自民党にしても全く取り上げず話があそこまで進んでしまった。以前の日本だったら、様々な現場の声、業界の声、人々の声を聴いて、それを集約し政策を作るというプロセスをうまく機能させたと思います。今はそれが失われてしまったんですね。

米国の日本研究者エズラ・ヴォーゲルが約四十年前に『ジャパン アズ ナンバーワン』という本を書いていますが、あの本を読むと、当時の日本は、官僚にしても政治家にしても様々な業界の人々と付き合い、飲みながらというのも含めて情報収集するのがうまいとされている。

かつての日本は政策を作るのに少々時間はかかるけれど、結果的に多種多様な業界、国民各層の意見を聞き、それらを集約した上で政策を作るので、間違った方向に進むことが少なく、人々が政治や政策に不満を持つこともあまりない。一度、政策が決まったら皆が一致団結して進んでいけるんだと、ヴォーゲルは指摘し、当時の日本の政策形成の仕方を高く評価していました。

しかし、日本でも、一九九〇年代半ばからの新自由主義の本格導入以降、各種の中間団体や業界団体の話に耳を傾ける習慣がほとんど失われてしまった。今では官僚にしても政治家にしても、国民各層の声を聞き、それを集約していくのが政治だという認識自体がなくなりつつあるようです。そのため、昨秋の大学入試改革の騒ぎが生じましたし、九月入学の議論にも貴重な時間がだいぶ割かれてしまいました。コロナに関する専門家会議を作ったら、「専門家」の意見が非常に大きく取り上げられてしまう。

意思決定プロセスがかなりおかしくなってきていますね。地に足の着いていない、足腰が非常に弱い意思決定システムになっているように思います。

藤井▼なるほど。意思決定のシステムが日本で壊れてしまったから、専門家の影響力が肥大化してしまったんですね。そしてその背後には、浜崎さんがおっしゃった常識の溶解、という問題もありそうですね。

常識を失い、欧米の猿マネが横行する。でも欧米の本質はまるで理解できない

浜崎▼さらに言うと、九月入学を巡る議論って、ほとんどがテクニカルな「専門家」の議論ばかりで、四月入学「文化論」というのをあまり聞かなかった。でも、私たちは戦後、あの桜の景色を見ながら、卒業や、入学という人生の転機を迎えてきたんですよ。それは親もそうだったし、自分もそう、そして子供や孫の世代もそうだろうと。その同じ風景の中で人生が営まれることの無意識の信頼感や、世代を超えた連帯感。それは四月入学と、九月入学のどちらに「合理性」があるのかを議論するよりも手前で、まずは守るべき私たちの基盤なんですが、そういった議論が少なかったのも、常識の溶解とパラレルなのかもしれません。

川端▼確かに、そういう議論をすると馬鹿にされる感じ

があるんですよね。明治時代くらいまでさかのぼると入学時期は実はばらばらで、九月入学だった時代も実はあるらしい。だけど、戦後ずっと長い間、桜の時期にやってきて、もはや文化として確立されてますからね。小学一年生なんか、桜がないと一年生になった感じがしないじゃないですか。その素朴な感情を言えばいいし、桜を見て小学校に入って卒業する人の数と、アメリカとかに留学する人間の数なんて、全然比較にならないわけですよ。でもそういう常識感覚を言うと、単なる主観とか感情論みたいで馬鹿にされるところがあるんじゃないですかね。

柴山▼九月入学にする理由って、グローバリズム以外に何もないんですよね。さっきの専門家の話もそうですけど、コロナ禍で明らかになったのは、平成はまだ終わっていないということです。

平成期の日本では、財政諮問会議のような専門家会議を作って、議会をすっ飛ばして税財政のあり方を決めようという流れになった。議会に任せておくと緊縮ができないから、専門家の知見を取り入れると称して、トップダウンで決めてしまおう、と。官邸に集う官僚と専門家、大手マスコミが結託して改革を既成事実化していく。政党や議会で根回ししていく古いタイプの日本の意思決定をすっ飛ばして物事を決めていくという流れが出来てしまった。今回の感染症対策でも、この構図が如実に表れたように思います。

こういう仕組みが出来たのは、グローバリズムの影響が大きいですね。日本は欧米諸国に比べて遅れている、ということに対するコンプレックスがあって、改革しなければならないとなる。九月入学論はまさにそれです。

でも本当は平成改革にうんざりしている層は着実に増えていて、今回の九月入学だって教育現場はもちろん反対だし、国民だって大多数はその必要性を感じていない。だいたい会計年度が四月始まりで、親が勤める会社も四月を区切りに動いているのに、学校だけ九月にするなんて出来るわけがない。

藤井▼與那覇さんが今月号に書かれてますけど、ロックダウンをやっている欧米に日本のエリートは憧れたんですよ。だから「僕たちもロックダウンみたいなことをやってみたい」って言い出した。そしたらちょうど「西浦さんが八割自粛って言っていて、これは使える」ってことで、彼を前面に出しながら自粛要請を加速した。

柴山▼一方で、日本人が憧れているアメリカではもう流れが変わってきているんですよね。実際、アメリカの経済学では今、三つのことが言われていて、まず株主資本主義は行きすぎた、と。従業員や顧客、地域社会に配慮したステークホルダー型に切り替えなければならないと言われ始めている。二つ目は、緊縮財政は間違いだ、財政赤字を容認していこうとFRBのパウウェル議長まで言い出している。三つ目は効率性ではなくレジリエンスを重視しなければならない、予想外のショックへの耐性や危機後の回復を早める方法を模索しようというんですが、この三つって我々がこの十年、言い続けてきたことばっかりですよね(笑)。

要するに、向こうは現実に対応して真面目に政治を考えているんです。現実を見て、理屈が合わなければどんどん修正していくという当たり前のことをやっている。でも、日本は現実離れしたイメージを追っかけてるだけ。

藤井▼さながら日本にとって欧米っていうのは単なる「アイドル」なわけです、政治も学界も、アイドルの追っかけ以上のもんじゃなくなってしまっている。

柴山▼日本のエリート層は、日本的なものが嫌いで、そこから抜け出すために勝手な欧米像を頭で仕立てているだけなんです。でも見るべきものは目の前の現実であって、アメリカの学術雑誌に載っている論文じゃない。そういう当たり前の柔軟性を、専門家システムが失いつつあるのは致命的ですね。

藤井▼昔から日本人は欧米のデコレーションは見えるけれど、プリンシプルは見えない。明治の頃から欧米人にずっと指摘されてきた日本人の欠点ですよね。欧米コンプレックスを持つなら、その点に持てばよいのにプリンシプルが見えないから真似のしようがない。洗練というものの本質が一切理解できないけれど都会人の洗練された表面的なきらびやかさだけに憧れる「田舎者」そのものですね。ホント、恥ずかしいです。

パンデミックで中華未来主義的な「テクノロジー主義」(技術至上主義)が暴走する

柴山▼論点は変わりますけれど、これから米中が対立に向かうときに、浜崎さんがおっしゃっていた「中華未来主義」と日本はどう向き合っていくのかというのは大きな問題ですね。政治方面では権威主義と言われ、思想方面では暗黒啓蒙などと言われますが、いずれにせよ日本がこれまで向き合ってきた欧米の民主主義とは異色のものです。

民主主義の弱点については、意思決定に時間がかかるとか衆愚政治に陥るとか、政治とカネの問題とかいろいろ指摘されてきた。しかし、だからといって民主主義をすっ飛ばして、エリートによる設計主義と環境管理型テクノロジーによる人々の誘導という政治システムが優れているとは言えない。ただ、欧米の民主主義が混乱の度を深めていく中で中国の、それも現実の中国というより多分に理念化された中国の未来主義に、注目が集まっていくのは避けられないでしょう。こういう流れに対して、思想的にどう応答するかが問われていると思うんです。

川端▼たとえば四、五十年前に公害問題とかが出てきて、人類は自分で作り上げたテクノロジー体系について、罪の意識を持ったことがあった。それから「成長の限界」とかの議論も出てきたし、気候変動がどうのこうのと言うようにもなりました。綺麗事の環境主義は僕は嫌いですけど、発展の行き過ぎを自覚する感覚や、人知を超えた物事に対する畏れの感覚はあって然るべきで、僕だって、石油コンビナートとか原発とかは必要だと思う一方で、不気味なものも感じるわけです。自然に対する素朴な畏れの感覚は、やはり持っているべきだと思う。

で、公害問題とは文脈が違いますが、今回のようなウイルスの猛威を見ても、自然に対する畏れみたいな感覚を取り戻してもいいんじゃないかと思うんですよね。でも、そういうふうには全く認識されていなくて、テクノロジー主義で管理しようという方向に進んでいる感じがものすごくある。それよりむしろ、グローバリズムとかは現代人の驕りであったと反省して、古い形の日常に後退した生活をしていれば、そもそもこんなに流行らないんじゃないのと思うんですが。

藤井▼たとえば、岩手なんか感染者〇ですよね。全員が岩手みたいに暮らせばよかったわけです。

川端▼四国も全然流行っていないし。

藤井▼鳥取、島根でやっていたらよかったわけです。

川端▼あと、これは佐伯先生が提起していた問題でなるほどと思ったんですが、今回のは過剰自粛だったとは思いますけど、自粛してみて、いかに今まで自分たちが異常な暮らしをしていたのかということに気づく面はある。そういえば藤井先生も、「正直、家にいる方が楽しい」と言っていたじゃないですか。

藤井▼楽しいですよ、どんだけ犬がかわいいか（笑）。

川端▼僕もめちゃめちゃ思うわけです。みんなで病気に怯えて自粛ってのはアホだなと思う一方で、電車が空いていてよかったし、京都とか大阪の街に落ち着きが戻ってよかったですよ。

藤井▼東山に中国人観光客がいなくて、清水も空いていてどれだけ美しかったか。僕だけじゃなくて、京都の人は今、皆同じこと言ってますよ。

川端▼そういう気づきってどちらかというと、原始人まで戻る必要はないにしても、今の延長で未来人を目指すよりは昔の方が良いなぁと思う感覚でしょ。そういう気づきを得てもいいわけですよね、今回のコロナで。ところが、やっぱり思想的な反省が足りないのかなと思いますけれど、素朴なものに戻ろうという規範を我々の社会はもともと持ってないので、テクノロジー主義で未来に向かうしかないという現状になってるのかなという感じがします。

ビジネスマンと暗黒啓蒙を味方に付けた「中華未来主義」はかなり手強い

浜崎▼常識を失ってしまった「穴」をテクノロジーで埋めてるということですね。

川端▼まさにそういうことですね。

浜崎▼ただ、それで言うと、今回のことで、二つのことが明らかになったと思うんですよ。一つは冒頭で言った、「いざというとき国民を守るのは国家しかない」という常識なんですが、もう一つは、「さすがに、権威主義国家、中国はヤバイ」ということではないかと。

　確かに、コロナをコントロールする意味で「中華未来主義」的な技術主義は加速しているし、それに対する憧れっていうのも出てきているけれども、一方で、中国そのものへの信頼は失われ始めているようにも見える。WHOへの感染症報告義務を一カ月間怠ったかと思うと、武漢の現状を報告をしようとした医者やジャーナリストの口を封じ、その上、自分で作り出した混乱に乗じて

「マスク外交」を展開すると。そして、最悪なのが香港ですね。この混乱に乗じて一国二制度の事実上の廃止を意味する「国家安全法」を通してしまった。

そもそも、毒餃子事件とか、尖閣問題で、中国の野蛮さを日本人は知っていたんですが、その認識に、最近、ようやくアメリカが追いつき始めていた。しかし、今回の香港問題で、さすがにヨーロッパも、中国はまずいと思い始めたんじゃないでしょうか。

特に今回目立ったのは、国民国家と権威主義国家の「ふるまい方」の違いですね。どう違うかというと、国民国家は、国内事情を考慮しなければ政治ができないので、コロナ禍では、外交のプライオリティーが相対的に低くなる。その一方で、権威主義国家は、国内は人民管理を徹底しておけばいいので、世界の混乱に乗じて露骨に覇権主義的な態度を押し出してくる。しかも、その覇権主義は国民の意思とは関係がないので、その限度が見えない。そんな権威主義国家の異様さについて、ようやく中国批判を始めたイギリス、ドイツなんかを中心に、さすがにヨーロッパも危機感を持ち始めたのかなという感じもするんですが。

藤井▼その流れで思い起こすのが、我々が以前特集した「中華未来主義」（二〇二〇年五月号）や暗黒啓蒙の主唱者であるニック・ランドです。彼はもともと、新反動主義と言って、欧米にある行きすぎたタテマエ政治（あるいはアイデンティティ・ポリティクス）に対するいら立ちがすごくあって、それに対して新しい格好で反動しようとした。そして、その反動として、欧米のイデオロギーの逆張りで技術主義に走り中華未来主義に到達する。いま浜崎さんがおっしゃった「中国ヤバイ」とは逆に、ニック・ランドのような「中華未来主義」がさらに加速する可能性もあるように思います。

実際、中国は今回のパンデミックでも、今回のウイルスの発生国として一京円もの損害賠償を要求されながらも、それを無視しつつ、なんだかんだ言いながらWHOをうまく金の力で抑えつけて情報操作を行い、しかも、香港をまんまと手中に収めようとしている。

国内のパンデミック対応にしても、技術主義で徹底的に抑え込もうとしている。インターネットを用いて感染を制御しパンデミックを抑えようとして、実際感染症は収まったと一応報告されている。まぁ、かなりの嘘はあるでしょうけど、それでも実際に経済を回し、万里の長城なんかにはすごい観光客がやって来ている。

そういう中国の勢いを見て憧憬を持つニック・ランド的輩が欧米、さらには日本にもやはりいるんじゃないかと。

そう考えると、「中華未来主義」的なるものと、「国民国家主義」的なるものとの戦いが、今回のコロナ禍を通してさらに鮮明化しているとも言えるように思います。

柴山▼中華未来主義はビジネスマンにも受けがいいですよね。暗黒啓蒙でも、ピーター・ティールのような実業家が大きな影響力を持っていると言われています。そもそも企業って民主主義的な組織ではないですから。テクノロジーの発展を志向し、経営者がトップダウンで意思決定する組織なので、企業って本質的に権威主義的なんですよ。国家と違うのは、企業の場合、イヤなら離脱すればいい。だけどニック・ランドが言っているのは、国家も企業のように離脱できればいい、ということですね。そういう意味では、企業人的な価値観が広がっていくと、暗黒啓蒙の思想に近づいていくのは必然なんだと思います。グローバリズムを終わらせるという意味で国民主義の、国民主義と結びつく限りで議会制民主主義の活性化を図るのが正しい道だと思いますが、敵はなかなか手強い。企業の論理がかつてなく力を持つ時代ですから。

藤井▼まさに各国が完全にアンブレラ社よりも格下になってる「バイオハザード」の世界ですね。

国柄とコロナ対策

施▼今回のコロナ対策を見ると、難局にどう対処するかという点で、それぞれの国柄が出たという感じがします。欧米は法と権力を重視し、外出規制などに厳しい罰則を設けました。イタリアだと外出禁止に違反すると約三五万円もの罰則を受けたと聞きます。

他方、中国は、まさに「デジタル権威主義」「デジタルレーニン主義」と称される形で対処した。国民一人一人のスマートフォンにアプリをダウンロードさせて、許されている行動の範囲で赤、黄色、緑といった信号機のようなバーコードが送られてきたらしい。人々の行動を監視し、感染者と接触したり、感染が懸念される場所に近づいたりするとシグナルが緑から赤に変わる。個人情報の保護など何もなく、デジタル技術を用いて国民行動すべてを監視・統制していくという方法をとった。

つまり、欧米は法と権力で、中国はデジタル権威主義で、コロナに対処した。

日本の場合、確かに過剰自粛のところは多々ありましたが、第三の道を示していたように思います。つまり、日本は、個人の外出や商店の休業について、罰則なしで要請プラス指示だけで行った。なんだかんだ言いながらも大半の人々は協調行動をとりました。私はちょっと驚いたのですが、日本的な手先の器用さを発揮したのか、コンビニでもスーパーでもどうやって作るのか、アクリル板やビニールカーテンを使って吐息がかからないような工夫を行っています。またどの店のレジの前にも、足跡マークを設置し、三密を防ぐような努力もしています。

日本は、欧米的な法と権力とも、中国のデジタル権威主義とも異なる第三の道、つまり、ある種の共同体の倫理観といったものを発揮し、コロナに対処したんだと思うんですよね。私はその可能性をもう少し吟味してみるべきではないかと思います。確かに日本の場合は、やり過ぎで過剰自粛につながってしまった点も大いにありますが……。たとえば、児童公園の遊具を子供たちが使わないように、立ち入り禁止のテープでブランコなどをぐるぐる巻きにしてしまっているのをよく見かけました。ああいうのは確かにやり過ぎですよね。

ですが、罰則がなくても、多くの人が自発的に協調行動をとるという共同体の力とでもいうべきものは、やはり注目に値すると思います。そういう共同体の力をどのように維持し、発展させていくか。それを我々は考えるべきではないでしょうか。

一般に日本で「保守」と称される政治家とか評論家は、「日本は緊急事態宣言を出しても罰則も設けられない。もっと厳しい罰則を付けられるよう法整備をすべきだ」とよく言います。大阪の吉村知事みたいな強いリーダーという印象のあるものが人気者として祭り上げられ、トップダウン的なものを求める風潮もある。それが法と権力の方にいくのか、それとも中華未来主義的なものにいくのかは分かりません。私は、どちらでもない第三の道、つまり共同体的な力を重視し、それを維持し、発展させていけるような社会のあり方を考えていく。そういう方向性が大切ではないかと思います。

庶民は健気だが「政府専門家」は堕落した。その結果、日本型システムが瓦解した

藤井▼まさにおっしゃる通りです。日本は、そうやってみんなで全体を見据えつつ思い遣りながら調整を図ってコロナ禍を乗り越える構図が最善だと思います。

ただ、残念ながら、庶民は「健気」にも、理想的に振舞ったのに、如何せん、対策の中心に立つ政治家と専門家の倫理観が低すぎたというのが当方の見立てです。

まず今回の日本のコロナ対策において、政府と専門家を併せた存在としての「政府専門家」をお医者様、「国民全体」が患者だと考えてみましょう。患者である国民はお医者様である政府専門家をものすごく信頼し、一切疑わず、至って立派な方々だと信じ、ものすごく言うことを聞いた。そして、そんな「立派なお医者様」を批判する僕みたいな人間を「不道徳だ！」と批難するくらいに、患者はお医者様を信頼した。

僕は、そういうふうにお医者様を信ずる国民の健気さは、至って日本人的で素敵なことだと思う。

でも、そうした国民の信頼が真に美しくなるのは、お医者様が立派であることが全ての前提です。

でも、当の政府専門家は、決してそういう次元にはなかったんです。八割自粛という途轍もない副作用がある処方箋を、効果があるかないかをさして確かめずに「まぁ一応念のためだから」と言って処方する。それで患者の身体（＝国民経済）はボロボロになることが分かりきってるのに、それについて質問すると「それは俺たちの専門じゃない、経済の専門家に聞いてくれ」と言って何の反省もない。しかも、これだけ副作用があったのに、第二波が来たらまた同じ「自粛」という処方箋を処方しようとしている。

お医者様は基本立派だとは思いますが、れっきとした日本語として「藪医者」という言葉があるじゃないですか。患者は、その医者が藪かどうかを目利きする義務があるはずです。藪だったら、死んでしまうんですから⁉

だから僕は、国民が健気であるからこそより一層、政府専門家に対して深い憤りがある。僕のこの怒りというのは施さんと同じような故郷観というか、日本人観があるからだと言えると思います。

それから、もう一つ思うのは、たとえば江戸時代だっ

て殿様が気が触れたら、部下が寄ってたかって説教したり「押し込め」（部下が寄ってたかって殿様を監禁してしまう）たりするじゃないですか。だから国民はただ単にお医者様の言うことを聞いていればいいわけではない。時に「押し込め」をやらなければならない。

ただもちろん、押し込めまでやる部下は全員である必要はない。部下の中でも特に責任感を持った、一部だけでよいと思います。逆にいうと、そういう責任感ある部下が、一部いないと殿様、今のケースでは政府専門家が暴走し放題になる。

だとしたら、僕は、「言論人」たるもの、リスクを取って「押し込め」んとする部下にならなければならないんじゃないかと思うんです。

だから今の日本人に足りないのは、そういう、リスクを取って、上を押し込めようとする一部の武士なんじゃないかと思うんです。

施▼私はまさに藤井先生と同じ意見です。先ほど触れたように、日本には、個人の高い倫理意識や規範意識と同時に、共同体的な意思決定システムが本来あるべきだと思うんですよね。まさに根回し的な形の多種多様な層の声を集約していく決定システムです。中間共同体がしっかりしていて、各々が自分たちの業界なり地域社会なりの意見を出していき、共同体の長がそれぞれの意見を聞き、調整に奔走し、決定していくものです。そうした意思決定システムが近年の日本では、新自由主義にかぶれたためか、なくなってしまった。トップダウンの方が、格好がいいという思い込みがなぜかけっこう広がっている。そうなってしまっているのが今の状況だと思います。

暴走する「医者の権威」

川端▼意思決定がトップダウン形式に寄っている問題と同時に、医者の権威の高さというのは、固有の現象でもありますね。七月号で医師の森田洋之氏も言っているし、一橋大学の猪飼周平さんという医療社会学の先生が本にまとめてるんですが、面白いことを言っていて、要するに二十世紀の医者というのは歴史的に見てもかなり特殊な存在であったと。抗生剤や外科手術を使った「治療」という、魔法のような技術がこれだけ発達した時代は他になかったので、医者がものすごい権威を獲得することになった。この現象については、パーソンズなんかも関心を持って分析していたそうです。ところが二十一世紀になると、治療よりもたとえば障碍者をどうするとか、老人介護や終末期医療をどうするとかの問題が大きくなってきたから、治療医学の権威は相対的に下がるはずなんです。だから、実は治療絶対主義に基づく医者の権威というのは二十世紀の遺物だというのが森田氏や猪飼氏の議論なんですが、意識の転換はまだうまくいっていないようです。

それと、さっきの施さんの「信頼」の話に関連して面白いと思うのは、スウェーデンの例ですね。今回のスウェーデンの戦略については賛否両論いろいろあって、まぁ成功と言う必要もないのですけど、四月くらいに出ていた研究によると、スウェーデンのノーガード戦法については、若者の四割が賛成しているのに対し、高齢者は六割賛成なんです。つまり、主に高齢者が死ぬんだけど、高齢者の方が賛成しているわけ。もう一つ分析があって、スウェーデン政府の方針に賛成／反対している国民の他の回答との相関を取ると、「他人を信頼する性格の人」ほどロックダウンには反対し、政府の緩い方針を支持する傾向がある。つまり、信頼ベースで生きている人は、「政府にロックダウンさせるんじゃなく、自分たちでできることをやればいいんじゃないか」と思っているという傾向があるらしい。

で、それでは日本人の信頼というのはどうなのか。ちょっと面白いんですが、今回のコロナ対応に関して「政治的リーダー」と「ビジネスリーダー」と「地域社会」つまり隣人と「マスメディア」に対する評価を世界二十三カ国で比較しているデータがありまして、日本人の評価はマスメディア以外は異常なほど低いんですよね。ほかの国は何十％という支持率なんですけれど、日本人だけ五％とか六％とかなんですよ。政府を信用していないだけではなくて、企業も隣人も信用していないわけです。それでメディアだけを信頼というか評価しているという結果が出ていて、これは危険な兆候だと思いましたね。藤井先生はさっき信頼ベースでいきたいと言っておられて、私もそう思うんですが、どうも残念なことに日本人は不満だらけのようなので、信頼ってのはかなり枯れてきてるのかもしれない。

信頼が枯れると、自発的協力の日本的モデルにも、法と人権のヨーロッパ的モデルにもなれず、中国的なデジタル権威主義モデルが選択される恐れもあるんじゃないかと。そしてその先に、維新の会とか小池さんのような改革勢力による独裁政治も見えてくるのではないか。

「刀」を失い、ひたすら米中に従属する日本

浜崎▼今回の問題は、またしても日本的「空気」の問題が大きかった気がします。施さんがおっしゃるように日本人は協調行動が上手いし、その美徳をうまく使えればいいんですよ。ただ、それを時と処と立場によって適切に使いこなせない場合、日本人の長所は、そのまま日本人の短所に裏返ります。藤井先生の「押し込め」論に言葉を接げば、日本人の美徳って「菊と刀」のバランスで成り立ってきたんですが、近代以降、特に戦後の日本は、三島由紀夫じゃないけれど、「刀」なしの「菊」だけで回ってきたんです。すると、「刀」(死)との緊張感を失った「菊」(生)は腐っていくし、なお自分を繕おうとして「造花」になってしまう。するとどうなるかと言えば、今、いみじくも施さんが公園の遊具問題を指摘されましたが、ああいう「事なかれ主義」の不条理が全面化していくことになるんです。

たとえば、僕には、今、五歳の子供がいるんですが、さすがに子供を家の中に監禁し続けるわけにもいかないから、大きな公園に連れて行くと遊具が全部ぐるぐる巻きでしょ。で、仕方がないから、近所の小さな公園に行くんですが、そこの遊具は使えるわけ。すると、そこに地元の親子連れがどんどん集まって来て、結局、その小さな公園が「三密」みたいになるわけですよ(笑)。「じゃあ、何のためのぐるぐる巻き?」って話ですよね。一ミリの合理性もない。

つまり、誰も本気で感染予防なんかする気ないんですよ。マスクもそうだけど、みんな「空気」に怯えて、いざという時に責められないように「感染予防してる風」を装っているだけ。「いざとなったらおれが腹を切るから、不条理なことはするな」と言う人間、「刀」を抜いて覚悟を示す人間がいない。その結果「菊」の腐臭だけが広がっていく。

で、その腐った「空気」が、またしてもデジタル権威主義的なものと結びつく。だって、デジタル権威主義こそ、誰も責任を取らなくていい「事なかれ主義」の極致ですからね。その点、「決断」するナチスに対して、「決断」

しない日本人の政治文化を「無責任の体系」と言った丸山眞男の言葉は、戦前よりも、むしろ戦後にこそ当て嵌まるんですよ。

藤井▼日本の問題の構造はまさにそういうことになっていますね。日本は稠密で複雑なシステムを作ったがゆえに、何かの要素が一つ外れると、たとえば「刀」という要素が一つなくなるだけで、全部ばらばらになってしまう。本当に残念ですね。

柴山▼その問題は日本の外交論義にも当てはまりますね。米中が対立する中で、日本はアメリカと中国のバランサーになればいい、などと言われている。核も持ってないのに、そんな都合のいい話があるわけない。香港や台湾の未来は日本の未来です。

中国は膨張を続け、アメリカはさらなる従属を迫ってくる。その中で国家の独立を維持していくには、まさに「刀」が必要となるはずなんですが、今の日本はと言えば、習近平を国賓に呼びたいから厳しいことも言えず、アメリカには何があってもくっついていく。日本人が社会的規範や協調を重視するというのはその通りで、そこに美点があるのも間違いないことですが、協調にもいろんなバリエーションがあると思うんですよね。気骨のない協調主義は最悪です。日本の伝統や文化という土台の上に国家を築くという時に、「刀」と言ってもいいし独立自尊と言ってもいい、何か「骨」の通った倫理や責任感が入らないと、周辺国にただ合わせるだけの空気国家になってしまう。

藤井▼我々の今回のテーマは「コロナから日常を取り戻す」ということですけれど、仮にその日常が統計的平均であって、取り戻す先が二〇一九年の十二月だとすると、そこに取り戻したところで「骨」がないので、それを取り戻してもしょうがないとも言えますね。

だから今の日本人がコロナ禍から取り戻そうとしているものも魅力的ではないと多くの日本人は潜在意識では思っている可能性があって、だから新しい日常でいいやとニヒリスティックに諦念してしまっているかもしれない。

一方で、そうは言っても実際にこの日本でも「骨のある生活」をしている人たちがきっといるはずで、その人たちは明確に二〇一九年の十二月の暮らしに戻りたいと思うでしょう。ただ、残念なことにそういう人が意外と少ないんでしょうね。だからやはり我々は多くの人に日常を取り戻せという言葉を説得力のある格好で伝えるためには「骨のある暮らし」というものまで戻らなければいけないんでしょう。

じゃぁ、それはいつなのかというと昭和十九年とか二十年とか、下手したら幕末の白虎隊とかそんなことになっている可能性がある。白虎隊は刀なわけですから。

川端▼今回、日常の問題に加えて、さっき柴山さんがおっしゃった世界情勢の問題もあって、両面がダメな感じがする。思いつきなんでおかしければご指摘いただきたいんですが、ここ最近の中国の対外的な動きが派手で強引なのって、九〇年代から二〇〇〇年代のネオコン時代のアメリカを見ているような感じも何割かするんです。アメリカと中国はどこか似ているなという印象がずっとあって、だから「欧米」とまとめるのにも抵抗がある。

五月号の連載欄に書いたんですけれど、コロナ生物兵器説ってあったじゃないですか。あれはネタみたいに扱われていますが面白い論点もあって、一般には「中国がつくった生物兵器なんじゃないか」という説が言われているんだけれども、実は中国国内では、「あれはアメリカがつくった生物兵器に違いない」という逆の陰謀論が根強くあって、実際、人民解放軍の関係者とかがまじめに「これはバイオ戦争の幕開けだ」とか言って、それに備えるべきという議論をやっているらしいんです。これは今回だけではなく、SARSの時も同じようなことが起きたらしい。

それを見ていると、「こいつら似てるな」という感じがしたんですよ。ホフスタッターが、反知性主義の本とは別に六〇年代くらいに『アメリカ政治の偏執狂スタイル』という本を書いていますが、アメリカ人というのは常に「どこかから悪い敵が襲い掛かってくる」という被害妄想を負って生きていて、その妄想がアメリカ政治の全体を方向づけているのだと言っている。「テロとの戦い」の時代のアメリカもまさにそうだった。それで中国人というのも、けっこうそういう民族なんじゃないかという気がしたんですよね。

香港とかウイグルとか尖閣とか台湾に対する出方というのは、単なる傍若無人というよりも、何か恐怖症みたいなものに動かされてるんじゃないかとも思える。ヨーロッパ人とか日本人というのは、おそらくあんまり偏執狂的な文化ではないわけです。すると、偏執狂の国同士が「あいつは悪いことを企んでるに違いない」と争っている時にですよ、我々日本人のようなお人好しが仲介役をしようなんて言うのは的外れで、「あれは触れちゃいけない人たちだから」というぐらいに米中対立は眺めておかないといけないのではないか。間に入って何とかしようなんて、世間知らずの度が過ぎるように思うんです。

施▼まさに川端さんがおっしゃったような点があると思います。中国にしてもアメリカにしてももともとまとまりが悪い社会なんです。だから常に外部の敵とか強力なイデオロギーとか経済成長などで、国民を半ば強引にまとめ上げることが必要なんです。たとえば今の中国は絶対に経済成長を止められない。嘘でもいいから成長し続けないと国民はばらばらになる。アメリカも「自分たちこそ自由民主主義のチャンピオンだ!」といったようなイデオロギーでまとめていないとダメなんですね。両方ともそれが通用しなくなってくると今度は外部に敵を求め始める。

今回、本当にアメリカは大丈夫なのかという感じがします。今、アメリカでコロンブスなどの銅像が引き倒されるなどしてますよね。人種問題の最近の表面化は、アメリカをまとめていたイデオロギー的物語の信頼感がなくなってきていることを表しているように思います。米中両国とも、コロナの下では経済成長も無理でしょうし、結局本当にバラバラになってしまう恐れがあります。互いに敵視し合い国内をまとめるという道ぐらいしか残されていないかもしれません。そこで日本が米中のバランサーになれるなんてことはまずあり得ません。

柴山▼先ほど施さんが、危機になるとどの国も自分たちのやり方に戻ろうとすると指摘されましたが、アメリカも今、そういうモードに入っているんだと思うんです。アメリカは共和主義と社会契約が独特に結びついた国ですが、社会契約は定期的に壊れるというか、見直されるところがある。もともとは白人のエスタブリッシュメントだけが参加していたのが、十九世紀に白人全体に広がり、二十世紀の公民権運動の時代にようやく黒人も市民権を持つ。だけど実質的には差別が続いていて、それが今回の暴動につながった。国民の結合を壊しては作り直すということを繰り返しているところがあって、その都度、社会契約の神話を持ち出して国をまとめる。外部の敵を作るというのも、もう一つの方法ですね。

今、アメリカで起きているのは国民の深刻な分裂ですが、ああやって壊した後でまた国民を創生していくというのもアメリカという国家の特徴なのだと思います。もう一回、時間をかけて社会契約を作り直すのでしょう。

中国に関しては、文化論だけでなく発展段階論からも見た方がいいように思います。民衆のナショナリズムが高まりつつある中で、経済は中進国の罠にはまっている。この状況で独裁を続けるには、何か打開策が必要なはずです。毛沢東とか鄧小平のような英雄なら独裁でも国民はついていくかもしれないが、習近平には大きな手柄はない。そうなると、香港と台湾を取る、という方向に進むのは時間の問題だと思うんです。

軍事費のデータを見ると、二〇三〇年に中国の軍事費がアメリカの半分になる。第一次世界大戦もドイツがイギリスの軍事費の半分になったところで戦争が始まったんですね。もちろん戦争が起きると言いたいわけじゃないんですが、米中の対立はもう後戻りできないところまで来ているんだと思います。

社会の分断は中国でも相当深刻な形で起きているので、矛先を外に向ける可能性は高いと思います。十年後には大きなパワーがアジアで激突すると考えておいた方がいい。そこまで考えると、我々はコロナばかりに目を奪われている場合じゃなくて、もっと大きな歴史の流れの方を見る必要がある。今、米中に挟まれて右往左往している韓国のことを茶化す日本人は多いですけど、あれって日本の未来ですよ。大国にあれこれ要求を突きつけられて、政治は親米派と親中派で争い合って、財界はただ目の前の経済利権を守るのに必死というのが十年先の日本なんじゃないですか、このままいくと。

藤井▼そういう意味で骨のない日本は世界史で展開する日常が見えていないんですよね。骨があって初めて大局がつかめるけれど、全くつかめないから九月入学だとか言っちゃっているんですよね。

柴山▼後世の日本人に笑われるんじゃないですか。

藤井▼笑えるには骨が必要ですから。一人残らず骨抜けだと笑ってくれる人もいないかもしれませんね（苦笑）。そうならないように、皆さん、これからもよろしくお願いします。

対談1

二メートルのソーシャルディスタンスが社会崩壊を導く

名古屋市東山動植物園 企画官
上野吉一×藤井聡

政府の専門家会議は、感染を広げないためにソーシャルディスタンス二メートルを確保する「新しい生活様式」を守るべきだとの提案をまとめた。確かにそうすれば感染は広がりにくいのかもしれないが、私たちの経済や社会が激しく疲弊することは不可避だ。その被害がどれだけ本質的なものなのかを明らかにすべく、京都大学霊長類研究所で准教授として動物の行動と幸福についての研究を重ね、その研究知見に基づいて、動物の幸福に資する空間を作るために名古屋市東山動植物園に勤務する動物の認知行動学・動物福祉学を専門とする上野吉一博士の話を伺いに園を訪れた。

ヒトにとって「ソーシャルディスタンス」には深遠な意味がある

藤井▼今日はよろしくお願いします。まずお聞きしたいのが、ソーシャルディスタンスとは、我々にとってどういう意味があるのか、という点なのですがいかがでしょうか。

上野▼まずソーシャルディスタンスという言葉自体が日本では誤解されているのが気になります。そもそも、そこに「ソーシャル」という言葉がついているのは社会学的、心理学的な意図や関係性についての意味が含まれているからです。もともとこの概念は、文化人類学者のエドワード・ホールが提唱したものですが、彼は「パーソナルスペース」という概念を定義してそのスペースの距離を「パーソナルディスタンス（個体間距離）」と言いました。

藤井▼だから単に二メートルの距離を離すだけだというなら「ソーシャル」と言ってはいけなかったんですね。もともとこの概念はアメリカで言われ始めたようですが、アメリカで言われ始めた頃はそういう間違いはなかったんでしょうか。

上野吉一（うえの・よしかず）

60年岩手県生まれ。86年、北海道大学農学部卒業。93年、同大学大学院文学研究科修了。博士（理学）。北海道大学実験生物センター助手を経て、00年より京都大学霊長類研究所附属人類進化モデル研究センター准教授を務めた。07年、大学を辞し、名古屋市東山動物園の企画官へと転身し、新しいコンセプトの動物園作りに携わっている。著書に『グルメなサル香水をつけるサル ヒトの進化戦略』（講談社）、『キリンが笑う動物園 環境エンリッチメント入門』（岩波書店）、『動物福祉の現在 動物とのより良い関係を築くために』（共著、農林統計出版）など。

上野▼おそらく、アメリカでは誤解なく使われていたのだと思います。彼らは赤の他人でもすぐに話し出すし、キスもハグも普通にやりますから、感染抑止のためにはそういう社会的行為はやめないといけない、という趣旨でソーシャルディスタンスが言われていたわけです。しかし日本に入ってきたときにはまったくそのニュアンスが消えてしまった。そもそも日本にはアメリカのように激しくハグし合うというような文化もない。「なんか二メートル離れていれば大丈夫らしいよ」という、単なる距離（ディスタンス）だけの問題になってしまった。

人々の間の距離を縮めることで、協力が誘発され、社会が活性化する

藤井▼なるほど、そうなると日本では、二メートルの距離を取っている内に、知らず知らずに社会的な関係が壊されてしまう、っていう本質的な問題が起こってきそうですね。ところで日本人、アメリカ人にかかわらず、ホモ・サピエンスとして考えたとき、個体間の距離というのはどういう意味を持つのでしょう？

上野▼サルというのは、嫌だったら離れるし、仲が良けれ

ば近づいてきて、さらにはグルーミングし合うこともある。グルーミングは単なるノミ取りではなくて、「取ってあげた」「取ってもらった」という貸し借りを作って社会関係を作る一つのツールでもあるんです。

藤井▼なるほど、距離の取り方自体が既にコミュニケーションツールなわけですね。にもかかわらず今、国から強制的に二メートル取れと要請されつつあるんですが、それには一体どういう弊害があるんでしょうか。

上野▼短期間であれば、人間ですので頭で考えて、理解できれば離れられる。例えば「病気だから人にうつさないように離れてなさいよ、治るまでだからね」と言われれば、隔離されても、何とか大丈夫でしょう。

でもそれを常態化しなさいと言われるのは、相当きつい。近づきたいと思うものに対して、「離れよう」って自分で言い聞かせるのは大変なことです。そもそも人間は思っているほど「考えて」生きてはいない。だから、身体は近づきたいのに頭で離れるべきだとやると、すごく心理的なストレスがかかる。結果、いろんなところでひずみが出ます。

藤井▼どんなひずみが出てきそうですか？

上野▼例えば最近だと、眠れないという人が出てきていますよね。変な夢を見るとか。それは常に、コロナへの恐怖ということも含めて、無意識下で緊張しているからですよ。家族関係でも、「家の中でもマスクはしなければ」というくらい実直な人にとっては、相当なストレスになります。

藤井▼心的なストレスとともに、あらゆる側面で協力行動に支障を来すのではないかと思うのですがいかがでしょうか。私自身は、「社会的ジレンマ」と呼ばれる研究の中で、人々の間の協力が社会の維持、発展のためにどれだけ枢要な役割を担っているのかという研究に長年従事してきたのですが、その中で明らかになってきたのが、人間社会っていうのはヒトとヒトとの協力で成り立ってるわけで、その協力のためにこそ適切な人間関係が必要だという点。そしてその適切な人間関係のためには適切な身体的距離が必要になるとしたら、二メートルの距離を取ることを強制する今の政府方針は結局、人々の間の協力関係を毀損して、最終的に社会全体に巨大な被害をもたらすことになるのではないかと思うのですが、いかがでしょうか？

上野▼そうですね。たかが距離ですが、それが単にそこで収まらないんです。例えば、上司、部下とかの間でも、距離を縮めるという行為は、仲がいいんだよねということを確認することにもなります。

藤井▼なるほど、会社のメンバー間でも適切に距離を縮めることで仲間意識が醸成されて、会社のパフォーマンスが上がる、ということがありそうですね。

上野▼そうですね。そもそも人間は、表層的なところでは「考えながらルールに従う」ということはやっているんですけど、本質的なところというのはそういうものでは整理がつかないんです。

藤井▼だから、たかだか会社の人間関係でも、距離の取り方を間違えれば、ギクシャクしてしまって、会社のパフォーマンスも落ちかねないわけですね。

ヒトを含めたあらゆる「種」には、幸福な「距離感」がある

藤井▼ところで、「距離が大切」というのは、ヒトも含めた霊長類にとって重大な意味を持つ、ということかと思いますが、それはその他の多くの動物にも共通する傾向なのでしょうか。

上野▼そうです。動物にとって、少なくとも哺乳類にとっては、個体間距離というものをどう取るかはとても重要です。それは社会的な意味を持っているのです。

藤井▼なるほど。やはりそうなんですね。距離と個体間の共同活動、集団活動との間の具体的な関係を、改めてご教示いただけますでしょうか。

上野▼例えばこういう動物園の展示を考えるときに、特に目を向けるものの一つとして、それぞれの動物が「どう逃げられるか」ということが挙げられます。チンパンジーだったら立体的に動き回れるように、単なる水平距離だけではなくて上下の距離も重要です。飛び上がれるかどうかも大切です。そういうものを考えながら展示空間を作って生活を見せる。

藤井▼それぞれの種、サルだったりライオンだったりとかそれぞれの種に固有のある種の生活様式というものがあってその様式の特徴づけに重要なのが、それぞれの個体間の距離なわけですね。

上野▼そうです、そうです。

藤井▼で、動物園の展示空間を作ろうとするときに、それぞれの種ごとに適切な「個体間の距離」を想定し、それに沿うように作っていかなければならないわけですね。それにもかかわらず、それぞれの種において適切な距離を無視してしまったらどうなりますか。

上野▼それは常に緊張した状態になります。喧嘩したり、集団同士が牽制し合い始めたり、弱い奴がいつも隅っこにいざるを得なくなったりとか、なにがしか問題が起こってくるのです。

藤井▼なるほど……。空間配置を間違えて、それぞれの種が本能的に確保したいと思ってしまう距離の確保がお互い

にできなくなってしまうと、結局は秩序が乱れて、彼らの幸福度は大きく毀損されるわけですね。そしてそういうことが、人間でも確実に起きるはずなわけですね。

上野▶そうです。それが短期間だったり言語的に理解できるレベルであれば、人間の場合は自分の心をある程度コントロールできるのですが、それが長期間になればなるほど大きな問題になってくるわけです。

藤井▶その意味で、感染症の専門家たちが、人間の暮らしとか心とか動物としての性質とかを全て無視して、単に感染症を広げないという一点だけを考えて、「新しい生活様式」なるものを提案し、その中で、「二メートルの距離を確保しましょう」と言っているわけですが、これは極めて大きな問題だ、ということになるわけですね。人類が種として持っている本能的な図式を無視すると、人類の秩序は大きく乱れるし、我々個体の幸福が大きく毀損することになるのは必定なわけですね。

上野▶そうです。もちろん、我々の生活様式は文化的な生活、文明化されたものですから、単にホモ・サピエンスとしてだけ生きているというものではありません。だけどだからといって、どんな新しいものでもすんなりと受け入れられるわけではないんです。

ヒトは身体的に違和感のあることは、どれだけ頭で考えても出来ない

藤井▶なるほど。人間にとって枢要なコミュニケーションについては、頭でいくらこうすべきだと考えても、その違和感は払拭しきれない、というわけですね。

上野▶相手との距離ということで一番基本的なことを言いますと、チンパンジーなんかはある年齢までは子供は母親にぴったりくっついていたいわけです。それと同じことがもちろん人間においてもある。子供がある程度成長すれば、必ずしもぴったりくっつくわけではありませんが、子供としては振り向いたときにすぐに助けに来てくれる距離に親がいるかというのが、重要になってきます。

藤井▶なるほど、「手の届く距離」ということですね。

上野▶距離の大切さには、そういうのがあったりする。さらに言いますと、親しい関係になればなるほど、大人の他人同士の関係でも、近づきたいと思うのは自然なことですよね。

藤井▶なぜそうなるのでしょう。

上野▶それは、先ほど言ったように社会的な関係というものが身体接触までを含めて形成されるというのがベースになるからですね。

藤井▶なるほど、だったら「二メートルという距離」があっ

たらできないことは、人間同士の間にも山ほどあるわけですね。

上野▼一メートルというのは、お互い手を伸ばしても、ギリギリだけど届かない距離。

藤井▼つまり身体接触を伴うものは全て没交渉になり、ストップしてしまう。その結果、それが大きな弊害をもたらす可能性はあるんでしょうね。

「接触」がもたらす「実体感」には、存在論的な不安を払拭する重大な意味がある

上野▼例えば、私たちは互いに匂いをかぎ合うということはあるんですよ。それは必ずしも意識的ではないとしても。匂いにはいろんなメッセージが乗ってますから。近づいて頬をつけ合って匂いをかぐだとかいう風習が国によってはある。アラブでは脇の下に手を入れて匂いをかぐってこともあります。

藤井▼そうなんですか。例えば、ものすごく好きな友人とたまたま町で出会った時に「おー、元気か」とハグしたりしますよね。ああいうのはなんなんですかね。どうして触れたいんでしょう。

上野▼例えばチンパンジーなんかでも久しぶりに会った相手に対して「おーっ」って寄ってくるというのは普通にあります。動物園で昔可愛がってくれた飼育員がしばらくどこかに行っていて、帰ってきたりすると、ちゃんと覚えていて抱き合うってこともあったりします。まさにそれは「お前だよな」という確認をし合うんだと思います。擬人的に言っていますが。

藤井▼近いといろんな情報が来るんですかね。匂いとか。

上野▼それはありますね。

藤井▼顔もよく見えるし。近くで見るといろんな情報を得られますし。

上野▼スキンシップ、つまり実際に接触する「実体感」が意味を持つんだと思います。で、その「実体感」っていろんな動物にとって意味があるんですね。動物園で、別々に、だけど隣同士に飼われていた二頭の雄と雌のアフリカゾウがいたんですが、雄の方が死んでしまった。その結果、ただ隣に住んでいたというだけの雄の象なのに、雌の方はすごくショックを受けた。一か月くらい、まともに眠れなくなった。その時にどうやってケアしたかというと、飼育員が一生懸命かかわって、体をこすってあげたり声をかけたり。エサをあげるとかそういうことじゃないんです。身体接触はそのくらい動物にとって意味があるんです。不安な時に背中をこすってもらうっていうのが、落ち着く一つのきっかけになったりするんです。

藤井▼なるほど……。親子の場合は抱きしめたりとかで安心するし、恋人でもそうですが、いわゆる存在論的な不安を払拭するためには、身体接触は重大な意味があるんですね。

上野▼例えば大きな災害があった時などには全く知らない人同士でも肩をさすったり、震えている人がいれば手を取ったり背中をさすったり普通に見られることじゃないですか。普段だったら、知らない人に触られたらやめてくれとなるんですが、そういう時はそうはならない。

藤井▼寒くなくても、おびえている人を見ると抱きしめたりしますね。安心しろ、大丈夫だと。

上野▼まさにそうです。その「安心させたい」という思いからの行動は、相手がそうすれば安心してくれるだろうと頭で理屈を考えて行為を引き出しているわけじゃないんです。

藤井▼本能的にそうしてしまいたくなるんですね。例えば京大の霊長類研に、ヒト科チンパンジー属に分類される霊長類の「ボノボ」についてヒアリングに行ったことがあるんですが、彼らは誰とでも性交をするんですよね。しかも同性でも性器を接触させ合ったりする。彼らはそれを通して、チンパンジーやヒトでは考えられないくらいの「協力的」な社会、つまり「皆仲良し」な社会を作り上げている。そう考えると、究極的に短い距離っていうのは粘膜接触なのかと思ったりしたんですが。

上野▼人以外の動物では、セックスをそういうふうなものに使うっていうのは限られていますが、少なくともヒトにとっては、例えばキスには意味があるんですよ。キスって理屈で覚えるわけじゃないじゃないですか。

藤井▼そうですね、自然な行為ですよね。

上野▼小さな子供だって吸い付いてきたりするんですよ。口は感覚が鋭くなっているというのもあって、単純に粘膜をくっつけたいんだという意味ではなくて、繊細に感じるものので相手を感じたいというものも含めてなんだと思います。

日本人が無気力な「学習性無力感」に苛まれているからこそ、八割自粛、ソーシャルディスタンスに従った

藤井▼ところで、以上のお話をお聞きしていると、専門家会議の二メートルの距離確保っていう話は、人間社会の活力を削ぎ、様々な心理的社会的経済的弊害をもたらす非常に根深い問題をはらんでいることがよりくっきりと見て取れるのですが、それにもかかわらず、あの「新しい生活様式」に対する違和感は世論で必ずしも表明されない。それはなぜなんでしょう？　普通なら皆が激しく反発することのはずなのに、皆唯々諾々と従っている。

上野▼断定的に言うのは難しいのですが、それは極端な例でいうと「学習性無力感」でしょうね。何をやっても無駄な

状態が続くと、一切反応しなくなる。この場合、反応しなくなるのはそのことに対してだけじゃないんです。ありとあらゆることに対して無関心・無反応になる。動物で普遍的に起こる現象です。そして、その状態を自覚することはほとんどないでしょう。

藤井▼確かにそれが原因ですね。何をどれだけ努力してもいつも「無駄」だということを繰り返していれば、自らの無力感を学習してしまい、何に対しても無関心になる、という現象ですね。でもそうなると、唯々諾々と奴隷のように従うだけになるわけですから、言ってみれば「死んでいるのと一緒」ですよね。

上野▼動物園の中でもしっかりとした「生活」をさせてあげないと、学習性無力感に近い状況になってしまう。生きた剝製の展示になってしまう。そうならないためには、彼らがいろいろ工夫したり頭を使ったりする機会を設けることが必要なんです。

藤井▼なるほど、全て上げ膳据え膳で楽させてやったら何も考えなくなって、学習性無力感に支配されかねないわけですね。だからとにかくステイホームしろっていうのは、人々から工夫の機会、考える機会を奪い去って、ますます日本人の学習性無力感が広がっていきそうですね。

上野▼そうですね。

藤井▼だとすると、本当に日本人のための「新しい生活様式」を作りたいなら、さながら新型コロナというものがあるという知識を持った、この日本という国に対する「動物園ディベロッパー」が必要だということなんでしょうね。

上野▼そうですね（笑）。

藤井▼それは医者や疫学の専門家とは全く別のセンスですね。まさに人間行動についての動物学者の知識が必要だということですね。さもなければ、人間の活力はあらかた失われ、早晩「学習性無力感」に苛まれ、魚の腐ったような目をした人間ばかりになるっていう社会が実現しちゃう。まさに恐ろしい話です（苦笑）。そうならない道を探らねばなりませんね。本日は本当にありがとうございました。

対談②

コロナ禍は「人災」である

ウイルス学者
宮沢孝幸×藤井聡
柴山桂太×浜崎洋介×川端祐一郎

「接触八割削減」という
大雑把な目標が
いかに社会的に不合理なものか。
経済崩壊を起こして
自殺者が出てから気づいても遅い。
稚拙な政策は今すぐ改めよ！

「外出中は鼻くそはほじるな、口に指を入れるな」というツイッターが大ヒット

藤井▼今回は、三月十六日にお話をお聞きした前回に引き続いて二度目の座談会となります。新型コロナウイルスの感染症の問題は日々状況が変わっていきますから、前回からおおよそ一月が経った今の時点での状況も踏まえて、色々とお話をお聞きしようと思います。最初は当方と対談させていただいて、最後に、編集委員からの質問等にもお答えいただきたいと思います。よろしくお願いします。

宮沢▼よろしくお願いします。

藤井▼宮沢先生には、当方がユニット長を務める「京都大学レジリエンス実践ユニット」にこの四月一日から正式メンバーにもご着任いただき、前にも増して色々とこの感染症の問題について日々ご相談させていただいているところです。今日は四月十日でありますが、今のこのウイルスの状況について、宮沢先生、どうお感じになってらっしゃるか、まずお話をお伺いしたいと思います。

宮沢▼前回の三月中旬の対談の時からすると、状況は変わりましたね。特に、三月二十日からの三連休の頃は、これはやばいなと思いましたね。

藤井▼報告される感染者数が拡大していった頃ですね。「二二万いいね」を記録したツイートを最初に出されたのもその頃ですよね。読者のためにご紹介すると、宮沢先生はこういうツイートを出されている。「考えをひっくり返せ！　移らんようにするより、『移さんこと』に意識を集中する」「外出中は手で目を触らない、鼻を手でさわるな、ましてや鼻くそはほじらない。（かくれてやってもダメ！）唇触るのもだめ。口に入れるのは論外。意外と難しいが、気にしていれば大丈夫！」「ウイルスが１／１００になれば、まず感染しない。」「人と集まって話をする時は、マスクしろ。他人と食事する時は、黙れ。食事に集中しろ！」「酒を飲んだら、会話するだろ。大声になるだろ。それが危険なことわからんやつは、とっとと感染しちまえ。一ヶ月会社休んで回復したら、みんなの代わりに仕事しろ。ただ、爺ちゃんばあちゃんの前には治るまで絶対でるな。」「たった、これだけ！　これだけで感染爆発は防げる。」「いつかはお前もかかる。かかった時助かるように、いまからなるべく栄養つけろ。よく寝ろ。タバコはこれを機にやめろ。」これは感染させないためのエッセンスが全て詰まっているツイートです。これが一気に広がりましたね。

宮沢▼その頃に、感染爆発になったらやばいから、抑えにかからなきゃいけないと思ったわけですよ。皆さんちゃんと守ればこのウイルスを何とか制御できるっていうのを伝えるがために、Facebookとかで発信してたんですね。ところが全然伝わらなくて、もう絶望してたわけですよ。三月二十七日の夜に、私も頭にきたというか、もうダメだっていう気分で、夜中の十二時ぐらいに、十五分ぐらいでさっと書いたのがあの文章です。その後これ言いすぎたなと思ってたんですが、多くのFacebookのフォロワーさんから、これ良かったよ、ということだった。だから同じ内容をTwitterに上げさせていただいたところ、こういうふうに広まったんです。ただ、まだ皆の行動は変わってないですよね。

宮沢孝幸（みやざわ・たかゆき）

93年、東京大学大学院農学系研究科博士課程修了（短縮）、博士（獣医学）。グラスゴー大学博士研究員、東京大学助手、ユニバーシティ・カレッジ・ロンドン客員研究員、大阪大学微生物病研究所助手、帯広畜産大学助教授を経て、05年より京都大学ウイルス研究所助教授、16年より京都大学ウイルス・再生医科学研究所准教授。専門は獣医ウイルス学、レトロウイルス学、内在性レトロウイルス学。病原性ウイルスのみならず非病原性ウイルスも研究対象としている。

感染爆発した欧米、しなかったアジア諸国

藤井▼前回の対談が三月十六日でしたが、未だその頃は、中国や韓国等のアジアで感染が広がっているだけで、欧米

での感染はまだ初期段階だった。ところがその後、アジアの感染はさして広がらない一方、欧米が一気に感染爆発していった。これは要するに、再生産数（つまり、一人の感染者が平均何人にうつすのか）、特にそのベースの値となる「基本再生産数（R0）」が欧米とアジアで全然違うってことを意味するわけですが、なぜこんなに違うんでしょうか？

宮沢▼色々な要因が考えられて、やっぱり密着しやすい文化とか、サッカー文化が欧州にはあったりとか。後は喋り方とかも、言語学的なこととか、やっぱり肺活量多いですし、彼らは。つばが飛びやすいとかそういう色々なのがあって。あとは手洗いの習慣もなかったわけだし、お風呂もそんなに入らないです。僕らはイギリスのとき一週間に一遍ぐらいしか（お風呂〔シャワー〕に）入らないんで、そんなのもあってかなと。

藤井▼それから、当方の知人の医師から伺った一つの仮説が、お箸を使うかどうかも重要じゃないかと。欧米は手づかみでパンを食べるが、日本は基本全てお箸を使うから接触感染しづらいという説です。それから欧米ではキスやハグが習慣化しているからとか、家族構成が日本では核家族化している一方、ヨーロッパ、特にイタリアでは大家族でおじいちゃん、おばあちゃんと同居しているのが一般的だから高齢者の感染者が増え、重症者・死者が拡大したとか。あと、欧米では靴をはいて部屋に入るとか。こう考えると、ほとんど多くの社会文化条件からして、ヨーロッパの方が東アジア、特に日本よりも感染が拡大しやすいという側面はありそうですね。

宮沢▼あとは、僕は大きな要因はマスク（だと思うの）ですね。飛沫が飛ばなくなりますから。これを皆がしていると、感染リスクは大いに減る。

藤井▼日本は昔からマスクをしますからこれが感染抑止に役立ったという仮説ですね。

「全員一律八割自粛」戦略以外にも、経済を傷つけない対策はたくさんあった

藤井▼ところで、感染症対策で特に大事なデータだと思っているのが、年齢階層別の死亡率の推計値のデータです。それで見ると、若年者は、死亡率は〇・一％程度ですが、高齢者になるとその五〇倍、一〇〇倍の五％や一〇％という水準になっていきます。もちろん重症化についても同様の傾向がある。中国でもイタリアでも日本でも、皆こういうデータが出されていますが、これはかなり普遍性のある傾向なんですよね？

宮沢▼そうですね。今回のウイルスの大きな傾向で、例えばインフルエンザは若い子供も結構やられるんですけど、

今回は子供はほとんどやられてない。まあたまに例外はありますけど、概ねほとんど影響はない。
藤井▼その例外も、ひょっとすると、見つかっていないない基礎疾患があったのかもしれない。
宮沢▼そうですね。
藤井▼今の政府は緊急事態宣言をやって、やたらと八〇%の接触を減らすべきだと言っていますが、この政府はひょっとしてとてつもないバカなんじゃないかと素朴に思いました。そもそも、「感染を広げない」というのが目的なはずですよね。だとしたら、人と人が接触をしても、その接触の仕方によって全然感染リスクは変わるわけですから、「人と会うな!」というだけじゃなくて「人と会う時にはこうしろ!」と言うべきですよね? あるいは「高齢者は危険だから特に会うな!」とかいう言い方もありますよね。そんな話をほとんど何もせずに、ただただ暴力的に「人と会うな!」って言うなんて、政府はこの国を潰す気なのかとすごく憤りを持ったんですけど、いかがですか?
宮沢▼八〇%という数字は、北海道大学の西浦博教授のコンピューター・シミュレーションから出てきた数字なんですが、本来なら行動様式を変えれば計算結果も全然変わるし、年齢階層もあるし、もう色々な要因が複雑に絡み合っているので、ここはもうちょっと頭を使ってほしいと思うんですよね。
藤井▼ほんとそうなんですよね。
宮沢▼八〇%(接触削減)なんて、止められる(できる)わけがなくて。
藤井▼自民党の二階幹事長は、八割接触減なんて「できるわけがない」って言って、ネット上で大炎上になっていましたが、ある意味正しいわけですよね。
宮沢▼正しいですね、止めたらえらいことになります。
藤井▼例えば基礎的な医療や食料すら、十分に回せなくなるリスクだってある。
宮沢▼しかも、本当に家の中に一カ月八割の人が閉じこもって、どれだけ効果があるのかという問題もある。
藤井▼おっしゃる通りです。海外のロックダウンについての検証記事なんかを見てても、その効果に疑問を呈する記事もたくさんある。一方で、高齢者は死者が多く若年者は少ない、両者の差異は数十倍から百倍以上、という傾向の存在は確実です。だから、シミュレーションで年齢階層別に感染リスク、死亡リスクを設定すれば、全く同じ接触頻度でも死者数は瞬くまに何十倍にも何十分の一にもなる。もっというと、手を洗う頻度、顔を触る頻度、一緒に食事をする頻度、換気をしている頻度等をモデルに入れれば、いくらでも結果は変わってくる。もちろん、細かすぎるシミュレーションは難しいでしょうが、理論的にいえばそうであることは確実。だから、それらを全て無視して大雑把に「八割減らせば良い」なんていう結論を導いて、それを全国民にやらせようなんて、僕には正気の沙汰には思えない。

特に、「接触機会を減らす」ことに伴う被害は何兆円、何十兆円というオーダーになって、自殺者数すら何千、何万と増えていくリスクがあるけれど、手を洗う頻度や目鼻口を触る頻度が変わったところ、誰も損しないし、誰も死なない。

宮沢▼そうなんですよ。その通りです。

藤井▼にもかかわらず、最も被害が大きな「接触頻度」を政策目標に掲げて、それを八割削れということにするなんて、どういう了見だと大変に深い憤りを感じました。それと同時に、その理不尽な政府要請によって苦しめられる国民を思うと、悲しくて悲しくて、なんともやりきれない気持ちになりました。

感染症・医学の専門家たちの「事なかれ主義」発言で、経済社会が激しく傷ついている

藤井▼さらにね、これ僕もう本当に怒髪天を衝く勢いで憤ったのは、西浦先生たち専門家の数値計算のいい加減さです。ちょっと一般の方には分かりにくいかもしれませんけれど、我々理系の人間にしてみれば、「べき乗」の数値が少し違うだけで、結果が全く変わってくるなんてことは、常識中の常識じゃないですか。

宮沢▼そうそうそう(笑)。

藤井▼だから基本再生産数っていうのは、方程式において「べき乗」のパラメータですから、その想定が少し違うだけで、結論が全く異なったモノになるなんてことは、感染症の専門であろうがなかろうが、理系の研究者だったら、誰だって当たり前のように分かる話です。

宮沢▼それをちょっと変えるだけでずいぶん変わってきますよね。それをね、またさっき言ったように、接触を八割減らせってそんな単純な問題じゃない。

藤井▼そうです、そうです。そもそも、八割減らせという結論は、そのべき乗のパラメータを「二・五」という、WHOが設定している「最も高い値」を使った場合のものなんですよね。でもそんな水準である可能性は万に一つもない。だってそれって、欧州の中でも特に高かったケースの数値で、かつ、さっきも話題に上りましたが、日本は欧州よりも圧倒的に感染速度が遅いんですから、馬鹿が考えても二・五なんて値はあり得ないということは分かるはずです。

宮沢▼安全側の議論として、例えば極端に二・五を想定したら八割減が必要だという結論が出るんだと西浦先生は

言ってるだけだともいえるのかなと……だからそれをどう解釈するかはまた総理大臣の判断だともいえるかと。

藤井▼ただ、僕は政府の皆さんと参与時代に一緒に仕事してきましたので分かりますけれど、政治家というのは、よほどかみ砕いて説明しないと何も理解してもらえないものなんです。仮に西浦教授たちの助言を総理大臣が誤解したのだとしても、誤解させた結果、経済が大打撃を受けることになったわけですから、総理大臣を誤解させてしまった罪は重い。特に、内閣官房の参与としてそうした仕事に日々携わっていた当方からすると、学者としてあまりにも配慮の足りない無責任な振る舞いだと感じます。

宮沢▼ただ、理解されないのは総理大臣だけじゃないんですよね、結構なちゃんとした知識人とか、お医者様とかもあまり理解されてないところがあって。

藤井▼確かにそうですね。テレビ見てますと、本当に腹立たしいことが多い。特に、最近よくＴＶに出てくるお医者さんたちの物言いに憤りを感じることが多い。なぜかというと、要するに彼らは「国民を救おう」と思って言葉を選んでるんじゃなくて、「今ここで自分が非難されないようにするにはどうしたらいいのか」っていう基準だけで言葉を選んでいるっていうのが、見え見えなんですよね。例えば、「こうして大丈夫ですか？」と聞かれれば、九九・九九九％大丈夫なことでも、「いや、絶対大丈夫とは言えません」なんて答える医者が多い。そんなことがＴＶで繰り返されているから、普通の社会生活がどんどんどんどん、できなくなっていってしまってるんです。

宮沢▼そうそう、そうなんですよ。

藤井▼例えば若くて基礎疾患がなければほとんど死ぬことはないですよね、なんて言うと、「そんなことは言えません！」なんて言う。こちらは絶対死なないって言ってるんじゃなくて、「ほとんど死ぬことはない」と言っているだけなのに、「コロナを侮ってはいけません」みたいに説教臭いことを言われる。でも、若年層と高齢者で五〇倍一〇〇倍と致死率が違うってことがデータ上明らかなんだから、この違いはちゃんと言語表現しろよ、って思うんです。

宮沢▼だから結局あれですよね、外に出たら交通事故に遭うかもしれないから外に出ない方がいいですよね、っていう話ですよね。

藤井▼それと同じですね。これも宮沢先生とご相談しながら、我々で行ったシミュレーションでもね、六十歳以上だけ完璧な予防対策ができれば、それだけで死者数は二・六％に圧縮できるっていう結果が出てるんです。国民を慮るんだったら、こういう計算結果に基づいて、高齢者の保護を徹底的に主張するっていうような医者がＴＶに出てくるべきなのに、ほとんど出てこない。

現場の医者は素晴らしいが、政府の感染症「対策」は、驚くほど稚拙である

宮沢▼あと今ややこしいことは、感染者を全部入院させてたり、隔離してるでしょ。これが医療現場を大きく圧迫している。なおかつ、ＥＣＭＯ（体外式膜型人工肺）にもあまり期待するのもいかがなものかと思います。ＥＣＭＯでやっても助からない方も多いし、仮に助かっても後遺症が残る。

藤井▼しかも、ＥＣＭＯのためにスタッフが一〇人とか二〇人とか必要になる。

宮沢▼それをやるんだったら、限りある医療スタッフを、中等度で助かりそうな人を中心として対応してもらった方が、より多くの命が助かる。だから今回のウイルス騒動を見ていて、僕もなんか、なんでこんなことになっちゃっているのかと思います。

藤井▼僕、もうちょっと日本の感染症対策はもっとちゃんとしてるのかと思ってたんですけど、現実は当方がイメージしてたものよりも遙かに稚拙でびっくりしました。現場の医師の水準は世界的に見て凄まじく高いようなのですが、感染症対策の「行政」が惨いと感じました。

宮沢▼ちっちゃいところばっかり見てて、それで大きいところを見られてなくて、もろとも死んでしまうみたいな。

藤井▼そうですよね……。

宮沢▼ちっちゃいところを一生懸命ケアしよう、ケアしようとしているうちに、全体がやられてしまうような感じですよね。そもそもこのウイルス、そんなに大きなインパクトはないものなんです。

藤井▼もっと強毒のウイルスっていうのもあるわけですね。

宮沢▼そうです。例えば昔のスペイン風邪もそうですし、明治時代とかは結核が流行ってたわけですよ。昔は毎年一〇万人当たり二〇〇人から二五〇人ぐらい死んでたわけですよ。そうすると今の人口に合わせると二〇万から三〇万人毎年死んでた。それでも社会システムは普通に動いてたんですよね。なのに、今回数万人が死ぬかもっていうことで、こんなに社会が混乱してるのは、なんなんだろうと思います。今までの最強のウイルスだとか最強の病原体だとか人類初めてだとか、全然（嘘）ですよ。

藤井▼そんなことあり得ないですよね。十四世紀のペストのパンデミックでは、世界人口の四分の一が死んだといわれてますから、それに比べれば最強だなんて絶対いえないですよね。

宮沢▼この程度でシステムが崩壊する、ってことは、結局これまで作ってきた社会っていうのは、本当に脆弱で、強靭性（レジリエンス）がものすごく低いものだったんだなと。
　まあ東京一極集中もそうなんだけど、電気に頼りすぎているる生活とか、金融システムが（実体経済からはずれて）コンピューターで制御されているとか、そういうのでレジリエンスが下がっているので、今回それが露呈しちゃったなと。本当にこの程度で混乱するっていうのは、情けない。後々にきちんと検証しなきゃいけないですよね。
　で、政府や社会の対応といえば、細かなところにいきすぎちゃって、全体を見ない。例えば今回でいうと直接死ばっかり考えてて、例えば今回医療崩壊したら、がんの人も助からなくなってくるわけですよね。経済崩壊で自殺者も増える。それを全部包括的に考えて、どれをどうすれば一番最適に最小化できるのかっていうことを考えないといけないのに、そんな話を全て度外視して、コロナウイルスの感染抑止だけ考える状況にある。

感染症対策にはリスクマネジメントや獣医学、衛生学の「マクロ」の視点が不可欠

藤井▼さらにいうと、「人口ピラミッド」（年齢階層別人口の棒グラフ）という概念がありますが、昔は「ピラミッド型」だったのが、今はだんだん「逆ピラミッド」になってきた、って小学校でも習いますけど、なんでかつてそうだったのかっていうと、高齢者の方が亡くなる確率が今よりもかつての方が高かったからです。ということは、この新型コロナが流行したら、逆ピラミッド型の人口分布が、かつてのピラミッド型に「若干近づく」ということになるわけです。高齢者の数％から一割程度が亡くなる一方で、五十歳以下はほとんど死なないわけですから。

宮沢▼今回は、これから次代を担っていく若い人たちにはそんなに影響がないっていうのは不幸中の幸いで。これは私からしたら乗り越えられる（ものです）。

藤井▼もちろん高齢者の命も大切ですから、そこだけめちゃくちゃプロテクトすれば、ほぼ全員の命をコロナから守れる、っていうことになる。

宮沢▼そうです、そうです。

藤井▼それで若い人たちの間でゆっくりと感染が広がっていってしまう状況になって、で、抗体の有効性が期待できるなら、いわゆる集団免疫が形成されていけば、早晩、再生産数が一を下回って、自粛など何もしないままに感染が収束することになる。

宮沢▼だから、高齢者を保護しながら、若い人を街に出させた方が、早く収束するんじゃないかっていう可能性もある。

藤井▼もちろんそれで人工呼吸器が必要な方が出てくれ

ば、そういう方たちを手厚く治療していくことが必要です。残念ながらそれで亡くなる方も出てくるかもしれませんが、交通事故で若い方が毎日亡くなっているのも事実。にもかかわらず、自動車社会をそのまま放置しているのが我が国なわけですから、そういうリスクとのバランスも勘案しながら、コロナ対策を考えていかないといけない。

そう考えると、リスクマネジメントをやる人が医学の人の意見を聞いて全体のトータルを考えたり、あるいは宮沢先生のように獣医学・ウイルス学を「マクロ」な視点から研究されている方の意見を重視するとか、そういう視点が不可欠だと思います。

宮沢▼そうですね。よく宮沢は医者じゃないんだから黙っとけとか言う人がいるんだけど。

藤井▼そもそも僕らだってホモサピエンスという「獣」ですからね。

宮沢▼そうです(笑)。そもそも今回のウイルスだって、人獣共通感染症なんですね、動物から来る。これはお医者さんの領域っていうよりは獣医の領域。僕も実は公衆衛生学も教えてたんです。

藤井▼なるほど。実は我々の「土木工学」の中にも「公衆衛生工学」って分野があるんです。医学系の公衆衛生学は「人間」から衛生を語る一方で、我々は、都市空間から衛生を語るっていう意味での差はありますが、双方とも同じ問題を扱ってるわけで、そういう意味では非常に近いですね。

コロナ禍は、不真面目な政治・世論による「人災」である

藤井▼これから政策として、先生、どうされるのがいいと思われますか?

宮沢▼ちょっと悲観的になっちゃってるんです、僕は。今までの状況を見てると、やっぱりもう駄目だなって。けど、それを言うと皆さん、「宮沢には明るい未来を描いてほしい」って言うんですが、ここ一月から四月までの動き、政府の動きとか、国民、一般の方々の動きを見てると、かなり悲観的にならざるを得ない。

藤井▼そうですね、その気分は僕にも濃厚にあります。だからある意味、そういう意味では人災ですよね。

宮沢▼人災ですよね。

藤井▼だって例えば私どもがまとめたレポート(京都大学レジリエンス実践ユニット「**リスク・マネジメントに基づく『新型コロナウイルス対策』の提案**」)での提案を真面目に政府がやれば、死ぬ方っていうのは一%ぐらいに抑えられるんだけど、どうやら政府はそういうまっとうな対策を目指そうという気配はない。

宮沢▼もちろん、「最適解」を見つけるのに色々と試行錯誤

はせんといかんでしょうけど、そこを「目指す」ことはできますよね。でも最適解を見つける努力をしてないですよね。

藤井▼しかも、「目鼻口を触らない」ってのと「換気する」ってこと、そして、話す時はマスクするってことを徹底すれば、経済を全く傷つけずに感染者を減らすことができる。しかも、高齢者や基礎疾患者など、特に弱い方の予防をもっと強化すれば死者数も激減する。そういう努力をなすべきだとどれだけ言っても、政府は全然動かない。一般の人の中にも「そんなの無理だよ」って言い出す。

でもそんなの絶対できます。これだけ皆が手洗いするようになったのは、朝から晩までTVで手を洗いましょう、って言い続けたからです。だったらそれと同じように「鼻と口は触らないようにしましょう」ってPRしまくれば状況は絶対変わります。高齢者の保護だって「そんなの現実的じゃない」って言う人が多いけど、今よりも高齢者を「相対的」に保護していく現実的方法なんて何十何百何千とある。でも、その努力を全然やろうとしないんで「無理だ、無理だ」って言うのを見てると、勉強する前から諦めてだらだらゲームばっかやって全然勉強しないダメな子供を相手にしているような気分になる。ホント、大人になっても人間ってここまで馬鹿なんだなぁと心底残念に思います。

宮沢▼だいたい、基本的な感染がどうやって起こるかっていうのを皆分かってないんです。手洗いだって一〇秒ぐらいでもいい。石鹸でやればそれはベストですけど、それがイヤなら水だけでもいい。ウイルスが一個付いたところで感染しないんですよ。仮に手に一〇〇万個付いてたとしても、一〇秒ぐらい洗ったら一〇〇万個が一万個ぐらいになりますよ。

藤井▼つまり、「一〇〇%の安全」を目指すんじゃなくて、できるだけ感染しないように努力を積み重ねましょう、っていう話ですよね。そもそも、ちょっとくらいならウイルスが入ってきても、免疫システムがあるからそれだけでは罹患しない。そもそも私たちの体の中では常に、私たちの免疫システムがいろんなウイルスとせめぎ合っているわけです。

宮沢▼仮にウイルスが鼻から入っても、肺まで行くまでいろんな障壁がある。だから絶対とはいわないですけど（鼻や口から）ウイルスが入ってきても、それが微量だったのならほぼほぼ大丈夫です。ビビってたら世の中生きていけへんよって。

だからちょっとした工夫をすれば、感染も経済も何とかなるのにって思います。

藤井▼ホントおっしゃる通りです。でも、政治家はそういう発想になっていかないんですが……。なんでそうなるのかっていうと、結局、政治家のほとんどが結局は真面目に仕事してないからなんです。そもそも僕は大衆社会論とか社会心理学の研究を二十年以上やってるんですけど、そういう学問が教えてくれるのは、いかに多くの人々が本来の目的ではなく、目先の空気や利益に左右されて振る舞っているか、っていう悲しい現実。現政権はいうに及ばず、今俄に人気が出始めている東京や大阪の知事たちにしても、結局コロナや不況から人々を守ろうなんて本気で思っちゃいないっていうのがよく分かります。彼らの言動を見ていれば、単なるスタンドプレーで、大衆の人気取りのために動いているようにしか思えない。だってコロナ禍前に病院や保健所を弱体化させてきた事実や、都合の悪いデータを隠蔽したりしている事実を見てれば、その不真面目さは明らかだと僕は思います。

宮沢▼結局、国民の方を向いてないんですよね。自分が責任かぶらんようにはどうかとか、人気取るためにはどうかとか、次の再選がどうとか、そういうことを考えておられるのが見て取れますよね。

藤井▼だからこの危機の時だからこそ、一体誰が嘘つきだったのか、どっちの方向を向いて研究してたのか、とかってことが、皆はっきりと見えてくるんでしょうね。

「死生観」の歪みが、リスク「ゼロ」をヒステリックに求める態度を生み出している

柴山▼重症化率、死亡率はとても低く、若年層に限ってもほぼゼロということですが、でも世間の人からするとゼロじゃなくて「ほぼ」ゼロってことで、死ぬこともある、というふうに考えて、恐れてる人が多い。それについてはどう考えたらいいでしょうね。

藤井▼そこは、ある種の「胆力」が必要なんでしょうね。死ぬかもしれないということを、最悪の場合死ぬということを受け入れるための。

宮沢▼僕はもう二月の初めぐらいに、もうこれは、正しく受けるしかない、って思ってました。

藤井▼なるほど、いわば自分のこととしていうなら、半ば死んでもしょうがないって考えたということですね。

宮沢▼そうです、これはもうしょうがない。

藤井▼例えばこの部屋の誰かが感染してるかもしれないし、マスクもしてるし、換気してはいますけど、それでも感染リスクはほぼゼロではあるけど完璧にゼロってわけじゃない。そんなことを分かりながらも、別に僕たちはパニックにならずにここで話してるわけです。

宮沢▼そうそう。このウイルスには絶対罹らないようにしましょうとか、逃げましょうとか言うけど、絶対逃げられないんですよ。順番に罹っていって、ある程度の感染率までいかないと落ち着かないとすれば、もうこれはどんと構えるしかない。「来るなら来い、来たらもう寝るだけやから俺」って話です。

藤井▼そうそう、僕も全く同じ気分です。罹らないように努力はするけれど、罹ってしまったら後はもう自分の抗体で何とか気合いで頑張るしかしょうがない、って思ってます。

宮沢▼それで運悪く死んじゃったらそれは僕の運命やし、それも魂の修行かなって感じで、極楽浄土に行けるならまあええかなっていう。

死に対する「諦念」があって初めて、感染症対策が科学的で合理的になる

藤井▼ホントそうですよね。しかも、そういうふうな宗教的ともいえる諦めの境地を心の中に持っていれば、逆説的ですが意外と「科学的」にもなれます。絶対罹らないっていう無理な目標を立てると極端なことでもやらない限り絶対無駄になりますが、「死ぬときは死ぬし、もうしょうがない」という諦念・諦観があれば「リスクを下げよう」というマイルドな目標を落ち着いて立てることができます。そしてそうなれば、様々なリスク低減にとって合理的な対策を粛々と実施していくことが可能となりますものね。今の政府や世論に科学的、合理的な提案が響かないのは、きっとここに原因があるんでしょうね。要するに皆、絶対罹りたくないっていう無理な目標を立ててるから、科学的になれないんですよね。

宮沢▼昔の本とかを読んでると分かるんですけど、結核が流行っていた時に、昔の人たちは、結核に罹ってて体が満足に動けないのに文学やってたり、胆力があったわけですよ。

藤井▼そのうち死にますから、我々ね。僕がうつりたくないのは、僕の母親がうつって死ぬのは避けたいと思うし、母親を殺す権利は僕にはないと思うし、そのためには最善を尽くそうと思う。だけど、どれだけ必死に感染しないようにしても、それでもうつるリスクはある。それは残念なことだけど、しょうがない。ゼロリスクは不可能だからです。

宮沢▼最善を尽くしてだめだったら受け入れるしかないんですよ。僕の父親も、両親ともに施設に入っていて、この前三八度超えててもう苦しそうだったから、これコロナやなと思って、これはもう会えなくてお別れかなと思ってたんですけど、幸いにして治ったんですけど、その時はその

時ですよ。お父さんごめんなさいって感じで。

藤井▼毎日ちゃんと、こう、お父さんお母さん大切にして。

宮沢▼普段からね。いつ別れが来るかどうか分からないし、それは運命なので。ちょっとね、日本人の死生観にも関わってくると思うんですけど、昔から煩悩が変わってないなと思うんですよ。これは人間避けられないものなので、やっぱりこれはしょうがないよねって、こういうウイルスできちゃったんだから、逃げまどってパニックになるのは実に愚かで。

藤井▼もう武漢で一人目の感染者が出た「前の日」には、私たちは戻れない。コロナウイルスがあるっていう前提で、これからの人生を生きていかないといけないわけです。それがどれだけ怖かろうがそうでなかろうが、それを前提にしなきゃいけない。

新型コロナウイルスは、少々肺炎になりやすい「風邪」ではないか?

川端▼新型コロナウイルスはインフルエンザと比較することもありますが、やはり、肺炎と比べるとまた意味が違ってくるように思うんです。肺炎ってもともと重い病気で、発症するとだいたい十何%が死ぬと聞きました。今回コロナウイルスに罹っても、風邪症状みたいなので終わる場合もあれば、肺炎に進展する場合もあって、問題はその肺炎の方だと思うんですよね。もともと肺炎で一二万人年間で死んでいて、今日一日でだいたい二~三〇〇人は死ぬわけですよね。肺炎との対比で新型コロナウイルスを評価したらどうなりますか?

宮沢▼肺炎で一二万人死んでるんですけど、新型肺炎でこれからお亡くなりになる人は、今のところ千人未満ですが、数千人、僕は悪くて一万人とか二万人と見てます。そうだとすると、肺炎死者数が一二万人から一三万人や一四万人に増えるということになりますが、そうなったとしても、インパクトはそれほどないということになる。もちろん、これからもっともっと増えれば話は別ですが、そうでない限り、僕が考える最悪のケースでも、ちょっとなんか違う病気が流行って、肺炎でたくさんの人が死んだな、程度のインパクトになるのだと思います。

浜崎▼今回新型コロナっていってますけど、コロナウイルス自体はあったわけですよね。今回新型がついて、それにみんな集中というか注目をして怖がっているっていうことの、原理というか理屈っていうのは、単にワクチンがないというだけなんですか。

宮沢▼なんなんでしょうね。ワクチンがない病気なんて山ほどあるし。
藤井▼風邪って完璧な治療薬があってそれで治るっていう病気じゃないですよね。
宮沢▼治らないです、普通の風邪でも死んでますから。
藤井▼新型コロナウイルスは、肺炎の症状が特殊だということなんでしょうか。
宮沢▼そういう人もいるということなんですよね。じゃあこれまでのコロナでなかったんですかって言われると、そんなことはないんじゃないかと。今回のＳＡＲＳ－ＣｏＶ－2ですけど、ＡＣＥ2っていう受容体を使っているけども、今までの風邪のコロナでも、いろんな風邪のコロナがあるんですけど、ＡＣＥ2を使ってるコロナもあるので、同じような症状が起こっていてもおかしくなかったけど、今まで無視されてきたわけです。今まで風邪のコロナウイルスって、ワクチン作ってたんですかっていったら作ってない。
浜崎▼じゃあなぜ今コロナウイルスだけがここまで注目されて、不条理なほどの騒ぎを起こしているのか、何か理屈はあるんですか。
宮沢▼まず最初に、名前がＳＡＲＳ－ＣｏＶ－2っていうので、ＳＡＲＳというのに引っ張られちゃってるのかもしれないですね、怖い怖いって。私も分からない。普通にピュアな心でこのウイルスを眺めたとしたら、そんなに恐れおののき逃げまどうようなものでもない。
藤井▼ただ武漢のデータを見ますと、ピークの時には一日当たり一五〇人から一七〇人ずつぐらい死んでいた。武漢くらいのサイズの街なら、仮に日本と同じ密度で肺炎死があるとすれば、一日多くても肺炎死者数って四〇人か五〇人くらいでしょうから、それに比べると、肺炎死が多いなぁ、ということにはなっていたのかと思います。ただ、インフルエンザが武漢で大流行した時にはピーク時では、同じくらいの肺炎死者数が出ていたでしょうけれど。
川端▼この新型コロナは肺炎が起こりやすいとはいえるんでしょうか。
宮沢▼起こりやすいんでしょうね。逆にですね、風邪症状がなくても肺炎になっているというよく分からないことが起きている。肺炎になりやすく、それは注意しないといけないんですけど、それでも結局は一部の人にとってのことだと思います。
藤井▼なるほど。この新型コロナウイルスについて最も恐ろしい側面である「肺炎」について考えてみても、一体我々は何に怯えてるんだろうっていうふうに思えてきますね。本日はお話、ありがとうございました。

医療現場特別インタビュー

新型コロナ「指定感染症」解除を検討せよ

医療現場からの直言

聞き手 藤井 聡

多くの国民と医療現場との間には、新型コロナウイルス、COVID-19（以下COVIDと略称）に関する認識に大きな隔たりがある。これは偏に、メディア上での専門家たちの発言が事後的な批判を恐れる余り、激しく歪められてしまっているからだ。例えばTVで「コロナはただの風邪です」という多くの医師が素朴に思っている「真実」を口にしてしまえば、一般視聴者から激しい批難、抗議が寄せられるという事態が繰り返されてきたからだ。結果、メディア上の専門家たちの多くは、COVIDを過度に危険なものとして扱う発言を繰り返すに至った。ついてはこうした実情を様々な現場で見聞きしてきた本編集部は敢えて、医療現場でCOVIDを見つめ続けてきた一人の医師北野大平氏（仮名）に、できるだけ正確に医療現場の平均的な意見を代弁いただくことを依頼し、快諾いただいた。ぜひ、普段見聞きすることのできない、医療現場の率直な意見に耳を傾けていただきたい。

COVIDはもはや「指定感染症」である必然性はない

藤井▼まず、今回のCOVIDのパンデミックについて、どのように関わってこられたか、お聞かせいただけますか。

北野▼私の病院はCOVIDに対応する指定病院ではありませんが、当院の関係者で指定病院でCOVID対応をしている者もおりますし、リアルに日々、COVIDの感染状況がどう推移しているか、現場対応はどのような問題に直面しているかなどを伺っていました。また、僕個人は大学で研究医として勤務していた経験もあり、一医師や一病院経験者という立場を超えて、学者の立場からも、最新の論文情報なども読みながら今回の問題の推移を見守ってまいりましたので、ＣＯＶＩＤについて色々とお答えできるところは多いと思います。

藤井▼ありがとうございます。それではまず、今回のＣＯＶＩＤの特徴について、医学的側面からお話しいただけないでしょうか。

北野▼まず最初に申し上げたいのは、この病気は高齢者にとっては通常のインフルエンザとは異なる症状をもたらしますが、非高齢者にとっては、たいして恐れるような病気だとは言えないということです。もちろん若年者でも重篤な症状に至る人も中にはいますが、基本的にそういう方は喫煙習慣があったり、肥満であったりというケースで、そうでない若年層では、ほとんど、深刻な病状には至らない。ただ、若年者でも、一度中傷化・重症化してしまうと、インフルエンザよりも長くかかる、という特徴はあります。肺炎になった時に、肺全体に炎症が広がるという特徴はありますから、インフルエンザと全く同じとまでは言えませんが。

藤井▼なるほど。そういう意味では、重症化してしまった時には、やはりＳＡＲＳと同様の症状が出るということですね。

北野▼そうです。でも、そうなるケースは健康な若年者の場合はほとんどない。そういう深刻な病状になるのは、その大半が高齢者なので、非高齢者がＣＯＶＩＤをそこまで過剰に恐れる必要はないと思います。だから、高齢者だけ保護できれば、この病気は基本的にほとんど何も恐れる必要はないと言えると思います。

藤井▼高齢者にとっては、やはり重症化してしまうと非常に恐ろしい病、ということですね。

北野▼そうですそうです。その点は、やはり、危険なウイルスだと思います。重症化した時の肺炎は、一般の細菌性肺炎とは全然違う。細菌性肺炎は基本的には「片肺」だけど、ＣＯＶＩＤの場合は「両肺」に至るという大きな特徴がある。その点では、このウイルスはやっぱりヤバイな、という感覚はあります。若年者で画像上肺炎像を呈していても自覚症状がないケースが多々あり、自然に軽快する。基本、重篤化するのは高齢者が中心であるということです。しかも、ダイヤモンド・プリンセス号の例をみてもそうですが、高齢者でも皆が皆、重症化するわけではない。重篤な症状になるのは一部。そういう意味では、死亡リスクや重症化リスクは、高齢者において少々高いという程度です。

藤井▼なるほど。そう考えると、重篤化すると厄介な病状には至るものの、そうなる確率が特に高いというわけでもないし、特に若年者においてはそういう確率もほぼゼロ、という程度なわけですね。そうなると、指定感染症として扱っているということ自体に問題があるという感覚はありますか？

北野▶そうですね、僕はそう思いますね。

藤井▶他のお医者さんもそう思ってらっしゃる方は多いですか？

北野▶それはYESであり、NOですね。

藤井▶それはどういうことですか？

北野▶まず、YESの方から申し上げると、きちんとCOVIDの情報を集めて、それなりに時間を使ってCOVIDの問題を考えている一部の優秀な医師たちは基本的に、もはやこれは「指定感染症扱いするほどのこともないだろう」という感覚を持っていると思います。

コロナ不況下で、世間の非難を恐れ、ホントの事を誰も言えなくなっている

藤井▶NOというのは？

北野▶残念ながらほとんどの医師は目の前の患者のことや病院経営に手一杯で、COVIDについてきちんと情報に触れているわけでも大局的にものを考えているわけでもないんです。だからほとんどの医師は、COVIDが指定感染症であることが問題かどうかなんて、考えたこともない。一般の方は医者というと皆立派で優秀だと思ってらっしゃると思うのですが、残念ながら全くそうではない。優秀なのは一部だけなんです。まぁ、それは藤井さんの業界も同じだと思いますが、医者の世界もそういう意味で例外じゃないんです。皆が皆、COVIDの統計を正確に理解し実臨床に生かせる先生はそんなに多いとは言えないのが現状です。

藤井▶なるほど。でも、一部の優秀なお医者さんたちは、COVIDの致死率や重症化確率を統計的に理解しており、したがって、重症化したケースの深刻度も十分に知りながらも、それらを総合的に判断すれば、指定感染症扱いには疑問を感じているわけですよね？　でもそういう声が全然メディアとかで聞こえてこないのはなぜなのでしょうか？

北野▶皆、風評被害を恐れてるんですよ。そんなホントの事を言って世間でバッシングされて患者が来なくなったら、病院の経営は大変なことになりますから。しかも、そういう提案をメディア上で大きな声で言ったとして、その後に万一例外が「一人」でも出たら、メチャクチャ叩かれることになる。それを考えると誰も怖くてホントの事なんて言えなくなるわけです。おりしも今、コロナのステイホームの影響で、全然患者さんが病院に来なくなってる。大雑

把に言って、今、収入が四割程度は減っている。そんな中、ほとんどの医者が病院経営に戦々恐々としている。そんな中で、誰もリスクをとってホントの事をメディアで話そうなんて思わない。

藤井▼なるほど、なかなか深刻な状況ですね……。結局ホントの事を分かってる人なんてほとんどいないし、仮に分かっている人がいても、この「コロナコワイ」な全体主義的な空気の中では、ホントの事なんて誰も言えなくなってるんですね……。

感染拡大を止めるには、「手洗い奨励」と「飲食の徹底注意」の二つだけで十分

藤井▼ここまでは「感染してしまった人」の症状についてお聞きしましたが、「感染する」ということそれ自身についてもお聞きしたいと思うのですが、感染のメカニズムについての見解をお聞かせ願えますか？

北野▼このウイルスは空気感染はほとんどない。基本的にほとんど全て「接触感染」だと思います。それは僕の経験から確信している事実です。僕は、医者としてインフルエンザ患者を長年診てきました。そうすると、やはり患者からうつされることが多い。若い頃は毎年インフルエンザに罹ってたんです。でも、その話を先輩にしたところ、その先輩が、「そこは君、もっと、手、洗わないとダメだよ」って教えてくれた。その先輩曰く「患者がくしゃみしたり咳したりするのが、机だとか椅子に着く。そこを手で触って、その手でおかしとかポリポリ食べたりしたら、それでもう感染してしまう。だから、徹底的な手洗いをすれば、ほとんど感染なんてしない」って教えてもらった。それ以後、いつも手洗いを徹底的にすることにしたら、それからもう十年以上、インフルエンザに一回も罹らなくなった。だから、私の感覚として、インフルエンザは空気感染なんてほとんどないし、接触感染さえ注意すれば感染しない。で、インフルエンザもＣＯＶＩＤも感染メカニズムはほとんど同じだろうと考えられてるんだから、手洗いさえしてれば大丈夫だと思います。

藤井▼確かにイタリアとスペインの感染爆発は、サッカーの試合の後の街を挙げた大宴会で起こったと言われてますし、中国の武漢でも、数万人参加の大宴会で爆発したって言われてますから、食事、特に宴会はヤバイんですね。

北野▼そうですそうです。それから、今、新宿のホストクラブでも感染が広がってますよね。あれも同じ理由です。そもそも、ホストクラブって、シャンパンをボトルで回し飲みするらしいんです。

藤井▼そんなことしてるんですね⁉

北野▼そうなんです。そうなると、一人でも感染者がいたら、回し飲みした人にうつってしまいます。一方で、今、女性が接客するクラブはそこまで広がってないのは、回し飲みの文化が、そういうクラブではないからだと思いますよ。

藤井▼なるほど！　もちろん、女性接客のクラブでも感染することはあるでしょうけど、それも飲食時の飛沫の問題なんでしょうね。

北野▼そうですね。だから結局、手洗いを徹底して飲食時の飛沫というか唾液対策さえすれば、ほとんど大丈夫だと思いますよ。

コロナを過度に恐れすぎて「指定感染症」と言うから、医療崩壊が起こっている

藤井▼なるほど、よく分かりました。ということは結局、当方が京大レジリエンス実践ユニットで提案している方針（高齢者保護、ならびに、手洗いと目鼻口接触回避による接触感染回避＆換気徹底＆飲食注意だけでＯＫという方針）は、合理的だとお感じになりますか？

北野▼そうですね、おっしゃる通りの対策で十分だと思います。

藤井▼なるほど、有り難うございます、現場の医師にそう言っていただけると、凄く有り難いです（笑）。ところでもう一点お聞きしたいのが、「医療崩壊」についてなんですが、現場の感覚からしたら、医療崩壊っていうのは、どういう感じだったんでしょう？

北野▼確かに一時期、ヤバイ、という感じがありました。毎日、新型肺炎の患者が担ぎ込まれて、対応がギリギリだったようです。でも、それもすぐ落ち着いていったし、かつ、そのギリギリだった時だって、きちんとした体制が整っていれば、ギリギリに至ることもなかった。

そもそも、普通の病院さんなどでちょっとでも熱がある患者がいれば、すぐに指定病院に送りつける、っていう対応が取られたので、一時期しんどい状況になったわけです。しかも、ＣＯＶＩＤが回復して、ＰＣＲで陰性であることが確認された患者でも、ほとんどの病院が、「風評被害」を恐れて、その引き受けを拒否したんです。だから、一旦引き受けたＣＯＶＩＤ患者に対しては、回復が確認されているのにずっと病床を提供し続けてなければならない、っていう状況もあったわけです。特に高齢者の場合は、完全に陰性になっても、（ＣＯＶＩＤであろうがなかろうが）肺炎になった後はなかなか日常生活に復帰しづらいので、自宅に帰ってもらえないし、他の施設でも引き受けてもらえないという問題があって、それが、指定病院の供給

力を疲弊させていたという実情もあったんです。そのあたりがきちんとクリアできてれば、医療崩壊ギリギリの事態、っていうのも避けられてたんじゃないかと思います。

さらに言うと、医療関係者で感染者が一人でも出れば、彼らが全て自宅隔離になってしまい、医療サービスを提供できなくなるわけです。それがまた、医療崩壊のリスクを拡大させたわけです。

藤井▼なるほど、そういうご苦労があったわけですね。だとすると、指定感染症の規制だけ外せば、医療崩壊は多くの場合で避けられるっていうことですね。

北野▼おっしゃる通りです。さらに言うと、指定感染症だから、運び込まれたら、家族とゆっくり話し合うこともできない。だから通常は、八十五歳以上の後期高齢者で肺炎患者の場合、人工呼吸器を付けても回復する見込みが実質上とても低いのですが、そういうことをご家族の皆さんに説明すれば、ほとんどの場合、人工呼吸器を付けるということには至らないことが多いのですが、COVIDの場合は、家族と意思疎通する機会が十分確保できないので、結局は人工呼吸器を装着するということにならざるを得なくなるわけです。それがさらに、医療崩壊リスクを高めていたという側面があります。

藤井▼なるほど、そういうご苦労があったわけですね。だとすると、指定感染症の規制だけ外せば、医療崩壊は多くの場合で避けられるっていうことですね。

COVIDが指定感染症になったおかげで、他の原因で死者数が増えた

北野▼おっしゃる通りです。ホント、TVとかではほとんど言われてない実情が医療現場にはあるわけですが、もう一つ付け加えたいのが、今回のCOVID対応のせいで、他の病気で死ぬ人が増えてしまったっていう事実です。

藤井▼えっ、そんなことがあったんですか?

北野▼今、「超過死亡」というのが統計的にネットなんかで指摘されているのですが、これは、例年の平均的な死者数より、今年の死者数が統計的に多い、その超過分を「超過死亡」というのですが、この超過死亡の原因がCOVID死ではないかと言われてるのですが、それは違うと思います。

藤井▼その理由は何でしょうか……?

北野▼もちろん、COVID感染症が見逃されていたケースもあったと思います。しかし、COVIDの患者はそれほど多くない。ちょうど先頃、抗体検査の結果、COVIDに感染した人は東京や大阪でも〇・一〜〇・二%程度だと報告されてましたが、現場のPCR陽性率のデータからみ

ても、それくらいだと僕は思っています。だから、超過死亡の原因が全てCOVID死だと考えることはできないと思います。一方で、COVIDのせいで、人々が病院に行かなくなってしまってる。特に高齢者への医療、介護サービスが、感染症対策ということで大きく抑制されるようになってる。普段なら病院を受診するレベルであっても、控えてしまい結果として重篤な病態になってしまったということがかなりあったのではないかと思います。

藤井▼なるほど、その結果、トータルの医療需要がCOVIDのせいで縮小してしまっている、だからその結果、COVID以外の病気で死ぬ方が増えているというバカみたいなことが起こってるわけですね?

北野▼そうです。僕はその可能性が非常に高いと思っている。しかも、COVID対応している病院の多くが、COVID感染症患者の対応で、ICUをはじめとした病床が使われ、一般のCOVID以外の治療、特に手術を控えるという現象が頻発していました。これがCOVID以外の病気での死者数の拡大に寄与してしまっていると思います。

藤井▼それが本当だとしたら、凄まじい不条理ですね。

北野▼ホントにそうです。今回のCOVID騒動で一番明らかになったのは、日本の医療体制の不備を露呈してしまったことです。尾身先生や西浦先生をはじめ政府の専門家会議の先生方の発言を聞いていてもそれは感じます。

藤井▼それはどういうことですか?

北野▼彼らも、誠実に頑張っておられると思います。でもいかんせん、COVID感染症のことしか考えていない。過剰な自粛要請なんてしたら、藤井先生がおっしゃるように経済はボロボロになったり、先ほど僕が申し上げたみたいに、他の病気での死者が増えたりする。でも、医師っていうのは、目の前の医療の問題にしか関心がない人がほとんどですから、そういう広い視野でものを考えて、ベストの道を探ろうとする医師は本当に限られているんです。だから政府の専門家会議の先生方も、そういう状況にあるんだろうなと思います。

藤井▼なるほど……。それは深刻な問題ですね、でも、ミクロな視点で言っても、激しい副作用がある処置については、患者に対して慎重に施すのが医師の基本的なモラルなんですよね?

北野▼もちろんそうです。その意味から言うと、経済に大打撃を与える「八割自粛」の要請をするなら、その効果に常に注意を払い続け適宜状況に応じて変更していく義務が、西浦先生や尾身先生にあるという藤井さんの指摘は、おっしゃる通りとしか言いようがないと思います。でも、西浦先生や尾身先生は単なる専門家ですから、むしろ、そういうたかだか専門家に、そこまで大きな権限を実質的に与えてしまった政府の問題の方が僕は大きいと思いますね。

藤井▼おっしゃる通りですね。でも、提案する肝心のその政府には、とりわけ感染症に関しては適切な判断能力がないところが問題なんだと思います。なんと言っても当初は専門家ですら詳しく分からない未知のウイルスだったわけで、その対処については専門家の提言が絶大な影響力を持ってしまいがちになる。政府の見識、判断能力が低い場合は特にそうです。政治に関わる専門家は、そうした「政府の見識のレベル」にまで配慮しながら発言しないといけない、というのが、六年間、内閣官房で参与を務めてきた当方の率直な認識です（笑）。しかも、国民に直接、積極的にリスクコミュニケーションもなさってたわけですからなおさらです。

北野▼それはそうかもしれませんね。なんと言っても現実的には、どれだけクラスター対策を精緻化しようが、どれだけ国民が活動を自粛しようがこのウイルスを駆逐することはほぼ不可能であるということを認めざるを得ないわけですから。もちろん治療薬やワクチンができれば本当に幸せなことですが、創薬に携わった経験からすると、現実的には一、二年といった短期間では難しいのではないかと思います。コロナとともに生きるという覚悟が必要で、過度に恐れることなく、〝正しく恐れる〟ということが重要なのだと思います。その処方箋が京大のレジリエンス実践ユニットで提案している「高齢者保護を徹底、その上で、手洗い、マスク、目鼻口を触らないを徹底」ということだと思います。

藤井▼ありがとうございます。本日はホントに多面的にお話しくださってありがとうございました。先生がおっしゃったお話に基づいて記事を作成しまして、改めて内容に問題がないかどうかチェックいただいて、その上で掲載するようにしたいと思います。本当に今日はありがとうございました。

経済を止めることなく高齢者を守る方法を探求すべし

新型コロナウイルス、現状と今後

木村盛世
Kimura Moriyo

緊急事態宣言後、感染者数が増加してきたとの判断により、東京都では東京アラートが出された。しかし、感染者数が激増しないとの理由から、六月十二日、解除されることとなった。また十九日には全国的に移動制限が解除される予定である。欧米諸国では感染のピークを迎えその後、感染者数は減少しているが、再び感染者が増加してきた地域もあり、依然予断を許さない状況である。感染者数減少の理由は、強力な抑圧政策が功を奏したのか、それとも集団免疫が確立したためなのか、よくわかっていない。欧米では、今後の感染増加（第二波）への警戒を強めている。本稿では、新型コロナウイルス感染症の現状に関してまとめるとともに、今後どうしたらよいか、を論じてみたい。

日本の感染者はなぜ少ないか

日本については感染者数・死亡者数が他国に比べて低いことが知られている。実際、既にコロナウイルスにかかったかどうかを調べるための抗体検査の結果が公表された。六月一日～七日にかけて、東京都、大阪府、宮城県において、各都府県により無作為に住民を抽出し（東京都一九一七名、大阪府二九七〇名、宮城県三〇〇九名、計七九五〇名）、二種の検査試薬を使用して、両者が陽性と確認されたものを「陽性」と判断している。その結果は、東京〇・一〇%、大阪〇・一七%、宮城〇・〇三%ときわめて低い数字になっている。東京の報告感染者数が五二三六人（五月三十一日現在）であるので、東京都の人口に当てはめれば、約一万人となる。各国の抗体検査の結果からは、実際の感染者数の一〇倍以上と推計されるため、日本のこの数字はきわめて低い。

他の国の抗体検査をみると、陽性となった人の割合はストックホルムで約七%、感染が蔓延したニューヨーク市でも約二〇%であった。スウェーデンは、欧米諸国と違い、ソーシャルディスタンシングやロックダウンなどの抑圧政策を行わなかった。当初、集団免疫を得るためには、人口の六〇〜七〇%が感染する必要があるとされていたが、自然な感染によってピークを迎えた段階が集団免疫の達成時点なので、ストックホルムの約七%という数字は集団免疫についてのこれまでの考え方を覆すものとされた。しかし日本の〇・一%という数字は、それを遥かに下回っている。

栗田・菅原・大日の暫定的な研究では、感染の最初の発症のピークは緊急事態宣言が発令される前の四月三日（三月二十九日に感染）と試算している。この研究では感染のピークが収まった原因は、自粛などの対策より、集団免疫によると考察している。この仮説では日本人の九九・九%が免疫獲得していない状況での集団免疫獲得ということになるため、他の説明が必要になるのではないかと思う。

日本の感染者数と死亡数が極めて少ないことに対する説明として、遺伝的なもの、生活習慣の差（マスクの着用を含む）、講じられた対策の違いなどが候補として挙げられている。また、たまたま一部の地域でこの一〜二年ぐらいの間に流行していた感染症（従来の風邪コロナウイルスなど）による交差免疫のために、新型コロナウイルスの蔓延が防がれていた可能性が指摘されている。しかし、これらの指摘はいずれも仮説にすぎない。

対策のための研究が急がれる

以上述べたような状況下で、大方の見方はどの国もまだ集団免疫からは遠く、これから数年間にわたって、自粛とその解除を頻繁に繰り返すなどしながら新型コロナウイルスと向き合っていくべきものとされている。

その一方で、オックスフォード大学のGupta教授、スタンフォード大学のLevitt教授らは、新型コロナウイルス感染症は既に収束に近いことを主張している。彼らの主張によれば、新型コロナウイルスに対して元々感染しにくい人々がいること、従来の風邪のコロナウイルスなど別なウイルスに感染し、新型コロナウイルスに感染しにくくなっている人々（交差免疫）が多くいるため、感染が抑えられてい

木村盛世（きむら・もりよ）

医師。医療法人財団綜友会医学研究所所長。筑波大学医学群卒業。ジョンズ・ホプキンス大学公衆衛生大学院疫学部修士課程修了（MPH〔公衆衛生学修士号〕）。ジョンズ・ホプキンス大学デルタオメガスカラーシップを受賞。内科医として勤務後、公衆衛生の道へ。米国CDC（疾病予防管理センター）多施設研究プロジェクトコーディネイターを経て帰国。財団法人結核予防会に勤務。その後、厚生労働省入省。大臣官房統計情報部を経て、厚労省検疫官に。専門は感染症疫学。著書に『厚労省と新型インフルエンザ』『厚生労働省崩壊』など。

るという。これらの人々は新型コロナウイルスに対する抗体検査で、陽性を示さない。また、抗体検査では症状の軽い人や無症状の人が陽性になりにくいことも指摘されており、抗体検査では感染割合が過小評価される可能性があることから、抗体検査の結果解釈には十分注意を要する。また、抗体検査も様々な種類があり、どの抗体検査を使うかで解釈も違ってくることから、早急な標準化が望まれる。

日本の新型コロナウイルスの流行が他国よりもこれまでは抑えられたことが、恒常的な原因によるものなのか、それとも一時的な原因によるものなのかによって、今後の新型コロナウイルス対策は大きく変わってくる。日本がまだ集団免疫から遠いところにいるか、それとも他国よりかなり低い感染率をもって、集団免疫を獲得しているかどうかによっても今後の対策は異なる。これらの問いに対する答えは、様々な分野の研究者による基礎的な研究を通じて答えを明らかにすることが望まれる。現在、新型コロナウイルス研究の多くは感染症専門の医療者がになっている。元々コロナウイルスは、ブタ、ネコ、ニワトリ、イヌ、ウシなどにも存在しており、今回の新型コロナウイルスが、コウモリやヘビを介してヒトにうつったといわれている。そうなると、獣医学や生物学の知見が極めて重要である。この他、統計学、数学、経済学など、新型コロナウイルス対策には多方面の研究者が必要になる。なぜ日本で感染者が少ないか、日本が今どこにいるのか、を解き明かすことは、今後の新型コロナウイルス対策をどうするか、という方向性を具体的に示す上で、極めて重要である。

たとえば、大学の研究者であれば、授業や事務関係などの仕事の免除、科研費などを使って既に行っている別な研究の延期、新型コロナウイルス関係の研究費の提供などをし、国家プロジェクトとして取り組む必要がある。

特に、交差免疫に関しての研究は速やかに行われなければならない。具体的には、日赤の保存血液を用いて、過去一、二年でどんな感染症がはやったか、それらの感染症の病原体が、新型コロナウイルスに対する交差免疫を持つかを調べることである。

高齢者を守れ

今回の抗体検査の結果をみるかぎり、日本の感染率は極めて低い。これが恒常的なのか短期的なのかを見極めるのは今後の政策に大きく影響する。しかし、それを検証している間にしなければならないことは、高齢者保護である。各国の状況をみると、イタリアのように医療キャパシティを重症感染者数が大幅に上回る医療崩壊を経験した国もあるが、イギリスやスウェーデンなどＩＣＵ（集中治療室）は持ちこたえて医療崩壊を防いだ国も多い。もともと、ＩＣＵのキャパシティを超えることが医療崩壊とみなされていたにも関わらず、高齢者施設での死亡者数が多いことから、イギリスやスウェーデンの政策は失敗だったと非難されている。しかし、医療崩壊を防いだ国でも高齢者施設での死亡者数が多かったことが問題になっている。

医療や介護に従事する人々に対しては、症状の有無に関わらずにＰＣＲ検査を頻繁に行う、抗体検査陽性者や、いったん感染して回復した人々に高齢者施設における高齢者対応を手伝ってもらうなど、様々な検討、実施が望まれる。

高齢者保護と同時に行うべきなのは、経済活動をすみやかに再開し、止めない事である。自粛で経済活動が縮小し、これに伴う倒産、社会不安が予測される。藤井聡氏は、新型コロナウイルスによる経済不況により、累計で一七～二四万人自殺者が増加するとしている。また、今後、コロナ以外による死亡、孤独死、餓死などが増える可能性もある。高齢者を守るために経済活動全体を止めるのは非効率的であり、高齢者にとっても幸せな事ではない。経済を止めることなく高齢者を守る方法を、皆が知恵を出し合って考えるべきである。感染拡大を防ぐことは極めて難しいことから、重症化リスクが低い人には感染拡大を許容しながら、社会全体としての被害を最小限にとどめることを目標にすべきであり、それが国家を守る最善の方法だと思う。

引用文献

1 Kissler, S.M., et al. *Projecting the transmission dynamics of SARS-CoV-2 through the postpandemic period.* Science, 2020: p. eabb5793.

2 Ferguson, N.M., et al. *Impact of non-pharmaceutical interventions (NPIs) to reduce COVID-19 mortality and healthcare demand.* 16 March 2020.

3 Kamikubo, Y. and A. Takahashi. *Paradoxical dynamics of SARS-CoV-2 by herd immunity and antibody-dependent enhancement.* 2020.

4 Kurita, J., T. Sugawara, and Y. Ohkusa. *Asymptomatic infection and herd immunity of COVID-19 in Wuhan and Japan.* medRxiv, 2020: p. 2020.05.01.20087155.

5 Doi, A., et al. *Estimation of seroprevalence of novel coronavirus disease (COVID-19) using preserved serum at an outpatient setting in Kobe, Japan: A cross-sectional study.* medRxiv, 2020: p. 2020.04.26.20079822.

6 Takita, M., et al. *Preliminary Results of Seroprevalence of SARS-CoV-2 at Community Clinics in Tokyo.* medRxiv, 2020: p. 2020.04.29.20085449.

7 Bi, Q., et al. *Epidemiology and transmission of COVID-19 in 391 cases and 1286 of their close contacts in Shenzhen, China: a retrospective cohort study.* The Lancet Infectious Diseases, 2020.

8 Gomes, M.G.M., et al. *Individual variation in susceptibility or exposure to SARS-CoV-2 lowers the herd immunity threshold.* medRxiv, 2020: p. 2020.04.27.20081893.

9 Britton, T., F. Ball, and P. Trapman. *The disease-induced herd immunity level for Covid-19 is substantially lower than the classical herd immunity level.* arXiv preprint arXiv:2005.03085, 2020.

10 京都大学レジリエンス実践ユニット：新型コロナウイルス感染症に伴う経済不況による「自殺者数」増加推計シミュレーション、令和二年四月三十日。

（二〇二〇年六月十八日脱稿）

日本人の異常性が浮き彫りになるSTAY HOMEと「新しい生活」

和田秀樹
Wada Hideki

専門家会議、政府、マスメディアは「集団的浅慮」に陥っていないか？
異論を認めない「絶対的正義」は対策を誤らせ、
日本の「人間全体」を危険にさらすだろう。

新型コロナウィルスという感染症が問題にされて以来、さまざまな形で人々の生活に影を落としていることがある。

基本的には対策を感染症学者に丸投げして、その心理的な影響や経済的な影響、そして、健康への影響がないがしろにされた故と考えるが、これに日本人の国民性やシステムの不備があいまって、私のみるところかなり危険な状況に陥っている。

感染症学者は、その領域の専門家として対策を論じるわけであるが、今回はあえて、精神医学、心理学、老年医学を専門とする立場の人間には、この状況がどう見え、それに対してどのような対策が可能かを考えてみたい。もちろん、感染症学者同様、一分野の専門家の立場の限界はあるが、情報は多いほど、判断がしやすくなるという心理学の立場からの情報と考えてほしい。

集団的浅慮と同調圧力

私が問題にしたいのは、日本列島に蔓延する「自粛・休業＝絶対善」で、そうでない人を敵視し、異論の主張を認めないという嫌な風潮だ。

アメリカの実験心理学者アーヴィング・ジャニスは、集団がストレスにさらされ、全員の意見の一致を求められるような状況下で起こる、思考パターンを「集団心理（グループ・シンク）」「集団的浅慮」と呼んだ。

その兆候としてジャニスは下記を挙げている。

・代替案を充分に精査しない
・目標を充分に精査しない
・採用しようとしている選択肢の危険性を検討しない
・いったん否定された代替案は再検討しない

・情報をよく探さない
・手元にある情報の取捨選択に偏向がある
・非常事態に対応する計画を策定できない

感染症学者の意見は、要は「外出自粛で家にこもっておけ」というものだろう。だが、後述するように同じ医療者、医学者でも精神科医や免疫学者の中にはそう考えない人もいる。彼らの中には、徹底した自粛ではなく、健康維持のために、むしろ「日に当たって散歩」などを推奨する者もいるはずだ。そういう意味で専門家会議や政府の要請は代替案を十分に精査しているとは言えないし、情報を探そうともしていないし、情報の取捨選択に偏向があると言っていい。

口を開けば「感染症拡大防止のため」と錦の御旗を振りかざす政府や首長だが、本当の目標は、コロナ禍に伴う死者や後遺症を少しでも減らすことであるはずだ。

日本人は目的と手段を混同する人が多いが、感染症学者はともかくとして、政府としての目的は、人々の健康状態を保ち、死者を少しでも減らすということだろう。

コロナ感染者を減らすことは、その手段にすぎない。決して目的ではない。

たとえば、名門大学に入ることを目的にして中学受験に血道をあげる親がいるが、そのために子どもを勉強嫌いにしたり、無用の劣等感を与えることで、仮に中学受験では成功しても、大学受験がうまくいかないのと同じことだ。

目的がはっきりしていれば、1ランク落とした中学に入れて、その学校で優等生でいさせたほうが成功するという考えもできるだろう。周りの親が狂奔しているから、自分も集団的浅慮に陥り、子どもの将来を台無しにするというわけである。

話はそれたが、筆者には専門家会議や政府の決定は、まさにジャニスの「集団的浅慮」の特色を有しているように見える。この状態になった際の集団の行動パターンは以下のものが挙げられる。

・自分たちは無敵だという幻想が生まれる
・集団は完全に正しいと信じるようになる

和田秀樹（わだ・ひでき）

60年大阪府生まれ。東京大学医学部卒業。同大医学部付属病院精神神経科助手、米国カール・メニンガー国際フェロー、浴風会病院神経科医師を経て、現在、国際医療福祉大学赤坂心理学科教授、一橋大学経済学部非常勤講師。著書に『医学部の大罪』（ディスカヴァー携書）、『大人のための勉強法』『老人性うつ』（PHP新書）、『感情的にならない本』（PHP文庫）、『痛快!心理学』（集英社文庫）、『テレビの大罪』（新潮新書）、『「高齢者差別」この愚かな社会』（詩想社新書）、『アドラーと精神分析』（アルテ）、『自分が高齢になるということ』（新講社）など。

・集団の意見に反対する情報は無視する
・ほかの集団はすべて愚かであり、自分たちの敵だと思う
・集団内での異論は歓迎されない
・異論があっても主張しなくなる
（出典：井上隆二・山下富美代『図解雑学　社会心理学』ナツメ社）

現状の専門家会議やそれに追随するマスメディアの行動パターンはまさにこれに当てはまっていると言えないだろうか？　今、筆者が外出自粛よりもメンタルヘルスの向上が大事だと言って、気晴らしパーティのようなことをやったら、自粛＝正解・正義と思っている人たちから敵視され、袋叩きにされるだろう。自分たちが完全に正しく、正義であると考え、それに反対するものは敵と考えるようでは、目的に沿った対応ができるとは思えない。

どんどん対策が一方向的なものになる危険性は極めて大きい。

これはコロナに限らず、日本人の精神的特性に負うところも大きいように思えてならない。

絶対的な正義を求め、いったん正義と確定すると異論を認めない。

酒酔い運転の人が重大事故を起こしたからと言って、諸外国では取り締まられないレベルの軽微な酒気帯び運転まで厳罰化し、地方の飲食文化を潰した際も、高齢者のけっして確率の高くない交通事故を取り上げ、要介護率が二倍以上に上がるという調査結果を無視して全国一律に高齢者から免許を取り上げる際にも、「絶対的な正義」が存在し異論はほぼ受け付けられなかった。

そして、このようなことも考えるべきと、たとえば私が主張すると、「飲酒運転を正当化するのか」「高齢者の事故による被害者をどう考えるのか」と自らの正義感を振り回した非難をするばかりで、統計数字に当たったり、議論をしようとしないのは、日本人の特性のように思えてならない。

専門分化と学者への不可侵

私は医学の世界に身をおいているわけだが、おそらく他の世界も似たようなところがあるが、過度な専門分化が行われ、総合的な、あるいは学際的な研究が望まれないというトレンドがある。

今回の感染症学者の暴走もこの文脈で考えられるのではないだろうか？

現在、大学病院や大学医学部では、臓器別の診療や研究が行われ、人間全体の健康にいいか悪いかがないがしろにされる傾向がある。

たとえば、コレステロールと言われる物質がある。

一般にはコレステロールは体に悪いと思われていて、テレビでもコレステロールを下げる飲み物などが盛んに宣伝される。

とくに、コレステロールの中には体に悪い悪玉コレステロールと、身体にいい善玉コレステロールがあると考えられている。

これは、ある意味で嘘ではないが、やはり偏った考え方と言えるだろう。要するに、これは循環器内科の医師、つまり専門分化の立場からみて正しいということなのだ。

確かにコレステロール値が高い人ほど、心筋梗塞になりやすい。また、悪玉コレステロールが高い人ほど心筋梗塞になりやすく、善玉コレステロール値の高い人は逆に心筋梗塞になりにくいことが明らかになっている。

ところが、死亡率をみると、コレステロールが高い人のほうがむしろ低い。悪玉コレステロールも高い人のほうが死亡率が低い。

これはなぜかというと、コレステロールが細胞膜の材料なので、コレステロールが高い人のほうがむしろ免疫細胞が潤沢になり、免疫力が高いためだと考えられている。

がんは身体の中で作られる出来損ないの細胞を免疫細胞が殺しきれなかったことの後遺症と考えられるので、免疫機能が高いほどかかりにくいとされている。実際、コレステロール値が高いほど、がんによる死亡率が低いことが明らかになっている。

また男性の場合は、コレステロールが男性ホルモンの材料なので、歳をとってもそれが多いために、元気で筋肉もつきやすいということもある。

精神医学の立場からみると、コレステロールはセロトニンを脳に運ぶ働きがあるらしく、コレステロールが高い人のほうが、うつ病になりにくいという統計もある。

そのようないろいろな理由で、コレステロールは循環器内科の医者にとっては悪い物質だが、免疫学者やホルモン医学者や精神科医にはいい物質ということになる。

悪玉コレステロールも、循環器内科には悪玉だが、免疫学者やホルモン医学者や精神科医には善玉ということになる。

このように専門分化型の治療では、ある専門家にはいい治療や、いい予防法であるのに、別の専門家には、悪い治療や悪い予防ということになる。

そうなってくるといろいろな専門家の合計とも言える、死亡率などを調査した疫学調査と言われるものが重要になってくる。

そう考えると、コレステロールは心臓やそれを取り囲む血管の動脈硬化の予防には悪い物質だが、身体全体にとってはいい物質ということになる。

今回のコロナ対策も、感染症学者にとってはいい予防法だが、人間全体にとっては、死亡率を高める予防法ということになるようだ。

日本経済新聞の調査によると、四月七日に緊急事態宣言が発令され、一三の都道府県が「特定警戒」地域に選ばれたのだが、本年四月の死亡者数が、人口月報を発表していない北海道を除く、一二の都府県のうち一一都府県で過去四年間の四月の死亡者数を上回っていた。

埼玉、千葉、東京、神奈川、愛知、大阪、福岡の七都県では、過去四年の平均死者数を一〇％以上も上回っていた。たとえば千葉県では過去四年の平均を一五％も上回っていたし、東京都では過去四年より一〇五六人も死者数が多かった。

四月の東京都のコロナ感染による死者数は一〇四人だったので、その一〇倍以上が、なんらかの理由で過去四年の平均より多く死んでいることになる。

これを隠れコロナ（検査を受けなかったコロナ肺炎の患者）のためと解釈する向きもあるが、私にはそう思えない。

自粛の強要がなかった三月までは、この超過死亡が発生していないからだ。

実際、過度な自粛やＳＴＡＹ　ＨＯＭＥは精神科医の立場からするととても危険なものだ。

一日、家に引きこもって、日光に当たらないと、メラトニンという脳内物質が減って、眠りの状態が悪くなる。

また、セロトニンと呼ばれる神経伝達物質も減るので、不安に過敏になるし、それがどんどん減ってくるとうつ病になってしまう。

またこういう不安な時期に、人と会って話すことができないというのは、うつ病になりやすくなる原因になるし、なった時に、それを悪化させてしまう。

ついでにいうと、運動をしていないとお腹も減らないので、粗食になりがちだ。すると肉類の摂取が減って、素麺のようなあっさりしたものをとりがちになり、たんぱく質不足に陥ってしまう。

ところがこのたんぱく質が、セロトニンやメラトニンの材料になるので、その不足も起こりやすくなる。

そういう意味で、このような形でＳＴＡＹ　ＨＯＭＥをさせて、外の日光も浴びず、人とろくに話さない暮らしをしていると、うつ病のリスクは非常に高くなる。

経済状態も悪いためにうつ病にそうでなくてもなりやすいのに、ＳＴＡＹ　ＨＯＭＥがそれに拍車をかける。うつ病は自殺者の七割を占めると言われるのだから、自殺が増えると、死者は当然増える。

さらにいうと、今回の緊急事態宣言で、お酒も七時までしかお店では出せなくなった。

すると、多くの人が家に帰ってから飲み直しをすることになる。

家に帰ってから一人で飲むというのは意外に危険なことだ。

今、全国で二〇〇万人のアルコール依存症の人がいるとされているが、それを増やしてしまうからだ。

大勢でワイワイ飲んでいる場合は、アルコール依存症になりにくいが、一人飲みはどんどん酒量が増えやすいので、アルコール依存症に陥りやすい。周りの人が止めてくれないとブレーキがかからない人もいるし、あとは寝るだけだと眠くなるまで飲むという人も増える。日本の場合は、諸外国と違ってお酒が足りなくなっても二十四時間コンビニなどでお酒が買えるからさらに危険だ。

とくに、前述のように日光に当たっていないからメラトニンが不足して、不眠になりがちなので、お酒の力で眠ろうとすると、昨日はビール二本で眠れたのに、今日は三本という風に量が増えやすい。

アルコール依存症というのは一定以上悪くなると昼間から飲みたくなるので、仕事に就けなくなることも多く、実は自殺も多い。年間六〇〇〇人〜七〇〇〇人がアルコール依存症で自殺しているという推計もある。

もちろん、そのために肝臓を壊して亡くなる方もいる。

また、このような事態では精神的なストレスも増えるはずだが、それを発散することが事実上許されない。

これも心に悪いことは言うまでもない。

要するに感染症学者にとって「いいこと」が精神科医からみると「悪いこと」になる。

実は、免疫学者からみても、このような動きもなく、楽しみのない生活は免疫機能を落とすはずだし、高齢者の専門医からみてもロコモティブシンドロームや要介護状態のリスクを高める。

その合計の数字が超過死亡なのだろう。

感染症学者にとっていいことが、人間全体にとっては悪いことだということだ。

専門分化の弊害がここに現れたということである。

もう一つの問題は、大学の医学部の教授たちがお山の大将になっているので、お互いの批判をしない文化ができているということである。

循環器内科の医者がコレステロールを下げる薬を出していても、それが心や免疫力に悪いとわかっていても、あえて言わない。だから多剤併用が続けられる。

今回も感染症学者に真っ向からかみつく医者が大学医学部からは出ていないのが現状だ。

また日本人に蔓延する権威主義のおかげで、決して臨床能力が高いと言えず、普段は動物実験ばかりやっているような大学教授たちの言説が盲信されている。これは政府関係者やマスメディアも同罪である。

一つの専門分野に偏らず幅広い専門分野から意見を聴取できる専門家会議を組織し、また肩書より実績を重視するスタンスをもつことができたら、もう少しましな対応ができたように思えてならない。

メタ認知と統計に当たる習慣

さて、政府やマスコミが感染症学者に「洗脳」されているに近い状態になる中で、彼らの態度が変わるかどうかには疑問をもたざるを得ない。

本誌の編集長の藤井教授のような影響力の強い方が、直接に働きかけるのを期待はするが、人間は一度信じたバイアスができてしまうとなかなか変わりづらい。

ただ、本誌の読者であれば、自衛がある程度可能だろう。

一つは自分の認知パターンを自問自答するメタ認知の姿勢をもつことである。

人間というものは知らず知らずのうちに認知が偏りがちである。好きな人の言っていることが正しく聞こえたり、自分の立場に都合のいい情報を受け入れ、そうでない情報を切り捨てたりする。

たとえば社会心理学の実験では、愛煙家がどのくらいいるかという推定をさせると喫煙者はそれを高めに推定し、非喫煙者は低めの数字を出す。

今回の集団的浅慮も自分では気づきにくいが、知識としてその存在を知り、それに陥っていないかを自問自答することでメタ認知が可能になる。

拙著『「損」を恐れるから失敗する』（PHP新書）に人が陥りやすい認知パターン、判断パターンをまとめておいたので参考にしてほしい。

もう一つは、統計に当たる習慣だ。

前述のように医学に限らず学問が専門分化してくると、その専門領域については正しい考えであっても、現実に適応しなくなることが多くなる。

専門家を盲信するより、総合的な結果とも言える疫学データや統計データを参考にしながら判断する習慣をつけると多少なりともリスクが回避できるはずだ。

以上、心理学の立場から感染症学者やそれに基づく政府の対策などの危険性と、それにどう向き合うべきかを列挙してみた。

もちろん、私の言うことが全面的に正しいと主張するつもりはないが、今後の判断の材料にしていただければ幸いである。

コロナで滅びゆく歴史

與那覇 潤
Yonaha Jun

――「どうやら近頃は、昔のことを早く忘れた者ほど大きな口をきいているようですから、右のようなことをいっても、そんな考証は後世の歴史家に任せておけばいいと一喝を喰うのがオチかも知れません。」

（丸山眞男「『現実』主義の陥穽」一九五二年）

①コロナ禍と自粛の一〇〇日間は「昭和史の失敗」の再演だった

「欧米コンプレックス」が混乱の発端

「コロナうつ」の発生を懸念する記事が目立つこのごろだが、重度のうつの体験がある私も実際に具合が悪い。もっともこの異常な状況下で元気がよいのは、メディアをジャックする「貴重な機会」を摑んだ一部の（自称を含む）専門家くらいのもので、仮に緊急事態宣言が解除されたところで、自粛要請が生み出した沈鬱な世相は容易に元へは戻らない。

コロナウィルスによる日本での死者自体は欧米に比べて圧倒的に少なく、一般人に求められる予防法が通常の感染症（たとえばインフルエンザ）と大差ないこともわかってきた。それでもメディアが「未曾有の危機」として報道を煽り、あれこれの対策リストを列挙するのは、むしろ国民を「躁的」な状態へ誘導してうつを緩和するためなのかとさえ、感じることがある。

かつてない初めての困難に立ち向かう経験は、人の心を奮い立たせるものがあるし、何より対応に失敗しても、そこまで自責の念を感じなくてすむ。しかしそれがほんとうは、「初めて」ではなかったとしたらどうだろう。少なくとも、あなたの眼にはそれが「**以前の失敗の繰り返し**」として映り、しかしそう訴えても、誰も耳を傾けてくれないとしたら。

二月半ばにパニックが口の端にのぼってからの約一〇〇日間を、かつて歴史学者だった私は**日本近代史の走馬灯**を見るかのように過ごした。あまり報じられないが、新型コロナの死亡率は北米および西欧の「先進国」で高く、東アジア・東南アジアなど中国の近隣国を含む「途上国」で低い。事前に中国から流入して免疫がついていた、BCG接種が効いたなどの多様な解釈が語られているが、本来は日本人がここまで騒ぐ必要のある病気でなかったことは確かだ。

ところがこの間に起きたパニックは、騒ぐ本人が錯乱しているとしか言いようのないほど、無軌道で首尾一貫しないものとなった。たとえば三月末には「政府は緊急事態宣言を出し、国民はどんな権利の制限でも甘受すべき」と叫んだ人が、五月頭には一転して「自粛による経済の萎縮は、政権による人災だ」と罵っている例は、枚挙にいとまがない。

どうしてそんな、殺伐としたカオスが生まれたか。理由は単純だ。日本人が、自分たちを「欧米人」だと思いたがったからである。

もし私たちが、自国をアジア圏の一員として捉えてコロナに対応していれば、少なくとも（文字どおりの非常事態に陥っている）欧米の都市封鎖を真似るという発想にはならなかったろう——死亡率がまるで違うのだから。ところが自らを「欧米と同じ先進国」と見なすがために、「なぜ彼らがやっていることを、われわれもやらない！　できないなら世界に通用しない国になる」との強迫観念にとり憑かれて、今日に至る。

まるで、明治以降の近代日本である。とくに「海外渡航・在住歴」を看板にして「国際人」を自称する日本人が、そうした論調を煽ったあたりもそっくりだ。

コロナ自粛の「失敗の本質」

四月十日に面会した田原総一朗氏によると、安倍首相は目下の事態を「第三次世界大戦」と捉えているらしい（安倍氏は後に、田原氏の所説に頷いただけと主張）。皮肉なことに同じ比喩はその後、むしろ政権の施策への批判者が多用するようになった。精神論だけで合理性のない到達目標や、同調圧力による自粛の強要が「第二次大戦下を連想させる」とする指摘は——なぜか**歴史学者はほぼ沈黙しているが**——広くなされている。

元・歴史の専門家として、まだ論じられていないが重要な、過去との共通点を挙げたい。非現実的な目標の最たるものである「接触八割減」の提唱者は、北海道大学教授の西浦博氏だ。やはり四月十日に行われたインタビュー(1)を最後まで読むと、同氏は二月二十八日に独自の緊急事態宣言(法的なものではない)を出した鈴木直道・北海道知事に、チームとして「あるべき自粛」をレクチャーした体験を成功例として捉え、それを全国規模に拡大する意向を持っていたことがわかる。

しかし、北海道の人口密度は全都道府県のうち最小で、全国平均の一／五、東京都の一／九一である(道庁の子供向けのウェブサイトに書いてある)。はっきり言えば、元々ソーシャルディスタンスが成立している土地柄だ。人口分布が稠密なのは、札幌などごく少数の大都市に限られるから、そうした場所を集中的に管理すれば、接触感染を抑え込むのが日本でいちばん容易な地域といえる。

学者時代に『中国化する日本』という講義録に記したが(詳しい参考文献は、同書を見てほしい)、これは満洲事変と同じである。人口密度が低く、路面が凍結する厳寒の地である半面、馬と木材に恵まれ長距離交通(馬車)が発展していた中国東北部では、奉天・ハルピンなど限られた大都市に経済の拠点が集中していた。当初はわずか一万人台の兵力に過ぎなかった関東軍が、電撃的に要所を制圧して勝利する「成功」は、この地政学的な条件に支えられたものだった。

ところがその後の日本軍はむしろ、同じ発想で「中国全土」も容易に支配できる(少なくとも降伏に追い込める)と考える過ちを犯した。短期決戦のつもりで踏み切ったはずの首都南京の攻略は、周知のように泥沼の持久戦の扉を開いてしまった。主要な「クラスター」を狙い撃ちして抵抗を封じ込めようとする思考法は、それが機能した(ように見えた)際の条件をきちんと吟味しなかったために、破滅への道となったのである。

さて、その西浦氏が称揚する北海道の先行自粛は三月十九日に予定通り解除され(期間は三週間――安倍首相が翌月七日の緊急事態宣言発令時に標榜した、「一か月で流行収束」との類似に注目されたい)、鈴木知事は優れたリーダーとして称賛されたが、四月十二日には早くも新たな緊急宣言を出す事態となった(国の宣言の全都道府県への拡大は、十六日から)。相対的には日本で最も「恵まれた」条件

與那覇 潤(よなは・じゅん)

79年神奈川県生まれ。東京大学教養学部卒業、同大学大学院総合文化研究科地域文化研究専攻博士課程修了。博士(学術)。地方公立大学で7年間教鞭をとったのち、重度のうつ状態による休職を経て17年に離職、現在は在野で活動。18年に刊行した『知性は死なない 平成の鬱をこえて』は、自身の体験に基づく独自の平成史／大学論として話題になった。学者時代は日本近代史を専門とした。著書に『翻訳の政治学 近代東アジア世界の形成と日琉関係の変容』『帝国の残影 兵士・小津安二郎の昭和史』『中国化する日本 日中「文明の衝突」一千年史』『日本人はなぜ存在するか』『歴史がおわるまえに』『荒れ野の六十年 東アジア世界の歴史地政学』。

にあるはずの同地ですら、自粛による封じ込めは成功していなかったのだ。

「満洲国」の実態について研究者の評価は分かれるが、それが建国時に掲げたとおりの「王道楽土」だったと唱える歴史学者は誰もいない。統制経済の実験が行われ、その蓄積が内地に還流して戦時体制を築いたのは事実だが、それが経済運営として「機能していたか」についても、否定的な評価が多いように思う。

長期戦を避けるためにこそ「全身全霊の短期決戦で片をつける」ことを旨としていた軍事マニュアルが、なし崩しに持久戦に転用された結果、非科学的な精神論のみが横行する破綻した戦時体制が生まれたとする昭和史の解釈がある（片山杜秀『未完のファシズム』）。感染拡大の規模もペースも当初のシミュレーションから外れているにもかかわらず、「気が緩むのはよくない」なる印象論で自粛が引き延ばされてきた目下のコロナ対策もまた、そうした**蹉跌をなぞり始めた**ように見える。

満洲事変を主導した石原莞爾が日中戦争の拡大に反対し、その他の諸事情もあって左遷され、戦時下は不遇だったことはよく知られる。一方で彼に心酔した参謀・辻政信のように、ノモンハンで国境紛争に完敗しながら、その後も「作戦の神様」なるメディア上の虚像に酔って、前線でいたずらに犠牲を増やし続けた軍人もいる。西浦博氏やその周囲の「専門家」たちがどちらの道をいくのか、国民はしかと監視する必要があろう。

開廷の足音が聞こえる「東京裁判」

かつて戦時下で圧倒的多数の人が、本当は国のために正しい主張をしていた少数派に「非国民」の罵声を浴びせ、集団リンチによって迫害した。ところが敗けてしまい、真実が明かされると困ったことになる。そうした過ちを犯した多数派にも加わってもらわなければ、国家の再建はできないからだ。同じように、コロナ不況がどん底まで行ってから「しまった！」と以前の——自粛警察や不謹慎狩りのような——言動を後悔することになる人びとにも、経済や社会の立て直しに協力してもらわなくてはならない。

どうすれば、それが可能になるか。歴史が教えてくれる答えはひとつである。戦犯という名の「生贄」を差し出し、彼らに全責任を背負わせ、それ以外の大多数は「騙されていた」という物語を作ることで、生贄以外を互いに許しあうのだ。先の大戦でいえば、これが東京裁判の行ったことである。

近年、ＧＨＱの占領下で行われた（とされる）ウォー・ギルト・インフォメーション・プログラムをめぐる論争がかまびすしいが、その内実はほぼ解明されている。確かに占領軍は日本の戦争犯罪を周知するキャンペーンを行ったが、それは一方的な「洗脳」ではなく、むしろ自分たちを**騙された被害者だと思いたい**日本の国民自身との共同作業だったのだ。

「国民は軍国主義者にすべての罪を負わせることを受け入れ、その一方でこれを利用した」（賀茂道子『ウォー・ギルト・プログラム』二六六頁）というのが、実証研究による評価である。

ちなみに東京裁判の意義を全否定する学者は、極端な思想の持ち主のほかには存在しないが、法廷が依拠した「A級戦犯たちの共同謀議によって、終始一貫した計画のもとに侵略行為が行われた」とする歴史像を、真実だと認める学者もまたいない。つまり国民多数の和解（赦免）という政治的な目的のためなら、その程度にはスケープゴートの罪業について**物語を創作することは許容される**のだ。そして、同じことが比喩でなく、アフターコロナに実際の法廷で再現されないとも限らない。

具体的には、過剰な自粛によって倒産・廃業といった被害を受けた人たちが、損害賠償を求めて裁判に訴えることは正当だし、可能性としても十分考えられる。それでは誰が、国策を誤らせたのか。「A級戦犯」を特定し、その邪悪さをわかりやすく脚色して満天下に知らしめ、すべての責任をかぶってもらうわけだ。

被告は地位や財産を失うかもしれないが、そこは本人に生活様式を変えてもらえばいいだけなので、心配はない。何度もいうが、それが実際にかつて採られた再出発の手法であり、わが国が異議を申し立てたことは一度もない。

私は歴史学者だったころ、この国が人民裁判の横行する社会にならないように言論人として手段を尽くし、今回のパニックに際しても同様に警告してきた。しかし目下の歴史の無効化が教えるのは、そうなる以外の選択肢は「存在しない」という答えである（詳しくは『思想としての〈新型コロナウイルス禍〉』に所収の拙稿を参照）。危機から立ちなおるために必要な儀式であるカウンター・リンチが眼前に展開しても、私が制止するために筆を執ることは、もうないだろう。

②コロナ以後の世界に向けて「役に立たない歴史」を封鎖しよう

前月の記憶も忘れる社会

目下のコロナ騒動が前例のないものではなく、歴史家の眼で見ればかつて起きた国家的な失敗の反復に過ぎないことを、前半では論じた。しかし私はいま、そうした「歴史」

というものの無力さを痛感している。

短くとも数十年、長くて一千年単位の「時間の幅」を意識せずしては、歴史は書けない。この前提にはおそらく、多くの人が同意してくれるだろう。しかし人びとの記憶はいまや、一年間はおろか、**一か月も続かない**のが現状だと思う。

思い出してほしい。安倍晋三首相が全国の小中高校に、春休みまでの臨時休校を要請したのは二月二十七日。このとき識者や世論の反応は「唐突すぎる。現場の混乱や共働き家庭の育児など、副作用が大きく乱暴だ」というものだった。

ところが一か月経った三月末から四月頭にかけては、逆に「なぜ政府は緊急事態宣言を出さないのか」との憤懣が急激に高まり、煽られるように四月七日に安倍氏が緊急事態を宣言。それも「接触を八割減らすことで、一か月で封じ込める」とする、休校要請の比ではない極端な方針を掲げた。しかし五月頭、首相が宣言の延長を決めたと報じられると、世論は「経済面での弊害が大きすぎる」として、再び悪影響を懸念する方向へゆり戻してゆく。

まるで一貫性というものがない。実際にネットで何人かの識者の発言をたどると、緊急事態の宣言時には「接触八割減」の方針にもろ手を挙げて賛同し、実現不可能とする批判者を強い言辞で痛罵した人物が、一か月後の宣言延長時には、経済優先を掲げてしれっと反対論をぶっていたりする。まさか人との接触を平時の二割のみに制限して、持続可能な経済があると思っていたわけでもあるまいに。

あるいは問題の初期にあたる三月上旬ごろまで、在外邦人の書き手によって多くメディアに流れたのは、「アジア系と言うだけで『新型肺炎患者』との先入見にさらされ、日本人も差別の被害にあっている」という話だった。[2] とくに欧州での偏見が強く、そうした決めつけはあってはならないものとして、日本の読者の強い共感を集めたはずだった。

ところが三月二十八日、京都大の准教授[3]が「『自分は今、感染している！（無症状で！）』『誰にも移し《ママ》ちゃいけない！』そう考えるところから始まる。コペルニクス的転回。パラダイムシフト」云々なる連続ツイートを行い、爆発的なリツイート数を記録する（本稿の初出時で約十二万回）。これは自分を（症状がなくても無条件に）感染者だと思え、他人を見てもそう思えとする主張だから、換言すれば「むしろ先入見を持て」と唱えて支持を集めたことになる。

新型コロナウィルスによる死亡者数は（死亡率も）、欧米の方が日本よりはるかに高い。日本人どうしですら「自分は／あいつは感染者だ」と思いながら暮らすべきなら、より警戒すべき状況にある欧米人がアジア系をウィルス呼ばわりして、なにが悪いのだろう。当該の准教授や、彼を持てはやしたツイートの読者たちは、そうした想像力がないのだろうか。

ひとことで言えば、「ひと月前の自分」と今の自分は異なり、その現在の自分と「ひと月後の自分」も違う。主張や感性が正反対のものになるくらい違うし、そしてなにより、そうしたあり方こそを**まったく自然なもの**だと感じて、なんの違和感も覚えない人こそが、この国では標準的な人間らしい。そんな社会で、そもそも歴史がなり立つはずはなかったのだ。

もちろん歴史がなり立たないとは、「国民の多くが自らの過去をふり返って把握し、それを基に行動の指針を作ることができない」という趣旨である。逆にいうと、当人が意識しようがしまいが、過去に見られたのと同様に社会を動かしていく「流れ」自体は存在するし、そうした力動の作用を「歴史」と名付けて描き出す作業が、できる人も稀にはいる。

この国ではだいぶ前から、歴史を構想しそれに沿って生きる人は、そうした絶対的な少数者に限られていたのではなかろうか。

アフターコロナに歴史の場所はあるのか

こう書くときっと、私がその「稀な人」の一員であることを誇示していると思われるかもしれない。必ずしも誤読とは言えず、実際に私自身がそのことを長所だと捉えてきた時期もあった。そうでなければ、歴史学者のような割の悪い職業に就くことはありえない。

しかしいま、私はまったくそのように感じないし、だから自身が歴史の描き手であることを「自慢」する気持ちも湧きはしない。むしろそうした奇矯な特質のために、実に不自由をしてきたというのが実感である。

たとえるなら、世の中には「霊感が強い」人たちがいる。そうでない人の眼には自然現象にしか見えないものの背後にも、たとえば精霊の存在を感じたりするらしい。私はスピリチュアルな発想が苦手なので、そうした話を聞いても正直「盛ってるんじゃないの」くらいにしか、ずっと思ってこなかった。

しかし「歴史感が強い」のも、**同様の特異体質**だと考えてみたらどうだろう。眼前のコロナパニックにはあらゆる人が関心を持っているが、本稿の前半で述べたような「歴史の反復」としてそれが見えていた人は、極めて少数だ。そして「霊が見えるんです」と訴えても話半分に聞き流される人たちと同様に、そうした見方はもう、社会で相手にされていない。

もちろん、色んな体質の人がいてよいと思う。ただ問題は、いまという時代を「未曾有の危機との格闘」として体験する人と、「かつての失敗を繰り返している」ものとして感じてしまう人とでは、どちらが生きやすいかという点である。

あきらかに後者の方が、特にメンタルの面でハンディキャップを背負うのは間違いない。だから、あえて歴史感覚を持たない生き方を選ぶのも、現代世界への適応のあり方としては合理性を持っている（この問題については、斎藤環氏との共著『心を病んだらいけないの？』で詳論している）。

気になるのは、こうしたことに無自覚な——というかはじめから「歴史感の弱い」——人たちが（なぜか歴史学者をしていたりするのだが）、歴史の意義を説くと称しつつ、実際にはその無用性を喧伝してきたことだ。それは今回の危機のさなかで、より顕著になっていった。

たとえば先日、総合誌で高名な歴史学者が[4]、幕末のコレラや大正期のスペイン風邪を引き合いに、滔々と彼なりの「教訓」を語るのを目にした。庶民の生活も、医学や衛生環境の水準も今日よりはるかに貧しい時期の事例と比較するのは、目下の危機を誇大視させて過剰なパニックを助長する怖れが強いが、そうした意識はこの学者にはないようだった。

同じ時期、さる名門大学のホームページが「コロナアーカイブ」と銘打って、無人のキャンパス等の写真をわずか十数点掲載しているページ[5]が、公共の歴史学（パブリック・ヒストリー）の実践と称してメーリングリストに流れてきた。そんな写真など、学者が関与せずとも各種のSNS上には山のように毎日アーカイブされているのだが、こうした企画が「学問に社会性を取り戻す、優れた試み」として囃される世界も、世の中にはあるらしい。

ビフォアーコロナには「公文書管理に詳しい」なる触れ込みで、桜を見る会の騒動で「活躍」した歴史学者[6]もいた。しかし安倍政権が政策の妥当性を判断する根拠となる実効再生産数（患者ひとりが何人にうつしたか）を伏せたまま、恣意的に自粛を強要しても抗議する姿はついぞ見ない。文書のような「モノ」が絡むときだけ発情するフェティシストには、国家による隠蔽のなにが問題かもわかっていないのだろう。

「なんだ。普段は『賢者は歴史に学ぶ』などと偉そうにしながら、この程度か」。そう思うのが普通の読者の感覚だし、それで正しい。上記した学者や大学人はいわば、自覚なしに**歴史の墓掘り人**をやっているようなものだが、どうせならなるべく地中深くに埋めて息の根を止めたほうが、かえってアフターコロナに歴史を再生させる種を蒔くのかもしれない。

たとえば防疫上の観点から考えても、この際、史料調査の類は最後まで(ないし永遠に)自粛を解除しないでよいだろう。数十年、数百年と手つかずだった古文書など、どんな未知の病原菌やウィルスを巣食わせているかわかったものではない。パチンコ店は封鎖が解かれないと経営者や従業員の生活に支障が出るが、現にこれまで読まれてこなかった文書が今後も読まれなかったところで、別に誰も困らない。

危機の前から何度も論じてきたが、自覚なく歴史を無効にする人たちは往々、物体としての史資料そのものを「過去」として愛玩するあまり、「現在」の出来事を見る際にも常に働くべき歴史の感覚を衰弱させてゆく。だとすればそうした物理的な「接触」に関しては、危機の後もむしろ禁じたままにする方が、コロナ以降の世界に歴史の居場所を作る糧になるだろう。

いまもそれがわからない人がいるのなら、最後に以下の言葉を贈りたい。

――「愚かな人だ。あなたの蒔くものは、死ななければ、生かされません。」

(『新約聖書』コリント人への手紙・第一)

(1)岩永直子・千葉雄登「『このままでは八割減できない』『八割おじさん』こと西浦博教授が、コロナ拡大阻止でこの数字にこだわる理由」バズフィード・ニュース・ジャパン、二〇二〇年四月十一日掲載。

(2)一例のみ挙げると、辻仁成「アジア系の居場所がなくなる日?」『中央公論』二〇二〇年四月号(発売日は三月十日)。なおパリ在住の辻は、文中で「逆の立場で考えるならば、フランス人がアジア人に対してある程度の恐怖感を持っても仕方がない」と明記している(六三頁)。

(3)宮沢孝幸・京大ウイルス・再生医科学研究所准教授(獣医ウィルス学)を指す。宮沢自身は過剰自粛に反対の立場だったが、一連のツイートは結果的に読者の恐怖感とパニックを増幅した。

(4)磯田道史・国際日本文化研究センター准教授(日本近世史)を指す。『武士の家計簿』などのベストセラーで知られ、コロナ禍に際しては『文藝春秋』に三号連続(五〜七月号)で論説を寄稿した。

(5)「関西大学　コロナアーカイブ」で検索されたい。なお、本稿入稿時(二〇二〇年六月十日)での掲載点数は二八点である。

(6)瀬畑源・龍谷大学准教授を指す。本稿入稿の時点で、この人物が刊行している単著は『公文書問題　日本の「闇」の核心』といった表題の「入門書」のみであり、歴史学者としての主著はない。

[付記]歴史を憐れむ歌

本編は**二〇二〇年五月二十日**に、講談社が運営する論説サイト**「現代ビジネス」に掲載された文章の再録**である(文面は書誌的な事項と漢数字表記への修正を除いて、当時のままとし、冒頭のエピグラフと補足の注を附した)。当方から申し出て寄稿したもので、同社の担当者にメールで草稿を送ったのは同月十日の夜だった。

ウェブでの公開後、幸いなことに賛否双方の立場から、多くのコメントがSNS上で寄せられた。批判のうち、アジアでの死亡率は低いので「本来は日本人がここまで騒ぐ必要のある病気でなかった」と記した箇所を揶揄した人々は、その後大いに恥をかいただろう。五月九日発売の『文藝春秋』に載った対談（相手は橋下徹氏。引用部は九七頁）で、ノーベル生理学・医学賞受賞者の山中伸弥氏が「日本の感染拡大が欧米に比べて緩やかな……理由」の呼称として用いた「ファクターX」が、同月末から爆発的にメディアで流布し、日本人が欧米並みに騒ぐ必要が本来なかったことは、知性ある人には常識となったからである。

本稿で西浦博氏らの自粛政策を批判したのが「後出し」だとする非難も、私には該当しない。同じ現代ビジネスで四月三日に公開した論説のなかで、緊急事態宣言という「『果断な決断』が求められる状況とは少し思えません」と明確に記した上で、あらかじめ「（過剰自粛を含めた）パニックを抑制して供給網を守る営為がより重要」だと警告していたからだ（より、とは東日本大震災時と比較しての表現）。西浦氏が一般に知られるのは、同月七日の緊急事態宣言発令時に、安倍首相が唐突な「極力八割削減」を表明して以降であり、私の主張はむしろ「先出し」である。

また隔週でコラムを担当していた『朝日新聞』の紙上でも、四月三十日の回（校了は二十八日）で明示的に「接触八割減」の政策を批判した。当時は連休明け後も宣言が延長になるかが未確定だったため、掲載には慎重論もあったが、「政治家が民意の趨勢を最も注視しているいまだからこそ、世に問うべきだ」と担当者に訴えて、載せていただいた。そもそもコロナを誇大に怖れるべきでないとする論説は、三月の段階から諸方面で発表されており、きちんと考えれば後出しするまでもなく、政府の過剰対応の誤りは明白であった。

それにしても興味深いのは、賛否両論のうち「否」のコメントを寄せたアカウントに、歴史学の関係者が多く観察されたことである。

もっとも、ほとんどはプロフィールに「日本中世史」等と掲げていることから当方で判断したものなので、単なる自称の可能性は排除できない。しかし、そうであるにせよ歴史研究への意向を窺わせる人々の、以下のような知的水準の低さには考えさせられた。

まず、①**理科系への劣等意識**である。本稿を「極論だ」と認定し、それで批判した気になっている者がいたが、たしかに極論なのかもしれない。しかし、それでは全国民に対人接触を「八割削減」させて、（罰則つきの行動制限を敷いた欧州でさえ不可能だった）「一か月での収束」をめざす西浦モデルは「極論」ではないのだろうか？　なぜ後者には唯々諾々と従いながら、そうした「極端な政策」が採られた背景を解明しようとする本稿には、「極端な論説だから無価値」なる罵声を浴びせて恥じないのだろうか。

「理科系の極論」なら多大な実害があっても甘受し、「人文系の極論」は言論の自由の範囲内でも叩き潰すという思考の持ち主は、普通に考えればマッドサイエンティストである。そうした者が人文学の価値を知るかのような態度で発言するのは矛盾なので、プロフィール欄での自称を「歴史科学（自然科学の二軍）」と書き改めることをお勧めしたい。

次に、**②現代日本語を読む力の欠如**。本稿の後半で「日本人どうしですら『自分は／あいつは感染者だ』と思いながら暮らすべきなら、より警戒すべき状況にある欧米人がアジア系をウィルス呼ばわりして、なにが悪いのだろう」と書いた箇所を、アジア系差別の容認だと解釈するアカウントが歴史研究者を名乗っているのには、失笑させられた。

当然ながら「暮らすべきなら、」という条件節がある以上、これは仮定法に基づく反語であり、実際にはそんな暮らしをする義務は誰にとってもない以上、ウィルス呼ばわりが正当化されることもありえない。同時代の日本語ですら正しく文意が取れない者が、古文・漢文や崩し字、または外国語などの難読史料を読解できるとは思えないので、もし彼らに研究論文があるなら誤読に満ちているのだろう。学会誌の査読担当者は注意されたい。

さらには、**③研究に賭ける文脈の喪失**。これらよりは一見有意義に見える批判に、「ウィルスの感染状況は日々変化する。それに対応すべき局面で、一貫性にこだわる方がおかしい」というものがあった。しかしこれは、個別の対応策と全体的な戦略とを混同した議論である。本稿が一貫性の欠如を問うているのは、根本的な方針のレベルで「経済への負荷は気にせず、ゼロリスクを優先する」といった態度を四月に示しながら、五月に入るや「経済への配慮から、リスクを容認する」立場に（説明なく）変じた人々だ。現場レベルで臨機応変に対処することは、まったく否定していない。

戦後に広い意味での日本史研究をリードした丸山眞男が、方針自体が眼前の状況に引きずられてなし崩しに変転する自国の政治のあり方を「ズルズルベッタリ」と指弾し、そうなる背景を日本思想の展開のなかに探究したことはよく知られる。むろん本稿は丸山のエッセイのような深みを持つものではないが、しかし「いまコロナは大変なんだから、ズルズルベッタリでいいじゃないか」なる〝批判〟が、（自称）日本史の研究者から出てくるとは驚いた。それ自体が本稿で述べた、歴史の喪失の証左であろう。

最後に、④**自尊の裏にある怯懦**。このたび注を附したが、本稿にはコロナ禍での磯田道史氏の言動を批判した箇所がある。これに対し、「磯田氏は別に歴史学の代表じゃない。磯田がダメだから歴史学は不要だとは暴論だ」なる反応があった。しかしそれではなぜ、彼らは本稿に先んじて磯田氏を批判し、氏が語る「歴史の教訓」の(危機を誇大に煽るという)問題性を指摘しなかったのか? 少なくともそう試みないかぎり、現に総合誌やTVで同氏の主張が「歴史学界を代表するもの」として扱われる状況が続くのは、当然ではないか。

私の考えでは、おそらく彼ら歴史学者も自身が社会の無用物になっていること――歴史が衰弱しきった現状には気づいている。だから磯田氏のような知名度のあるスターが「歴史学の意義」をメディアにアピールしてくれる分には、黙っておこぼれに与るのだろう。しかし内心ではそうした自らのみじめさを知るからこそ、本稿のような独力で歴史の意義を社会に問う態度を目にするや、まともな反論もできないまま「〝本物の〟歴史学はメディア上の教訓話ではなく、他の場所にある」と居直るのであろう。

だが、その「他の場所」とはどこだろうか。実名で社会に物申す勇気ひとつない彼らがひきこもる大学の研究室か、それともステイホームで遠隔講義を配信する自宅のことか。

ときに読者は、「レキシ」なるミュージシャン(?)をご存じだろうか。「年貢を納める農民の気持ち」といった内容を歌詞に書き、コスプレしながらJ－POP風の曲に載せて歌うビデオをYouTubeで公開している音楽芸人だ。

正直、私にはあまり面白くないが、そこは個人の趣味だから、異なる感性の方もおられるであろう。

しかし本稿に対して上記のような〝批判〟を浴びせ、本当の歴史学は「コロナ禍を満洲事変に喩えるこじつけではない」と唱える人物が、遠隔授業にでも使うつもりか、彼らの楽曲については一転してSNSで推しているのを見たら、どう思われるだろう。歴史を学ぶことはなんの役に立ち、いかなる知的な歓びをもたらすか――。眼前の危機に対する省察を通じてそれを示すより、ネット上の「面白動画」に頼って聴衆の笑いをとることの方が、大事だと考える歴史学者も現今の大学にはいるらしい。

率直に言って、哀れな光景だと私は思う。そしてその哀れさは、当該の教員一人のものではない。歴史を喪い、しかもその喪失に向きあうことなく、たかだか「コロナに罹らない」程度のことが至上の価値とされるチープな生にすがりつく、私たちの社会全体の哀れさである。

「過剰」自粛の証明

感染は人と人との接触によって進行する。だから人々が活動を自粛し、家に引き籠もりさえすれば感染は収束し、抑え込むことができる――。専門家から国民まで皆この理屈を信じた。だから国民は、経済がどれだけ傷付こうがお構いなしと言わんばかりの勢いで「緊急事態宣言」や「八割自粛」も受け入れた。そして誰に命令されるでもなく、時に「自粛警察」まで自己組織して「自粛」に専念した。

――しかし、「あらゆる自粛」に感染抑止効果があるわけではないし、ステイホームでむしろ感染が拡大することとすらあるのが現実だ。感染リスクがない行為をどれだけ自粛しても感染抑止効果はないし、ステイホームによって家族内の感染が拡大することとすらあるからだ。しかも、仮に感染抑止効果があったとしても、その自粛による副作用が優越することとすらある。

そうである以上、**「過剰」自粛**と呼ぶに相応しい自粛が存在する事が大いに疑われるのである。ついてはこの仮説を検証すべく、以下の二通りの実証分析を行ったところ、「過剰」自粛が統計学的に存在することが明らかになった。

「過剰」自粛の証明① 感染を収束させたのは「自粛」でなく「水際対策の強化」であった
「過剰」自粛の証明② 「効果の無い自粛」が多数あることが判明。以後、一律自粛を回避せよ

是非ともご一読いただき、今後のあるべき感染症対策についての意見形成あるいは対策検討に、お役立ていただきたい。

表現者クライテリオン編集長 **藤井 聡**

「過剰」自粛の証明❶

感染を収束させたのは「自粛」でなく「水際対策の強化」であった

藤井聡 Fujii Satoshi

図1をご覧下さい。これは、「新規感染者数の増加率」、つまり、「感染者が増えていくスピード」の推移を示しています。

ご覧のように、日々変動はしていますが、傾向としては、**三月中旬あたりをピークとして、徐々に低下していっている**様子が見て取れます。

つまり、**三月中旬頃までには「感染拡大のスピードがどんどん上がって行っていた」**一方、それ以降は、**「感染拡大のスピードはどんどん低下していっていた」**わけです。

そして、そうした推移の中で三月の下旬に、感染拡大率が「一」を下回ることが多くなったことが分かります。これはつまり、感染者が前日よりも翌日の方が少なくなる、ということを意味しているのであり、したがって、新規感染者数が「ピークアウト」して「収束」に向かうことになったわけです。

新規感染者数のピークは三月下旬だが、「感染者の増加率」のピークは三月上旬だった

ここ最近、筆者が申し立てた「新規感染者数の推移を見れば、緊急事態宣言の遙か前の、三月下旬で、ピークアウトしていた」という事実が、TV等でもしばしば取り上げられるようになってきました。そして、緊急事態宣言が、ピークアウトさせた原因ではないという、筆者が一貫して主張し続けてきた「真実」がようやく表でも論じられるようになってきたように思います。

ただし、筆者は本日、ここでさらに読者各位に提示したいのは、

「新規感染者数の**増加率**の推移」

に基づくデータです。これは、日常用語で言うなら、**感染者が増えていくスピード**のデータです。

けです。

昨今TVで取り上げられるようになった「三月下旬にピークアウトしていた」という「真実」の背後には、こうして「一を上回っていた増加率が三月中旬から減少していき、下旬にようやく一を下回ることになったから」という事情があったわけです。

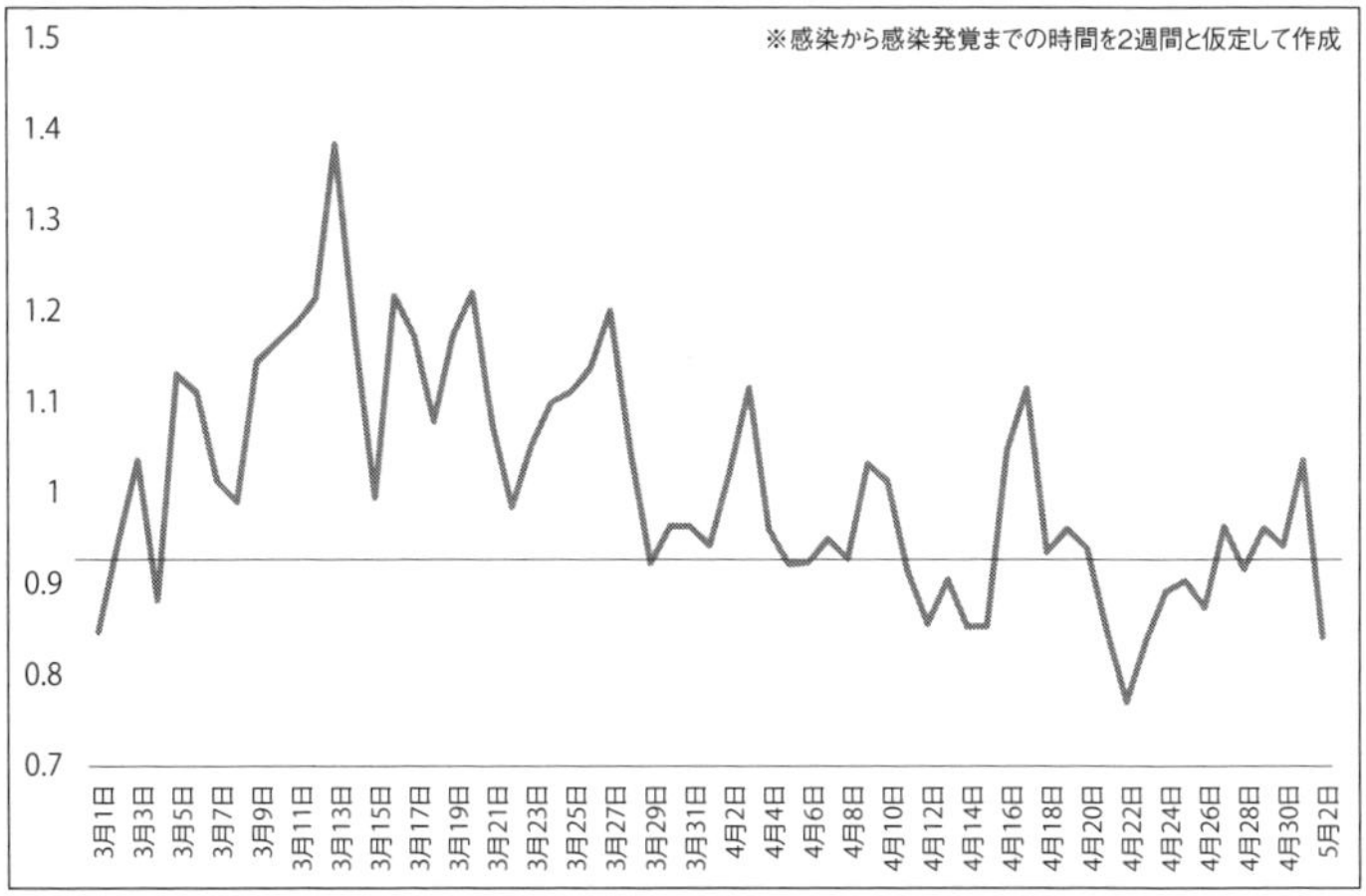

図1　感染拡大スピード（＝新規感染者数の増加率・対前日比）の推移（全国・推定感染日ベース）

「感染拡大スピード」が緩まっていった三月中旬に、政府は水際対策を加速していた

ではなぜ、「感染増加スピード」が三月中旬頃から縮小していったのでしょうか？

この点を明らかにするために、「日々の変動」の影響を排除して、スピードの増減のトレンド（傾向）を分析するために「移動平均」という方法を使って分析したいと思います。

これは、その日を中心に前後数日間を含めた平均値を求め、その平均値の推移をとるというものです。

そのグラフを**図2**に示します。

このグラフを見ると、先程申し上げた「感染拡大スピード」の変遷、つまり、三月中旬までスピードが上がり、それ以降低下し、四月中旬頃に横ばいになっている様子がよりくっきりと分かります。

この図2を見る限り、やはり、緊急事態宣言、あるいは、「八割自粛要請」（ましてやその全国拡大）は感染拡大スピードの下落に何の貢献もしていない、ということが明らかに示されています。

一方で、「アクセルが弱められた」三月中旬頃には、実は

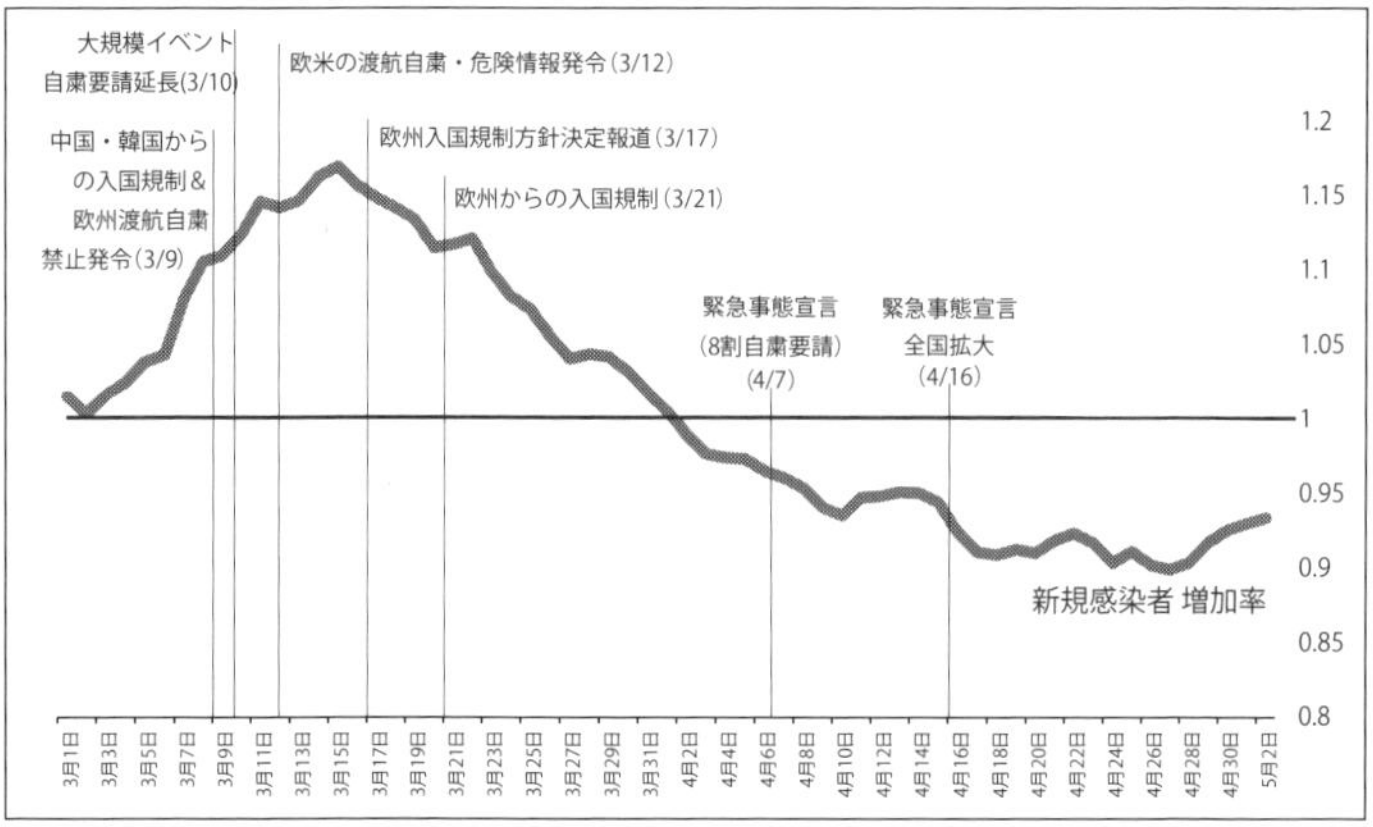

図2　感染拡大スピード（＝新規感染者数の増加率・対前日比・15日間移動平均）の推移と各要因

かなりの対策を政府が行っていたことが分かります。

中には、「大規模イベント自粛要請の延長」という「国内対策」もありますが、その大半が、**水際対策**です。

中国、韓国、欧州といった、感染が拡大していた地域からの入国規制や、渡航自粛要請、あるいは、渡航禁止令などが矢継ぎ早に出されていったのが、この三月中旬だったわけで、その頃から感染拡大速度は低下していったのです。

感染国である中国・欧州からの入国規制（水際対策）が、感染拡大を下落させた

では、「感染拡大スピードの緩み方」をより詳しく見るために、この図2のデータを使って、「**この感染拡大スピードの拡大率**」の推移を見てみることにしましょう。

それが**図3**です。これは要するに、（物理学で言うところの）「**加速度**」の推移を見ることになります（なお、ここでは、差分ではなく変化率で速度の変化＝加速度を計量化しています。文末の脚注もあわせてご参照下さい。また、これについても、日変動を除去するため一五日の移動平均を取る処理をしています）。

……理系で無い方は何が何だか分からなくなってしまっているかも知れませんが、これは要するに、「**クルマのアクセルの踏み込み具合**」だと考えて下さい。この数値が高いということは、アクセルをぐっと強く踏み込んでいるという事を意味しており、逆に低いということはアクセルを緩めているという事を意味しているわけです。

この図を見ると、**三月九日までは、アクセルを踏み込む**

力（加速度）がぐっと強くなっていき、三月九日からその力は緩んでいったことが分かります。

そしてこのグラフからは、どの対策がどれだけ有効だったのか、よりくっきりと分かりますね。

図3　感染拡大スピードの「加速度」（＝アクセルの踏み込む強さ）の推移と各要因

まず、やはり四月七日の緊急事態宣言や十六日の全国拡大は何の効果も無かったことが見て取れます。

　一方で、**政府による中国、韓国からの全面的な入国禁止、**ならびに、**欧州への渡航自粛要請や禁止が発令された三月九日**から一気に「アクセル」が弱められた様子が見て取れます。

　その後の「十日の大規模イベント自粛の継続発表」も影響している可能性がありますが、これはただ単なる「継続」の発表であり、「アクセルを踏み込む」要因になったとは少々考えにくいとも言えます。

　その後、**三月十二日には欧州だけで無く、アメリカに対しても危険情報が発令されるなど、渡航の自粛・禁止の幅が拡大**されていきます。

　そして**三月十七日には欧州との渡航・入国の事実上の「禁止」が公表**されます。

　そもそも**三月当時、日本よりも中国や韓国、欧州の方が感染者が多く、そうした国々との間の移動さえ無ければ、日本に感染が急速に拡大する状況ではなかったのです**（実際、三月の上旬はおおよそ今とほぼ同様の三〇～五〇人ずつの新規感染者しかいない状況だったのです）。

　ところが三月初旬では、大量の海外からの渡航者が日々関西空港や成田空港に降り立ち、**毎日毎日、ウイルス感染**

者が日本列島に「新規供給」され続けたのです。だから国内の感染拡大が日々、「加速」していくのも当然だったわけです。

一方で、そういう渡航を制限すれば、「外部からの新規供給」が途絶えるわけで、アクセルが必然的に緩められ、感染速度が収まっていきます。

（残念ながら、「来日者数」のデータは「月ごと」にしか整備されていないので、細かい分析はできないのですが）そもそも二月は、一〇〇万人以上の入国者（邦人含む）がありました。一方で、三月には上記のような「入国規制」や「渡航自粛要請・禁止」が発令され、約二〇万人に激減。そして、四月にはなんと〇・三万人以下、つまりほぼ「ゼロ」の状態に至りました。おそらく、三月の上旬は二月とほぼ同様の速度で海外からの入国者がいた一方で、中旬以降は、「ほぼゼロ」という状況になったのでしょう。

そう考えると、この図3に示された、**三月中旬以降の「感染拡大スピードの加速度の急激な下落」は、三月中旬の政府の「水際対策の加速」による感染拡大国からの入国者の激減に対応している**と考えるのが、妥当な結論だと言えるでしょう。

つまり、**かつて一月一〇〇万人の勢いで押し寄せていた**（多くの感染者を含んだ）**渡航者をほぼゼロに削減したこと**で、**感染拡大は大きく収まっていった**わけです。

初期における水際対策の不徹底は、
内閣総辞職に匹敵する大罪である

以上の検証結果は、**水際対策が如何に大切か**を意味しています。

日本ではここ数カ月、西浦氏達の主張する八割自粛や尾身氏らが主張する二メートルのソーシャルディスタンス論の重要性ばかりがメディア上で取り上げられた一方、水際対策の重要性はほとんど議論されてこなかったのは、日本の感染症を巡るこれまでの議論の不条理さを改めて浮き彫りにする事実と言えるでしょう。

この点に思いが至るなら、**我々は今こそ、初期段階において「水際対策」をやらなかった安倍内閣に、強い批判の目を差し向けるべき**でしょう。

そもそも二月下旬、唯一の感染国であった中国に対して水際対策を徹底するどころか、逆に、安倍総理本人が動画に出演までして春節の中国観光客を大量に受け入れるプロモーションを大々的に展開したのです。それさえ無ければ、一〇〇〇人近いコロナ感染死者も、八割自粛に伴う大量の倒産、失業、貧困も無かったことは間違いないでしょう。

だからこの一点において、内閣総辞職にすら匹敵する超巨大な大罪と言うことが出来るのではないでしょうか。

今後の感染症対策のためにも、「自粛による社会被害」を明らかにすることが必要である

一方で、以上の分析は、「四月七日の八割自粛要請」やその全国拡大（さらには、GW明けのその延長）には、感染抑止効果は無かったことを改めて示すものでした。

今後の対策を考える上で、この検証結果は途轍もなく重大な意味を持つものだと筆者は考えます。

ただし一言申し添えておくなら、**だからといって「自粛」「ステイホーム」そのものが全く無意味だったかどうか、という議論はまた別の議論です。言うまでもありませんが、理論的には接触を断てば、感染が縮小するのは自明です。**

しかし、少なくとも今回のデータを見る限り、**今回の第一波の収束においては、その「自粛による効果」を「渡航者抑制の効果」が「凌駕」していたというのが実態**だったと考えられます。だから、「第一波の収束」においては、「自粛」「ステイホーム」は（仮に幾分の効果はあったとしてもそれは）、さして大きな役割を担わなかったと考えられるわけです。

では、そうした事後解釈も含めた上で、今後私達は、どのような感染症対策をすればよいのでしょうか――。この点を考えるには、やはり、**「自粛による副作用」**を明らかにしなければなりません。副作用がないなら、あまり効果があろうが無かろうが八割でも九割でも自粛要請をすればよいのですが、その副作用が深刻ならば当然そういう態度は「大罪」の誹りを免れ得なくなるからです。

ついては今後は、**「自粛による副作用」**つまり**「自粛要請による経済被害の実態」**に的を絞った議論が特に必要となると考えます。

（本記事で扱っている感染の速度、加速度という概念は、日常用語としての「はやさ」「はやさの増加度」という主旨で用いているものであり、わかりやすさの主旨から速度、加速度という言葉を用いているが、一般的な物理学で定義される速度、加速度とは異なるものである。一般的な物理学では速度、加速度は「差分」が用いられるが、ここでは、差分ではなく「比率」を取っているからである。これは、一般的な感染症学で「感染スピード」の尺度として用いられる、一人の感染者が感染させる人数を意味する「再生産数」が差分ではなく変化率を主体とした変数であることからである。なお言うまでもなく、対象変数について「対数」を取った上で求める差分についての分析は本稿で示した比率についての分析と一致する。従って通常の差分に基づく速度・加速度についての分析から得られる傾向的知見と、本稿の変化率に基づく分析から得られるそれは一致する。）

＊本記事は、インターネットサイトBest Timeの筆者の連載『第二波に備え「8割自粛」を徹底検証すべし』の第三番目の原稿として令和二年六月二十四日に掲載された「水際対策の強化こそが感染収束の肝であった」をベースに、連載の文脈でなく本稿だけで独立して読了いただける格好にすべく冒頭部分を調整したものである。

「過剰」自粛の証明❷

「効果の無い自粛」が多数あることが判明。以後、一律自粛を回避せよ

藤井聡 Fujii Satoshi

自粛は一体どの程度意味があったのか？

先の記事で、筆者は「第一波の収束に貢献したものは、自粛ではなく『水際対策の強化』であった」という実証的知見を紹介しました。

ただし、その記事の最後で筆者は、

「……一言申し添えておくなら、だからといって『自粛』『ステイホーム』そのものが全く無意味だったかどうか、という議論はまた別の議論です。言うまでもありませんが、理論的には接触を断てば、感染が縮小するのは自明です。

しかし、少なくとも今回のデータを見る限り、今回の第一波の収束においては、その『自粛による効果』を『渡航者抑制の効果』が『凌駕』していたというのが実態だったと考えられます。」

と書きました。

ついては今回はこの点、つまり「自粛は一体どの程度意味があったのか？」をお話ししたいと思います。こうした分析は、これまでに紹介した諸分析とあわせて、「以後」の対策を考える上で極めて重要な意味をもつからです。

「自粛の効果」を検証するにあたっての、基本的な考え方

ところで、分析に先立ち、どういう考え方で分析を行ったのかを、簡単に説明しておきたいと思います。

まず、前回の記事で感染拡大スピードを抑制したのは、三月中旬頃の「海外との往来抑制」つまり「水際作戦」であったという事を指摘しました。

すなわち外国からの来訪者は、二月は月一〇〇万人もいたのですが、水際作戦の強化によって三月には大幅に減少していき、これが感染拡大を抑止したと考えられるのです。

そして、四月にはたった「二九〇〇人」というほぼゼロの水準となりました。

したがって、（三月までのデータを用いず）「四月以降」のデータに着目すれば、海外からの流入の影響はほぼ無視しつつ、「日本人から日本人への感染」の影響だけに着目した分析が可能となるわけです。

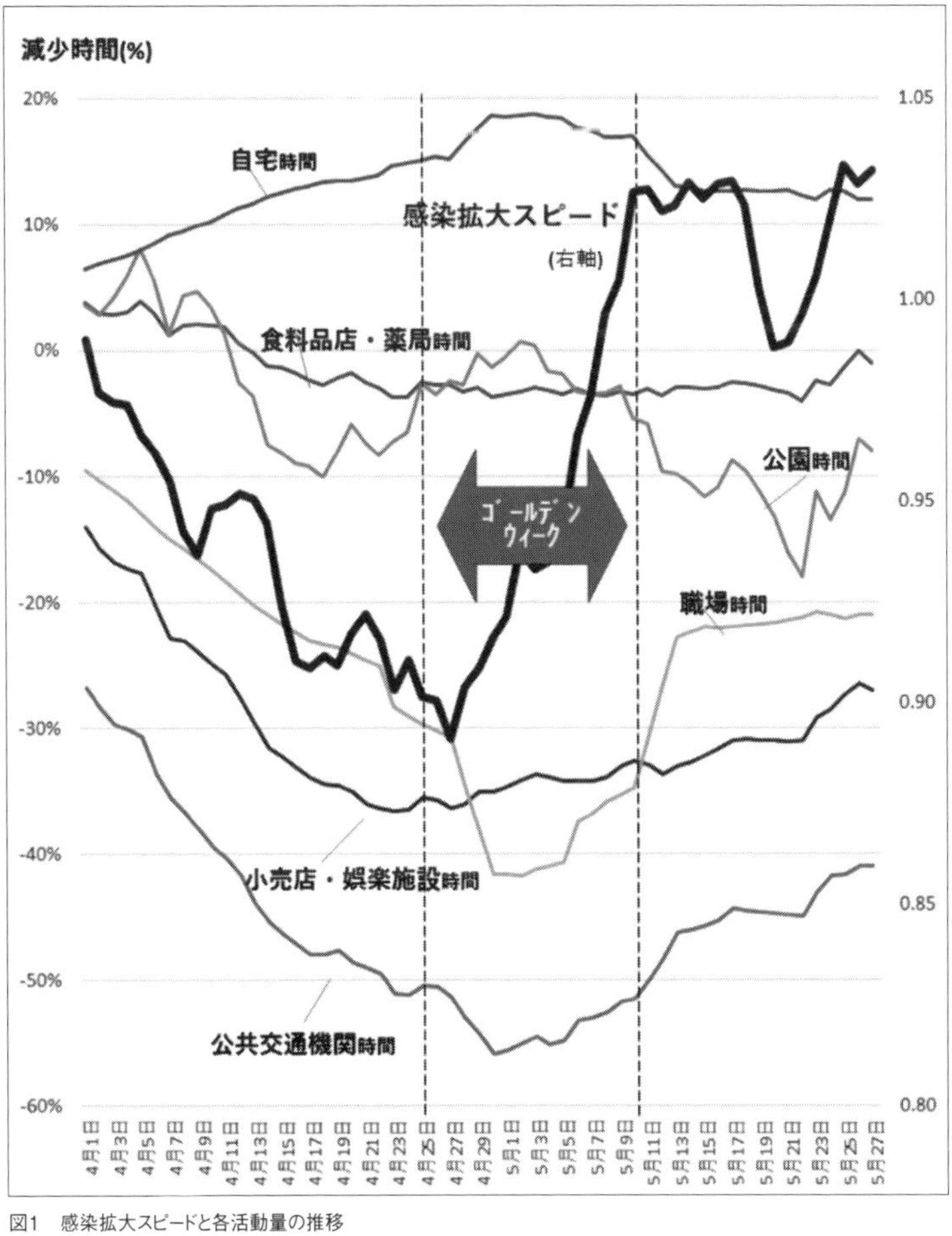

図1　感染拡大スピードと各活動量の推移

ついては、（海外からの渡航が全く無くなった）四月以降のデータを使って、「感染拡大スピード」と「人々の自粛傾向」との関係を分析する事を通して、自粛の「効果」を検証することとしました。

「活動自粛」と「感染拡大スピードの下落」が並行して進んでいった

以上の考え方に基づいてとりまとめたデータが、前頁の**図1**となります。

この図の中の太線が、前回の記事でも紹介した感染拡大のスピード（つまり、新規感染者数の前日から翌日にかけての変化率。一五日間移動平均値。なおこれは、一人の感染者が感染させる人数である再生産数に対応する値であり再生産数の指標である）の推移を示しています。そしてそれ以外の線は、Google（https://www.google.com/covid19/mobility/）が公表している施設別の日本全国の滞在時間データ（ベースラインからの減少率）の推移を示しています（滞在時間についても一五日間移動平均データ。なお、施設については小売店・娯楽施設／食料品店・薬局／公園／公共交通機関／職場／自宅等の六カテゴリーを考慮）。

このグラフをよく見ますと、実に様々な事が分かってきます。少々ややこしいですが、「自粛がどれくらい大事か／あるいは大事じゃ無いのか」を理解する上でとても大切な考察になりますので、じっくりとお付き合い下さい。

まず、GWが始まるまでの間（四月一日〜二十四日）の期間に着目しましょう。

この間、感染拡大スピードが縮小してきていることが見て取れます。そしてそれに合わせて、小売店・娯楽施設や公共交通機関等での活動時間が「自粛」によって、下落してきていることが分かります。

この「自粛」が「感染拡大スピード縮小」の**「原因」**であったかどうかということは確定的には言えません。なぜなら、その間、手洗いマスクの励行や宴会の自粛等、自粛とは異なる予防策がさらに進んでいた可能性も考えられるからです。ただし、このデータは、自粛による感染抑止効果があった**「可能性」**を示唆するものであることは間違いありません。

ゴールデンウィーク中には「自粛」しているのに感染拡大速度が上昇

ところが、GW期間中に状況は一変します。今年のGWは、最も広く取ると四月二十五日(土)から五月十日(日)の間なのですが、その間に、**感染拡大スピードが拡大**している様子が見て取れます。

ここで、GW中の様々な施設での滞在時間の推移に着目しますと、GWの開始時点と終了時点とではほとんど変化が見られません。つまり、**人々はGW中、政府や西浦氏の要請に従ってしっかりと自粛を続けていたのです！　にも関わらず、感染拡大スピードが大きく上昇していったわけです。**

これはつまり、**「活動時間」では測りきれない何らかの原因で感染スピードが上がった**という事を意味しています。

では、その「何か」とは一体何かと言えば、それは言うまでもなく、**活動の「質」「中身」**です。

つまり、活動の「頻度」や「時間」でなく「中身」が、GW前とGW中とでは全然違うものだったと考えられるのです。

例えば、GWは同じ時間を過ごすにしても、親戚や友人達で集まって**「食事」「宴会」「ホームパーティ」**をする機会が増えたという可能性は十分考えられます。

一方で、GWが終われば、感染拡大スピードは横ばいになる様子が見て取れます。

つまり、GW中、人々は自粛を続けていたものの、活動する場合の「内容」を変えたことで、感染拡大スピードが大きく上昇したと考えられるのです。

このことは、**「自粛するか否か」より「一体どういう活動をするのか？」ということの方が、感染拡大スピードに対してより大きな影響を及ぼしている**事を意味します。

（なお、GW中、親戚や友人と会食する機会が増えて感染が広がったのなら、西浦氏が言う「接触機会」が増えたと言えるのではないか、という方はいると思います。しかし、GW中は職場や取引先、通勤の電車・バス等で接触する人は大幅に減少しているのは明白。だから、このGoogleデータでは分からない「接触頻度」で考えても、GW中にとりたてて増えたと考えることは困難だと思われます。だから仮に「接触」に着目するとしても、西浦氏が削減することを要請した「接触の頻度」でなく、「接触の中身／質」こそが問われなければならなかったのです。）

「自粛」して効果のある活動は一部。「効果の無い自粛」は多いという疑義濃厚

このように、活動の頻度を下げるという「自粛」それ自身には一定の効果が見られる可能性もあるものの、その影響の大きさはむしろ**限定的**であり、**「海外との往来の規制強化」や「活動の内容や質の改善」の方がより大きな支配的要因**であると考えられます。

それでは、具体的には一体、自粛の効果というのはどれくらい「限定的」なものなのかを、改めて統計的に分析してみることとしましょう。

統計分析にはいろいろな前提が必要となりますが、その前提をここで詳らかにするのは少々冗長になりますので、その詳細を**表1**にまとめて記載しました。そしてその前提

表1　分析の前提

・分析対象：4月1日〜5月27日の「感染拡大速度」およびGoogleのWorld Mobility Dataから抽出した「各施設毎の滞在時間のベースライン（曜日ごとに、今年の1月1週目から2月1週目までの5週間の中央値をとったもの）からの減少率データ」。それぞれ15日移動平均を用いる。ただし、GW期間中（4月25日〜5月10日）は特殊な状況であるため、分析対象とはしない。したがって、4月1日〜25日、および5月11日〜27日のデータを用い、各施設毎の滞在時間の減少率が感染拡大速度に及ぼす影響を分析する。
・分析に先立ち、単位根検定を行ったところ、全変数に単位根があり、定常過程ではないという検定結果となったため、差分系列に対して同じく単位根検定を行った所、従属変数となる感染拡大速度については単位根が棄却され、定常過程と統計的に判断できることが示された。ついては、全てのデータについて差分をとり、それを分析することとした。
・回帰分析にあたっては、「変数増加法」を用いて変数を投入した。なお、投入する候補にしたのは、6つのカテゴリーの滞在時間の減少率データである。
・なお、感染拡大速度と各滞在時間の減少率データのそれぞれの差分データの相関係数は、それぞれ以下とであった。すなわち、有意なのは「小売り娯楽施設」だけでそれ以外は全て有意な水準に届かなかった：小売り娯楽施設 0.36*(p = .02)，食料品店・薬局変化　0.27（p=.09），公園 0.25 (p=.11)，公共交通機関 0.30 (p=.06)，職場 0.103 (p= 0.52)，自宅　-0.18　(p= .25)

表2　感染拡大スピード（の差分）についての回帰分析結果

変数名	係数	t値	p値
「小売り・娯楽施設」滞在時間変化(の差分)	0.003	2.418	0.020
(定数)	-0.001	-0.725	0.473

(R = .36, n = 40)
（※　食料品店・薬局/公園/公共交通機関/職場/自宅等のそれぞれの滞在時間の変化の差分データはいずれも、投入されなかった）

の下での「回帰分析」と呼ばれる方法で分析した結果が表2となりました。

一般の方には少々解釈しづらいと思いますが、この分析結果が意味していることを、分かり易く解説いたしますと、以下となります。

『まず、（食料品や薬局を除く）デパート等の小売店舗や、様々な娯楽施設で過ごす時間が減れば、感染拡大スピードが若干減ることが分かった（ただし、係数を見ると、その効果は、「活動時間が一〇％減って、感染拡大スピードがようやく約三％減る」という限定的な水準）。

その一方で、その他の活動、すなわち、公園利用時間や、食料品店利用時間や薬局利用時間、職場での仕事時間、そして、電車やバスの利用時間などを減らすための「自粛」は、感染拡大スピードを抑止する効果は統計的には確認できなかった。

なお、表1に示した単純な「相関係数」での分析からも全く同様の傾向が読み取れる。有意だったのは小売・娯楽施設だけでそれ以外の施設には有意な相関が見られない。しかも有意だった小売・娯楽施設についての相関係数も〇・三六と統計学的には「弱い相関」と呼ばれる水準のものであった。』

つまり、「デパート等の小売店舗や、様々な娯楽施設での活動の自粛」には、統計的な効果が「幾分」は確認できたものの、それ以外の公園、スーパー、仕事の活動や電車・バスでの移動などの自粛には、統計的な効果は確認できなかったわけです。

「一律自粛」は無駄かつ有害。被害が少なく効果的な「半自粛」路線を採用すべし

では、自粛の中でも唯一効果があると判定された「デパート等の小売店舗や、様々な娯楽施設での活動の自粛」がどれくらい効果があるのかを確認しましょう。

まず、GW中の活動の「内容」の変化によってもたらされた感染拡大スピード変化は「〇・一四」ポイントでした。

一方で、この表2の分析より示されるのは、この〇・一四ポイントを下落させるために、「小売・娯楽」活動をどれだけ自粛しなければならないのかと言えば、四三%となります（＝〇・一四÷〇〇三）。

これを逆に言うなら、**自粛せずに活動内容を工夫するだけ**（例えば、パーティや宴会を控える、その際に食事の出し方や規模を工夫する、換気をする、目鼻口を触らないようにする等）**で達成できる感染抑止を、西浦教授達が主張した「自粛」だけで達成しようとすれば、最も効果的な「小売・娯楽施設」利用活動を自粛する場合でもその活動を実に四三%も自粛しなければならない**、ということを意味しています。

さらに言うと、日常のスーパー利用や公園等でのアウトドア活動、職場での活動などをどれだけ自粛しても、活動内容を抑止するだけで達成できる感染抑制効果は得られない、ということも分析から明らかになっています。

筆者はこれまで、西浦教授達が主張し、政府が採用した「一律の活動自粛」が如何に「無駄」であり、かつ経済を傷付けるだけで終わる「有害」なものかと様々に主張して参りました（例えば、https://38news.jp/economy/15951、学術的にはhttp://trans.kuciv.kyoto-u.ac.jp/resilience/documents/criterion91_fujii.pdf、あるいは古くはhttps://www.youtube.com/watch?v=GrfbIYOlSTE等）。

そうした主張に対して、様々な批判、時に激しい批難が差し向けられてきたのですが、筆者の主張の正しさが今回改めて統計データで支持されることとなったわけです。

感染抑止のために効果的な「自粛」戦略とは何か？

以上、今回は日本のデータを使って、「自粛」には一体どの程度の効果があるのか、あるいは無いのか、について、できる限りのデータを使って検証してみました。様々な知見が得られましたので、最後に改めて今回の検証で分かったことを箇条書きしてみたいと思います。

【今回の分析で明らかにされた知見】

①感染対策上、意味のある自粛もあれば、意味の無い自粛もある。

②「公園の利用」「スーパー等での日常的買い物」「通常の勤務」等の行動は、自粛しても、十分な効果があるとは考えがたい。だから、これらの行動を、感染抑止のために自粛するのは得策ではない。

③ただし「非日常的な娯楽としての買い物」「娯楽施設の利用」等の行動は、自粛することの感染抑止効果が一定認められる。

④一方で、自粛して活動を止めるかどうかというよりもむしろ、自粛せずにその代わり「行動の内容」を調整する方がずっと大きな効果がある。恐らく「長時間の会食、宴会、パーティ」において「給仕の仕方を工夫する」「集まる人数を減らす」「活動中に目鼻口を触らない」「徹底的に換気をする」「取りやめを検討する」「簡潔なものにする」などの対策を図ることの方が、感染を抑止する上で重大な意味を持つと期待できる。

⑤それにも関わらず「活動の内容」を無視して「一律自粛」だけで感染抑止を目指すと、ほとんどの活動を取りやめる程の「凄まじい自粛」を実施せざるを得なくなる（例えば、ＧＷになっただけで上昇した若干の感染拡大スピードを抑え込むためだけにも、活動全体の四三％もを自粛せざるを得なくなる）。しかしそうすれば、上記の①～④に示したように「無駄」「あるいは効果が薄い」行動自粛が多くあるため、さして感染抑止に効果が無いくせに、凄まじい経済被害だけが生ずる、という極めて不条理な帰結を迎えることになる。

以上の知見を全て踏まえれば、今後の感染症対策は、今回のような「一律八割自粛」でなく、「やらなくてもよい自粛をやらない」一方で、「効果的な自粛」のみをピンポイントで実行し、経済を可能な限り傷付けずに、効果的な感染抑止を行う事が得策であると考えられます。

この結論は、これまで一貫して筆者が主張してきた通りのものなのですが、より詳細な今回の分析によって、何が不要な自粛であるかが実証的により明確に明らかになったと言うことができるでしょう。

本稿の分析が、今後の政府のより適切な感染症対策に援用されることを、心から祈念したいと思います。

＊本記事は、インターネットサイトBest Timeの筆者の連載『第二波に備え「8割自粛」を徹底検証すべし』の第四番目の原稿として令和二年七月三日に【緊急反論④：「効果の無い自粛」が多数あることが判明。以後、一律自粛を回避せよ】として掲載された記事である。

「脱グローバル化」時代の日本の選択

柴山桂太
Shibayama Keita

広がりすぎたサプライチェーン

グローバリゼーションは根本的な弱点を抱えている。どんなに経済が統合されても、政治は統合されない。国民の生活に責任を負うのは、あくまでもその国の政府だ。そのため国民の安全が脅かされる事態が発生すれば、政府はまず自国民の救済を優先する。たとえ自由貿易の原則を破ることになっても、だ。

COVID—19が明らかにしたのは、グローバル経済のそのような脆弱性だった。医療物資の輸出が規制され、感染症対策に必要な物資が手に入らなくなった。日本では昨年まで市場に溢れていたマスクが、まったく買えなくなってしまったのは象徴的である。今年五月までに、医療物資の輸出規制を行った国は八三カ国に上る（グローバルトレードアラートの調査による）。そのため各国は、慌てて国内生産を強化する体制を取った。アメリカのように、自動車企業に人工呼吸器の生産を命じた国もある。

だが、グローバル経済にとって致命的だったのは、人の移動の禁止である。この危機が始まるまで、世界中が一大観光ブームに沸いていた。年間一五億人の人々が、観光ビザで国境を往来していた。ところが感染症の拡大が懸念されるようになると、各国の国境が封鎖された。欧州などで解除の動きもあるが、全体としてはまだしばらく続くものと思われる。止まったのは観光客の移動だけではない。ビジネスや留学を目的とした人の移動も停止された。

渡航制限は、貿易や投資という経済の他の部分にも甚大な影響を及ぼす。現代のグローバル化を特徴づけるのは国際分業だ。工場は世界的に分散し、各工程で作られた中間財の取引が今の世界貿易の中心をなす。それぞれに専門分化した工場をグローバルにつなぎ合わせる——いわゆるグローバルサプライチェーンの管理が企業の競争力の源泉であり、製品開発の土台でもある。渡航制限が長期に及べば、この流れが維持できなくなる。オンラインによる会議だけでは、生産の細かい調整を行うことはできないからだ。

どんなに時代が進んでも、経済の現場を支えているのは結局、人のつながりである。国と国を隔てる国境や距離は、グローバリゼーション全盛の時代には消えているように見えた。ビジネス目的での越境移動は、ほとんどの国で自由化されていたからである。しかしCOVID−19の世界的流行は、このあり方に重大な変更を迫ることになった。航空便は大幅に減便され、入国時の隔離措置など検疫体制も強化された。

このまま渡航制限が続けば、企業は元のままの供給体制を維持できなくなるだろう。越境取引にかかる費用が以前に比べて上昇しているからである。WTOの推計では、この費用上昇は世界関税の三・四%分に相当する。その負担は、複数の国をまたいだ供給網を持つ企業ほど大きなものになる。生産拠点の海外移転を競っていた時代は過去のものになった。これからは、サプライチェーンの「広がりすぎ（オーバーストレッチ）」が問題になるのだ。

そのような事情があるため、ビジネス界はこれから渡航制限措置の緩和を求めて、政府への働きかけを強めることになるだろう。しかし、反コロナに大きく傾いた世論が、渡航制限の緩和を簡単に認めるとは思えない。仮に認めるとしても、陰性証明書の発行や空港検疫の大幅な強化など、厳しい条件が付されることになるだろう。

自由貿易の熱心な推奨者でも、感染症対策での出入国制限には反対できない。公衆衛生は各国政府が果たすべき義務だからだ。一方、リベラル派も国境封鎖を支持せざるを得ない。人命の尊重という大目標のために、感染症の流入を抑える必要があると考えるからだ。日頃意見の対立する人々も、コロナ対策での渡航制限措置という一点では立場が一致している。

これまでもテロや犯罪の流入を防ぐための国境制限は提案されてきたが、本格的に導入されたことはなかった。自由や人権を尊重する立場から、国内外で強い反対に遭ってきたためである。しかし今回は違う。安全保障と人権尊重という誰も反対できない理屈が、新型コロナウィルスの危険性を声高に訴えるメディアの論調と相まって、国境封鎖措置を強固に支えている。

もちろん、厳しい渡航制限が永遠に続くということはない。効果的な治療薬やワクチンが開発されなくても、新型コロナウィルスの危険度が客観的に評価されるようになれば——つまり「未知」のウィルスが「既知」になれば——状況は変わってくるに違いない。われわれは、日々の生活でたくさんのリスクに囲まれている。事故や病気、天災のリスクを数え上げればキリがない。それらをいちいち気にせずに暮らしていけるのは、ひとえに習慣の力による。端的にいえば、「慣れている」のだ——外国人なら飛び起きるような大きな地震でも、大半の日本人がまったく動じないでいられるのはそのためである。

新型コロナは、今はその危険性が「未知」であるがゆえに、リスクが過度に可視化されている。しかし時間が経てば、「未知」のものも「既知」になる。仮にその毒性が季節性インフルエンザよりずっと強力だったとしても、われわれはいずれその存在に慣れる。現に、新型コロナよりもずっと毒性の強い感染症が世界のあちこちに潜伏しているのに、われわれはさほど危険を感じることなく生活している。マスクや医療機器の国内生産が充実し、コロナ対応の医療体制も整っていけば、ウィルスが完全に駆逐されなくても生活はある程度戻ってくる。

だが、グローバリゼーションがかつての勢いを取り戻すことはないだろう。渡航制限が緩和されても検疫措置の強化は続くので、越境的な人の移動にかかる費用は以前より上がる。国民の生命や健康を管理する「生権力」は、今回の危機で次元が一つ上がった。公衆衛生に対する予防策を強化するだけでなく、自らの管轄が及ばない外国からの人の流入を厳しく監視・選別するようになる。それに危険な感染症はＣＯＶＩＤ–19だけではない。都市文明は周期的なパンデミックを繰り返す。今後は、「未知」の感染症が見つかる度に国境封鎖を急げという政治的圧力が強まるようになるだろう。

その上、これから世界的な不況がやってくる。新型コロナウィルスの脅威が予想よりも早く消えたとしても、今度は不況による需要の減退が、貿易や投資、そして人の移動の流れを下押しすることになる。

グローバル化時代の終わりは二〇〇八年から

グローバリゼーションの流れが止まるのは、今回が初めてのことではない。貿易や国際投資は、二〇〇八年の金融危機を境に、世界的な減退に向かっていた。

統計を見ると、世界貿易の伸びは二〇〇八年でほぼ頭打ちになっていることが分かる。一九八〇年代半ばから二〇〇七年まで、世界貿易の伸び率は、世界全体のＧＤＰの二倍のスピードで伸び続けていた。しかし金融危機以後は、貿易の伸びがＧＤＰの伸びを下回る「スロートレード」の状態が続いている。

企業の直接投資は、二〇〇七年をピークに減退を続け、二〇一八年にはピーク時の四割ほどに落ち込んでいる（左図を参照）。国際的な銀行貸出も、金融危機以前の水準を回復していない。

それでもグローバル化が終わったという感覚が広まらなかったのは、人の移動、特に国際観光客の数が伸び続けてきたためだ。国連世界観光機構（UNWTO）の統計によれば、二〇一〇年以後も、国際旅行客は年率五％のペースで伸び続けていた。この数字は、同時期の商品貿易の伸び率よりも高い。金融危機後、貿易や投資は停滞に向かったが、人の移動は順調に伸び続けていた。その最後の流れを断ち切ったのが、今回のパンデミックである。

今後、世界的な不況が本格化するにつれて、モノ・カネ・ヒトの国際的な流れはさらに干上がることになるだろう。問題は、危機が始まった後の各国の対応である。二〇〇八年の金融危機時には、各国はいまだ自由貿易への信頼を持ち続けていた。G20では保護貿易に反対する決議が採択され、主要国は（裏ではさまざまな保護貿易措置を取っていたものの）表向きは自由貿易の原則を守ろうとした。アメリカも大国の責任を果たそうとした。休止していたスワップラインを活用し、欧州の金融機関を救済するために豊富なドル資金を供給するなど、国際的な「最後の貸し手」として振る舞ったのである。

だが、今回は十年前とは状況は様変わりしている。国際自由貿易体制を守れというかけ声は弱々しくなり、各国が自国産業の保護に向かって急速に動き出している。欧州では、株安で有力企業が買い叩かれるのを防ぐべく、外国投資を規制する措置が導入された。医療品だけでなく食糧を囲い込む動きも見られるようになった。トランプ体制の下で、米中のデカップリング（切り離し）も進んでいる。世界の保護貿易を監視するはずのWTOは、上級委員会の欠員補充をアメリカが拒否しているため、機能不全に陥っている。

次の不況は、こうした国際情勢の下で発生することになる。前回は、まだ世界がグローバル化に向かって進んでいる途上にあった。中国はいまだアメリカを脅かす存在とは意識されていなかった。欧州はさらなる統合に向かうことが期待されていた。アメリカも責任ある大国として振る舞うべく、国内の保護主義的な要求を抑え込んでいた。「百年に一度」とも呼ばれた危機で、各国とも景気の深刻な落ち込みを体験したが、グローバリゼーションが崩壊するところまではいかなかったのである。

しかしこの十年で、グローバリゼーションに対する見方は変わった。自由貿易は全体としての利益を高めるという経済学者の声は、国内格差の深刻化や民主主義の機能不全を懸念するもっと大きな声にかき消されるようになった。欧州では経済統合の問題点が次々と浮き彫りになり、ブレグジットなど、国家主権を取り戻そうとする動きも加速している。中国は一帯一路構想を打ち出し、アメリカ主導の国際秩序とは違う、独自の勢力圏を作りだそうとしている。中国の国家資本主義の「成功」に（遅まきながら）脅威を覚えたアメリカは、安全保障を理由に中国資本の国内排除に乗り出している。

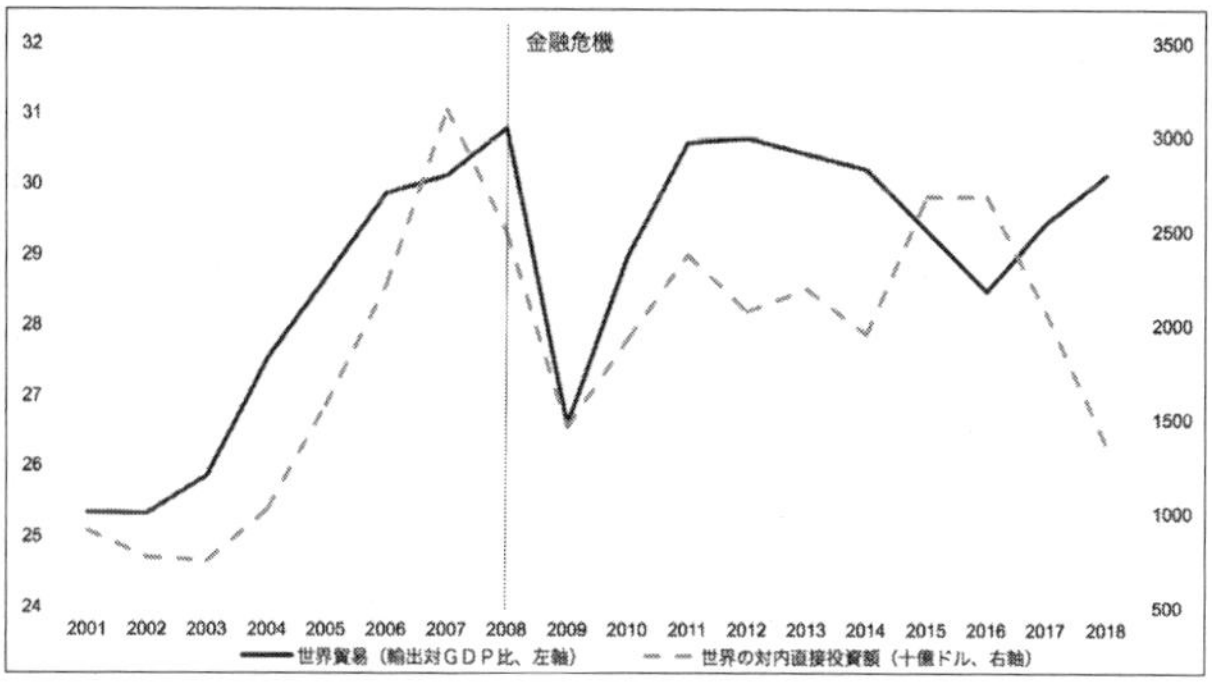

金融危機以後の貿易・投資の停滞（出典：世界銀行データベース）

　社会学者が繰り返し述べてきたように、リスクは社会的に構成されるものだ（「社会構成主義」の議論を参照されたい）。ＣＯＶＩＤ－19が良い例である。実体のよく分からない病原体のリスクは、専門家の慎重な姿勢と、その知見を単純化して拡散するメディアの力によって、統計的な客観確率よりもはるかに高く設定されることになった。そしてひとたびリスクが社会的に構成されると、政治はその基準に従って動くようになる――実際のリスクが当初の想定よりも低いと判明しても、いったん動き出した体制を修正するのは相当の時間がかかるのである。

　貿易や投資のリスクも同じである。グローバリゼーションの全盛期には、貿易や投資のリスクはほとんど意識されなかった。国内産業の空洞化や、労働者の生活水準の切り下げなどの危険を指摘する声はあっても、「グローバル化は歴史の必然だ」という大多数が信じる物語の力に抑え込まれていた。中国の急成長は誰の目にも明らかな事実であったが、アメリカではつい最近まで、それを深刻な脅威とは受け止めていなかった。

　しかし今は違う。グローバリゼーションによるリスクは、昨今の緊迫した政治・経済情勢の下で新たに再編成されつつある。自由貿易への懐疑は、今や抑えがたいところまで膨らんでいる。次の経済危機で、その水準はさらに引き上がることになるだろう。その新たに構成されたリスクに従って、これから各国の政治は動くようになる。貿易や投資、人の移動を、国家の戦略的な管理下に置こうとする流れは、これからますます強まると予想できるのである。

特に大きいのはアメリカの態度変更である。国際自由貿易体制も、グローバルな金融統合も、アメリカが旗振り役を務めてきたことで実現した部分が大きい。ところがトランプ政権になって以後のアメリカは、WTOへの態度に見られるように自由貿易への明確な反対者となっている。これから世界的な金融危機が発生しても、アメリカが「最後の貸し手」として振る舞うかどうかは、保証の限りではない。特に中国の資本が深刻なドル不足に陥った場合、アメリカが積極的な救済に動く可能性は低いだろう。

世間では、こうしたアメリカの態度変更がトランプという指導者の特異なキャラクターゆえだと考えられている。だが、本当にそうだろうか。今秋の大統領選でトランプが敗退すれば、アメリカの政策は元に戻るだろうか。現状では、その可能性は限りなく低いと見るべきだ。世論調査を見ても、アメリカ国民の反中感情は高まる傾向にある。深刻な格差拡大や製造業衰退の原因がグローバリズムにある、という見方も勢いを増している。トランプが政権の座に止まろうが、民主党のバイデンに代わろうが、基本的な方針に大きな変化は起きないと見るべきだ。中国への対抗措置を強化しつつ、生産拠点の国内回帰（「ホームソーシング」）を進める流れは、これからさらに強まると考えておいた方がよい――事実、経営学や経済学の世界では、二〇一〇年代に入ってからホームソーシングの必要や産業政策を再評価する論文が大量に生み出されている。その成果はこれから、アメリカを中心とした各国の政策に反映されることになるだろう。学問の世界でも、潮流の変化は顕著である。

「脱グローバル化」に乗り遅れた日本

日本は、COVID−19による死者が相対的に少ないことから、この危機をうまく乗り越えたとする見方がある。だが、これから世界的な不況が本格化し、グローバル化の逆流現象がさらに大きくなれば、そのような楽観論は吹き飛んでしまうだろう。

前回の金融危機でも、日本の受けた打撃は大きかった。リーマンブラザーズの破綻や欧州債務危機など、危機の火種は海の向こうにあったにもかかわらず、景気の落ち込みはアメリカやEUよりも日本の方が大きかったのである。

理由は、二〇〇〇年代になって日本の輸出依存度が急速に高まったことにあった。二〇〇一年には一〇%だった日本の輸出対GDP比は、二〇〇七年には一七%にまで上昇している。国内の設備投資も、輸出向けに行われていた。そのため、金融危機による世界的な需要減の反動が、日本経済を直撃することになったのである。

日本の輸出は、その後も伸び続け二〇一八年には一八%と金融危機前の水準を上回っている。海外への直接投資も、日本ではいまだに増え続けている。インバウンド需要も伸び続け、地方を中心に外国人観光客向けの宿泊施設や商業施設が相次いで建設された。つまり日本経済は、金融危機後もグローバリゼーションを前提に進んできた。「グローバル化は歴史の必然」という大きな物語に囚われつづけたままで、それを修正する機会を持たないままに次の大きな危機を迎えることになる。

それゆえ、これから日本が受ける経済的な打撃は、前回の金融危機よりも大きくなると考えるのが妥当であろう。観光バブルの崩壊によって、これまでインバウンド需要を中心に回ってきた地方経済が大きな危機に直面する。輸出の途絶によって、グローバル企業も業績の大幅な下方修正を余儀なくされるだろう。三月から五月まで続いた自粛の影響も、これから目に見える統計数字の悪化（GDPの低下や失業率の悪化、倒産件数の増加など）となって現れてくる。

そのため、これから政府の大規模な経済対策が求められることになる。特に財政支出の大幅な増加は避けられないはずだ。ただし、次にやってくる危機はリーマンショックの再来ではない、という点には注意する必要がある。

先にも述べたように、二〇〇八年の金融危機は、世界がまだグローバリゼーションへの期待や楽観を失っていない段階での危機だった。アメリカを中心に、国際自由貿易体制や国際金融秩序を再建する力はいまだ健在だった。しかしこれからは違う。人の移動は長期にわたって制限が続く。「スロートレード」や国際投資の減退は、各国の保護貿易措置によってさらにはっきりとした傾向を見せるだろう。米中対立はさらに激しくなり、地政学的なリスクも大きくなる。前回の危機は、世界がまだグローバリゼーションに向かっている最中に起きたものだった。しかし次は、世界が「脱グローバリゼーション（deglobalization）」に向かいつつある中で迎える、最初の大きな危機になる。

したがって、政府の経済対策は、単なる景気浮揚を狙うものではなく、「脱グローバリゼーション」時代の到来を見据えたものでなければならない。すでに一部の企業で、生産拠点の国内回帰を早める対策が見られるが、政府はこの動きを後押しするべきである。これからパンデミックが周期的に到来することを考えるなら、人口の大都市集中の見直しは急務である。地方経済の立て直しは、観光バブルの過ぎ去った夢を追い求める方向にではなく、国内産業の地道な再建という方向で行われなければならない。予算の選択と集中で削られたインフラ事業に再度光を当て、国内の有機的なつながりを強める国土計画も求められる。

いうまでもないことだが、「脱グローバリゼーション」は鎖国を意味しない。貿易や投資、人の移動の流れは、今より細くなっても完全に消えることはないだろう。ただし、越境的な取引にかかる費用はこれから大きくなるので、サプライチェーンの地理的範囲は自然と小さくなっていくはずである。政府のインフラ投資で、国内取引の費用が引き下がれば、国内回帰の流れはさらに確かなものになる。その上、今は世界的に株主重視の経営姿勢への反省が広がっている。労働者に適切な対価を支払う方針が復活していけば、中間層の購買力は高まる。そのような政策を続けていけば、極端な保護貿易措置を取らなくても外需依存度を引き下げることは可能なはずである。

むろん、安全保障を意識した国内制度の調整は日本でも不可避である。米中の対立が深刻になる中で、通商政策を「他の手段による戦争（war by other means）」の一部と見なす動きは世界的に顕著になってくるはずだ。中国は、パンデミックの責任を中国に求めるオーストラリアなどの国々に対して、貿易制裁措置を取るなどの動きを見せている。トランプはこれから、日米通商交渉の第二弾を仕掛けてくるが、その要求は前回以上に厳しいものとなるはずだ。通商政策を「戦争」の一部であるかのように扱うのは穏やかではないが、これは好むと好まざるとにかかわらず、国際関係が緊張すれば不可避に出てくる流れである。農業、製造業、情報、金融、サービスなど経済のあらゆる側面で、経済の安全保障を意識した対策が必要になる。新たな国際協調は、各国の安全保障という土台がしっかりと築かれた上で構想されるべきものだ。

グローバリゼーションの全盛期には、大都市への資本や人口の集中が当然のこととされていた。地方は産業を失い、予算を切り詰められ、人口の流出に悩まされた。パンデミックは、こうした人口構造の脆弱性を誰の目にも明らかにした。日本だけではない。地方の衰退とポピュリズムの隆盛、グローバルな大資本への規制が強化される中で、これから世界中の人々の目が国外ではなく国内に向かわざるを得なくなる。それでも日本がまだグローバリゼーションの粗雑な物語を修正できないのだとすれば、すでに始まった衰退の流れはこれから決定的なものになる。

短期的には、消費の刺激が課題となる。パンデミックの抑制に先行する中国では、行動規制の緩和がいち早く進んでいるが、消費の伸びが鈍い。工場やオフィスに人が戻り、生産は徐々に回復に向かっているが、自粛による所得低下と新たな感染を恐れる人々の慎重姿勢で、消費が思うように回復していないのだ。同じ傾向は、緊急事態宣言が緩和されて以後の日本でも見られるはずである。

生産が回復しても、消費が伸びないという状況が続けば、経済はデフレに逆戻りする。長期的にはまた状況が変わってくる可能性がある（人の移動停止や各国の政策変更でグローバルサプライチェーンが混乱し生産能力の一部が失われる危険はある）が、短期的にはデフレが最大の脅威である。

金融政策だけでこの状況を打開するのは難しい。今、世界的に中央銀行が、緊急融資や社債を買い取るなどの方法で企業の資金繰りを支援している。日本でも同様の措置が取られているが、いくら企業にお金を注ぎ込んでも、消費が停滞したままでは、いずれ経営が立ちゆかなくなるところが出てくる。金融支援は経済対策の重要な柱であるが、それだけでは十分な効果を期待できない。消費刺激を同時に行う必要がある。

その方法はいくつも考えられるが、もっとも即効性のある政策は消費税減税だろう。景気悪化に応じてさらなる給付金政策を実施することも考慮されるべきであるが、四月に決定された「一律一〇万円」の給付金でさえ、今もまだ多くの個人が受け取っていないことを考えると、消費刺激策としては即効性に欠ける。もちろん、行政の能力を高めて支援の速度を上げることが最優先の課題であるのはいうまでもない。だが、デフレの脅威に立ち向かうには、消費そのものにかかる制約を除去するのが一番である。その方が消費に対する即効性がある上に、「Ｇｏ Ｔｏ トラベル券」を配るよりもずっと公平性が高い。度重なる増税でレジシステムの機械化も進んでいるため、手続き上の事務的な混乱もそれほど大きなものにならないと期待できる。何より、消費を底上げして経済を支えようという政府から国民への力強いメッセージとなる。

これから本格化する経済危機は、「脱グローバリゼーション」という時代の新たな潮流に社会がどこまで舵を切り直せるかを、各国に問うものとなる。三十年以上にわたって続いた流れを断ち切る過程で、世界的にさまざまな混乱が生じることになるだろう。だが、歴史はその繰り返しではなかったか。一つの時代が終わり、次の時代に切り替わる。その変化を先取りした企業や国家が、次の歴史を作っていく。パンデミック以後の世界に広がるのは、歴史上何度も繰り返されてきた、秩序再編期の波乱の光景なのである。

コロナ禍を契機に安全保障体制の見直しを

日本の真の独立のために

衆議院議員
安藤 裕
Ando Hiroshi

「有事は発生しない」という暗黙の了解は改めるべきだ。感染症に限らず非常事態はいつでも起きうる。今は財政再建という「平時の政策」を優先すべき時ではない。

コロナ禍が暴いた日本の問題

コロナ禍は日本のみならず世界に甚大な影響を及ぼした。各国国民は、「我が国の政府は感染症に対してこれほど無防備であったのか」と思い知らされたであろう。

日本はいまのところ、幸いにして死亡者は世界最低水準に留まっている。しかし、これが政府の対策の成果なのか、それともウイルスが土着のもので日本人に元々耐性があったからなのか、あるいは連日のマスコミ報道でウイルスの脅威が繰り返し報道されたために日本人個々人が自ら手洗いやマスクなど自衛措置を講じたからなのか。これは今後の検証を待たなくてはならない。

しかし、日本だけを見ても、コロナ禍はさまざまな問題点を洗い出してくれた。医療現場は、長く続く緊縮財政のためにコロナ禍以前の問題としてすでに医療崩壊がいつ起きてもおかしくないほど脆弱な体制を強いられていたこと。感染症対応のマニュアルは備えられていなかったこと。感染症蔓延を防ぐため経済活動を制限したときの経済的補償についての検討もなされていなかったこと。等である。

特にこの補償については財源問題が大きな障壁として立ちはだかった。有事において財源問題は解決しなければならない課題として出てくる確率がかなり高いことは自明である。しかし日本では、この財源問題は全く検討されていなかったのだ。つまり、日本においては、今回の感染症のときに限らず、有事に対する備えは全くされていなかったのである。

危機時の私権制限と補償は当然

新型インフルエンザが世界的に流行したときに、日本でも特別措置法が立法されている。今回も、この法律の改正が急ぎ行われた。しかし、活動の自粛は要請できても強制力はなく、強制力がない代わりに補償も義務づけられていない。国家的危機においてすら、国家が国民になにかを強制することが極めて忌避される戦後の異常なほどの国家に対する警戒感がこのように中途半端な法整備につながっている。

国家が国民に対してなにかを要請し、あるいは強制する場合には、当然にそれに対する補償を行うべきである。国益を護るために私権の制限をするならば、当然国は補償をしなくてはならない。しかし、「国は有事においても私権の制限をするべきではない」という反対論の前に「私権を制限しないのだから補償もしない」という理屈が成り立ってしまい、事実上は私権の制限を世論の力も借りて半ば強制的に行いながら補償はしないという構図ができあがってしまったのである。

安藤 裕（あんどう・ひろし）

65年神奈川県生まれ。慶應義塾大学経済学部卒業。相模鉄道株式会社に入社。98年、税理士事務所を開設して独立。12年衆議院議員総選挙で初当選し、3期目。呼びかけ人として立ち上げた「日本の未来を考える勉強会」で、自民党の若手議員らと共に財政問題等の政策を検証しながら、提言を取りまとめている。内閣府大臣政務官兼復興大臣政務官を務めた。現在の役職は衆議院文部科学委員会委員、衆議院内閣委員会委員、自由民主党政調総務部会部会長代理、同党労働関係団体委員会委員長。著書に『「稼ぐ」社長の経理力』（明日香出版社）。

これは悪い意味での戦後教育の成果でもある。国が国民を護るための法律を制定しようとしても国民がそれを忌避する。本来、国家は国民を徹底的に守るために存在するのだ。しかし、いまの日本では、国家がそれをしようとしても「国家による統制は戦争への道」と判断して忌避する世論が存在するのである。憲法の前文では「政府の行為によつて再び戦争の惨禍が起ることのないやうにすることを決意」しているが、すべてにおいて国の力の制限をしていては、有事において国は国民を守ることができない。

特に致死率の高い感染症対策では、国にある程度の強制力を持たせ、補償と組み合わせることによってはじめて国民の生命を守ると同時に生活も確実に守ることができる。その議論をいまからでも冷静に行うべきである。もし致死率が非常に高く感染力も強いウイルスが発生したときには、活動制約に強制力を持つ法整備は不可欠である。そして、いまから法整備しておかなければ、「発生してから法整備する」では遅いのである。

非常時の「財源問題」を考えよ

今回のコロナ禍で、私が会長を務める自民党内の議員連盟「日本の未来を考える勉強会」ではいち早く「粗利補償」の必要性を訴えた。「粗利」とは、売上から仕入原価を差し引いた残額の利益をいう。企業は、この粗利の中から人件費・家賃・リース料等の経費を支払い、法人税等を支払い、借入金の返済を行っている。粗利が補償されなければ従来の企業活動は維持できない。感染症の蔓延防止策は専門家に任せるとして、政治家としては「コロナ禍以前の国民生活を現状のまま維持すること。」を最優先にすべきだと考えたのである。

経済活動の自粛は、即国民の経済的困窮に直結する。自粛を要請するのであれば当然補償はセットでなければならない。これは、だれが考えても自明の理屈である。一次補正及び二次補正予算において、持続化給付金や家賃給付金の制度はできたものの、粗利補償には程遠い。補償が明確にならなかったために、倒産や廃業が続出してしまった。倒産や廃業が続出すれば当然失業者が激増するので国民の生活不安を増幅してしまう。したがって自粛を要請すると同時に「一社も倒産させない。一社も廃業させない。」という決意を明確に示し、経済的損失に対しては十分な補償をすることを政府は宣言すべきであった。

我々が「粗利補償」を提言したときに、もっとも大きな壁として立ちはだかったのは財源問題である。すべての経済活動の一〇〇％補償をしたら、一体いくらの予算を準備すればいいのか。自粛期間が相当長くなった場合、その金額は一〇〇兆円になるのか二〇〇兆円になるのか。その財源はどこから調達すればいいのか。

その答えは明白である。財源は国債だ。これで全く問題ない。我々は財源も「新規国債発行」と明記していたが、残念ながら理解を得るまでには至らなかった。

その結果、これらの経済的損失から国民を完全に救うだけの力を日本国政府は保有しているにもかかわらず、その力を行使することができなかった。そのため、生活困窮者が続出し、企業も経営者の責任ではない理由で倒産や廃業をせざるを得ない事態に追い込まれた。何ら自ら責を負う必要のない人たちが、いわれのない苦難を強いられている。非常に残念で申し訳なく思う。

この財源問題は有事には必ずついて回る。今回よりもさらに厳しい非常時には、国債の日銀引き受けも手段としては存在する。しかし、そのことについても検討された形跡はない。何が何でも国民を救済するためには、ありとあらゆる手段を検討しなくてはならないはずだが、その検討はされなかった。このような非常時に「財源問題」が大きな壁として立ちはだかる現状は、いかにも異常事態である。しかも、経済的基盤が整っており自国通貨を発行している日本において実際は財源問題など存在しないのだ。日本国政府が通貨発行権を有していることを正しく理解し、その権力を国民のために十分に使うべきなのである。

国民の安心安全のための予算を

医療現場の現状も明らかになった。これまでの日本は、財政再建の旗印のもとに医療費を削減し、病院や保健所の統廃合を進めてきた。医師の偏在是正や診療科による医師不足などの課題が以前から指摘されてきた。しかし、今年度予算でもこれらを解決するための予算編成はなされなかったのである。

つまり、いまの日本において進められている各種政策は、あくまでも「平時の政策」であり、有事を想定していないのである。そして、「有事は発生しない」という暗黙の了解のもとに財政再建を優先し、国民生活の安心安全を確保するための予算は確保されない、という方針がずっと堅持されている。

東日本大震災の後、日本は地震の活動期に入ったとして国土強靭化の必要性が叫ばれ、一定の法整備もなされたが、それに対応するだけの十分な予算措置がなされているかといえば、そうではない。あれだけの大地震を経験したにもかかわらず、首都直下型地震や南海トラフ地震に対する備えは、全くと言っていいほど進んでいない。「有事は発生しない」のだから、その備えも必要ないのである。

あるいは「有事に頼りになるのは自衛隊」という認識は国民の間に浸透し、防衛費は若干の増額に成功してはいるが、それでも待遇改善には不十分であるため自衛隊員の定員不足は深刻である。しかし、これも「有事は発生しない」という暗黙の了解のもとに放置されている。

現在の日本の最大の課題は、ありとあらゆる方面で国民の安心安全が脅かされているにもかかわらず、「有事は発生しない」という暗黙の了解のもとに、実際は発生しない「財政破綻」を警戒して必要な予算措置をせず、あるいは国民生活の安心安全を担保していた様々な制度を敵視して必要のない自由化や規制緩和を実行し、破壊していることにある。

真の地方創生で強靭な国家をつくろう

このようなことが起きてしまう根本原因は、戦後の安全保障体制において「自国の防衛を他国に依存」していることにある。自分たちの安心安全は他者が保障してくれるので自ら考える必要がないのだ。実は、ここを改善して真の独立を果たすために自民党においては憲法改正を党是としているのだが、最近はこの部分は置き去りにされ、「憲法改正すること」が目的化しているのは残念である。

このコロナ禍を契機に、本当の安全保障とは何か、と改めて問うべきである。コロナ禍では米軍は頼りにならないのだから、まずは感染症対策からでも構わないので、米国中心の安全保障体制から一歩だけでも脱却すべきである。

いまであれば、日本国民も総じて医療体制の再整備をするべきだ、と考えているだろう。そして、平常時から緊急医療体制を整備すべきであり、そのための国公立病院は赤字経営が当然であり、いわゆる「無駄」や「放漫経営」ではないことを理解してくれるだろう。

さらに、コロナ禍で疲弊した日本経済を立て直すため、一定期間の財政出動はやむを得ない状況となる。その中で消費税減税は必須である。また、東京一極集中が感染症にも脆弱であることが露呈したので真の地方創生に取り組まなくてはならない。そのためには、地方の防災対策も含めたインフラ整備は急務である。そして、真の地方創生のためには、第一次・第二次産業の育成に真剣に取り組む必要がある。実際に日本国内でモノを作る力を取り戻し、世界で何事が発生しても日本だけは大丈夫という体制を整備することが求められている。これを確実に実行することによって、長いデフレ不況から脱却することもようやく可能になるだろう。

今回のコロナ禍は日本にとってとても不幸な出来事であった。我々はこれを、真の独立を果たし、安全保障環境を日本人自らの手で整備する最大の好機として生かすべきである。

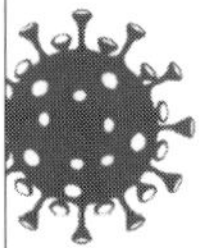

今、思うこと
現象論と本質論と

福田 逸
Fukuda Hayaru

「コロナ狂騒曲」が終わろうとしている。メディアが不安を煽り、人々は〝未知の敵〟を恐れた。われわれがそこから学ぶべきことは何か。

ひとは未知のものを怖れる。その限りにおいて今回の新型コロナウイルス騒ぎは分からなくはない。私自身にも不安はある。

なにしろ、敵が見えない、実態もよく分からない。罹患者がどこにいるのか、どうやら無症状罹患者も多くいるらしく、いくらテレビや新聞が数字を示し専門家が「知見」を示してくれても、こちらには実際のところが今一つよく分からない。ＰＣＲ検査も片端からやれるものではないらしく、なおかつ結果が出るにも時間が掛かるという。陽性だったとしても、その後の経過が様々で医療関係者にも感染症の学者にも確かなところは分かっていない。朝、元気だった人がその夜には亡くなっていたという事もあるらしい。かと思うと、両親が陰性にも拘らず、夫婦のゼロ歳の子供が感染して命を落とした例もあるという。

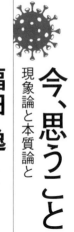

こうなると目に見えぬ未知への恐怖はいよいよ増幅され人々は不安になる。そして、その不安は政権への不信となり、外出しても他人がウイルス保持者に見えてきかねない疑心暗鬼を招き、マスクをしていない人間にとげとげしい視線を投げる。挙句の果ては、緊急事態宣言発令中に県境を跨いで移動すると「自粛警察」に出会い、怖い思いをさせられたり車を傷つけたりされるという。

神奈川に住む知人の経験だが、義母を入れる施設を見学に他の県に車で行った五月のこと、たまたま義母の住む東京ナンバーの車で行ったためか、あおり運転を食らったという。怖くなっておとなしく走行したところ、信号で停車すると、あおった車が横にピタリと着けて、「東京から来ないでください！」と睨まれたそうだ。知人は、ただ小さくなって俯いていたらしい。しかし、もし、仮に施設に入居する義母が危篤で駆けつけるところだとしたら、この話はどう受け止めればいいのか……。

今回ほど、「分からない」こと判断のつかないことの多い「事件」に出会ったのは、私にとっては初めてのような気がする。世の識者は、或いは読者の皆さんはいかがだろうか。この稿を書いているのは六月の半ばだが、おおむね我が国の感染は小康状態といってよかろう。その限りにおいて、安倍政権の対応は取りあえずの「成果」を上げたと言えるのかもしれない。が、一方、支持率は下がり、その原因は政権による今次の疫病への対応の遅さ、後手後手の対策が原因だと報道されている。

私自身が最初に苛立ちを覚えたのは、一月の下旬、春節に入った中国からの入国を止めなかったことに対してだった。武漢等の感染爆発を起こしている地域のみからの入国制限では不十分だと感じていた。アメリカが中国人の入国を禁じたのは確か一月の末だったと思う。四月に予定されていた習近平の国賓来日問題を抱えた政権は、おそらく経団連の圧力ゆえに、身動きが取れなかったのだろう。そのこと自体情けない。

しかも、安倍政権が（おそらく中国の申し入れを受けて）習近平来日延期を発表したのが、確か三月五日だったと思うが、その同じ日に、中国全土からの訪日を禁止した。前もって全土からの訪日を禁ずれば、習来日も日本側から断ることになる。二月の二十八日だったか、中国外交トップの楊潔篪《ようけっち》共産党政治局員が来日した。その折、楊は習来日延期を日本側に伝えたのだろう。それを受けての三月五日だったのであろう。このドタバタは笑止というほかない。拙劣というほかない。本来なら我が国から中国に延期を伝えるべきだった。日本は今や米中両国の属国となり果てたというほかない。が、ことは国民の生命に関わる問題なのだ。もちろん、早期に中国人訪日禁止をしていても、今回の感染拡大は防げず、その原因は欧州からの帰国者だったのかもしれない。これもまた、藪の中、明確なルートは追えないのだろう。あるいは追えてはいても、厚労省は表に出さないのだろうか。

そう言って、難癖の一つも付けたくなるには、わけがある。日本における感染者の六割（一説に五六％）が実は外国人だという話を複数の筋から聞いた。これは拙い。この数字が事実であれ、ためにする虚偽であれ、クルーズ船同様、感染者が日本人か外国人か旅行者か、国籍も含めて表に出したらよかろう。今回のような未知の敵と戦う時に、事実にせよ噂にせよ、こういう数字を独り歩きさせてはならない。このような時期に我々国民が頼れるのは「事実」のみであり、国民が不安に覆われている時、「事実」の説得力を馬鹿にしてはならないし、「事実」を覆い隠すのは、この場合、政府としては拙劣に過ぎる手段だろう。

さらに分からないことが二点。三月からの唐突な「休校要請」と「緊急事態宣言」だ。後者の結果、経済は停止、多くの国民が仕事を奪われ、収入を失い、廃業に追い詰められ、路頭に迷わされ、学業を断念せざるを得ない学生も出たという……これらの社会と経済の縊死状態をどう考えたらいいのだろう。

おそらく、ここのところだろう、安倍政権が国民から批判されるのは。経済活動の停止がどれほどの悲惨を招くかは、過去の戦争と戦後の疲弊を学べば容易に想像がつくはずだ。その後さまざまの施策を打ち出している政権ではあるが、時すでに遅かった、と言わざるを得まい。

一方、休校要請は、どこでどう決まったのか。教育現場の混乱を如何に判断したのか。それこそ識者の意見を聴いたのか。そもそも、あれは子供達を守ったことになるのだろうか――これについては様々の意見を聞く――子供達は学校の束縛から逃れて母親と共に過ごせハッピーだったという話も聞けば、学校の教室以上に三密の学童保育に追いやるとはなにごとかという意見も耳にする。はたまた、休校をしない地域との教育格差を心配する声まで上がる。

さらに――子供達の感染の確率は限りなく低いことは考慮されたのだろうか。厚労省によれば罹患者の半数以上が八十代から上、九〇％以上が六十代以上だという（五月四日、産経新聞）。となると、五十代以下の人々が残りの一〇％以下の割合を占めているわけだ。全死亡者に対する年齢別の割合は知らぬが、罹患者一万八三八〇余人に対して、死者は九四六人、〇・〇五一％の確率である（六月十五日現在・クルーズ船含む、朝日新聞）。子供の死者は無限にゼロに近い。勿論、休校にしたからこそだという理屈も成り立つかもしれぬ。が、一方、解せないのは、よく言われることかもしれぬが、インフルエンザにせよ肺炎にせよ、或いは自動車事故による死亡者や自殺者の数と比較考量すると、「何をそんなに怖れるのか」という疑問が頭から消えない。

以上、今次の出来事に纏わる出来事（現象）を書いてきた

福田 逸（ふくだ・はやる）

昭和23（1948）年神奈川県生まれ。上智大学大学院文学研究科英米文学専攻修士課程修了。明治大学名誉教授、翻訳家、演出家。訳書に『名優 演技を語る』（玉川大学出版部）、『エリザベスとエセックス』（中央公論新社）、『谷間の歌』『三人姉妹』（ともに而立書房）ほか。舞台の演出は新作歌舞伎『道元の月』『お国と五平』『武田信玄』等、シェイクスピア作『ハムレット』『マクベス』からノエル・カワード等の現代劇まで多数。共著に『七世 竹本住大夫 私が歩んだ90年』（講談社）、著書『父・福田恆存』（文藝春秋社）等。

が、ここからはいわば本質論とでもいうか――「死」について考えておきたい。如何なる場合においても、我々はそれさえ考えておけば十分なのだと、私は常々思っている。今回の「コロナ狂騒曲」とでもいうべき騒ぎは、偏にそれが未知なるものであるところに懸っていると言ってよい。しかもこの未知なるものが、時に死を伴って到来するとなれば恐怖は倍加するだろう。おそらく、今回の「騒動」の根幹にあるのがこの未知のもたらす「死」への恐怖に他なるまい。人が、生き物が死を恐れるのは本能であり、致し方ないものというほかない。

しかし、死は日常のどこにでも潜んでいる。生きている限り我々は常に死と隣り合わせに生きている。生きているからこそ、いつか必ず死に見舞われるという必然。言い古されたことかもしれないが、生きとし生けるもの等し並みに与えられているものと言えば、ただ一つ、誰もが必ず一度は死ぬということ、死ぬ宿命にあるということだ。死そのものが如何なるものか、或いは死後の世界が如何なるものか、それらがどうであれ、我々は必ずいつか「死」を受け入れなくてはならない。いや、それでは言い方が逆だ。必ずいつか「死」によって受け入れてもらうほかはないのだ。

さはさりながら、行住坐臥、我々は、無造作に、そんなものまだ先の事と思って日頃ほとんど考えずに済ませているだけのことだ。

そこに、このウイルス禍が襲来して、のんきな人類を不安のどん底に突き落とした。ワクチンも無ければ治療薬も無く、抗体も殆ど出来ていない。無症状の感染者が自分の近くにいるかもしれない。三密はいけないと専門家が宣う。敵が見えない、実態もよく分からない。いくらニュースやワイドショーが数字を示し専門家が「知見」を示してくれても、こちらには実際のところが今一つよく分からない……これでは、不安を感じない方がおかしいし、いくら我が国では致死率が低いと言われても、初めてのものは恐ろしい。怖いものは怖い。それが人情というものだろう。

とは言え――悟ったようなことを言うつもりもないが――私は私なりに、少なくとも一歩引いて考えようという努力はしている。死というものが、一度は誰にでも訪れるものであり、また、避けることはできないとなれば、だとしたら、それが新型コロナウイルスによるものであろうがなかろうが、はたまた、それが近々に訪れようが訪れまいが、どっちみち同じことではないか。そう考えると、この数カ月のメディアの狂騒は、それをネタにした金の亡者の狂騒というべきではないか。三月の初め頃に、試しにワイドショーなどを数回見ただけで、後はニュースと新聞から、できる限り自分の眼で「事実」のみを掘り起こして読むこととなり、その結果、見えてきたのは、騒ぐほどの出来事は何一つ起こっていないという結論だった。改めて強く思ったことは「死を受け入れる」心の準備を少しでも多く自分に課すこと、「死も生きることの先にある現実」として、一層強く深く受け止めること、そんなことであった。

もう一度、コロナの死者が圧倒的に高齢者で占められているということを冷静に考えてみよう。高齢者から死んでいく、これは常識的な、或いは道徳的なことですらあるまいか。七十歳を過ぎて、あるいは八十歳を過ぎて、死んでいくのは残虐非道なことではあるまい。罹患者はさておき、死者が一〇万人を超えたとしよう。おそらくその八割くらいが七十代以上ということだろう。五十代以下は先に触れた通り一割以下だとなると、一〇万人の一割以下、つまり一万人にも満たぬわけだ。その中でも、若者の比率は僅かなものだろう。これは致し方ない事ではないのか。不謹慎な物言いと思われるかもしれないが、こうして高齢者から死んでいく——それはそれで、少しは少子高齢化に歯止めが掛かるという考え方すらできる——残酷な「悲劇」、冷酷な「現実」を前にしたら、少しでも積極的に楽観的に考えることだ。私も死ぬかもしれないが、後は残った若者たちに託せばよい——それこそ健全なこととは言えないか。

やがては、集団免疫が生まれ、ワクチンも開発され、それ以後は仮にウイルスが変異しても、人間はすぐに対応してワクチンを開発するだろう。そういう人類の叡智を私は信ずる。カミュの『ペスト』が大した売れ行きだというが、不条理文学という呼称はさておき、不条理という言葉自体が新型コロナウイルスと共に流行しているせいか、よく目にする。しかし、カミュを持ち出すまでもなく、この世は無慈悲なことに溢れているのだ。不条理などという肌になじまぬ言葉は使わず、私はこの世の無慈悲と理不尽とに静かに向き合い、生あるものの必然である「死」を静かに見つめて残された時間を生きていくつもりだ。

馬鹿騒ぎの構造

川端祐一郎
Kawabata Yuichiro

パンデミック下の合意形成を考える

新型コロナウイルスはそれなりに深刻な脅威であり、世界的な感染拡大を受けていったん強めの行動制限が行われたことは理解できるにしても、その過程で国民の交わした言葉はきわめて一面的かつ硬直したもので、馬鹿騒ぎの様相を呈したことも否めない。その背後にあるコミュニケーションの構造について、生命至上主義、人生論の喪失、メディア情報の歪み、リスク分布の偏り、弱者‐強者関係の複雑さ等の観点から考察する。

深刻な危機と馬鹿騒ぎ

　このたび新型コロナウイルスによって人類が引きずり込まれた事態は、もちろん深刻なものではある。六月までに世界で五〇万人が死亡し、これは例年のインフルエンザ関連死者数（通年で二九万から六五万人）とそう変わらない規模ではあるが、さんざん対策を施した上の結果であることを考えれば少ないとは言えない。重症患者の治療体制は逼迫し、国によってはその需要が供給を超過する「医療崩壊」が現実のものとなった。外出や渡航の制限によって経済は大打撃を受け、各国のＧＤＰは何割か縮小する見通しである。政治的秩序にも動揺が生じる恐れがあり、米中関係は悪化の一途を辿っているし、米国内で反黒人差別運動が暴動に発展したのも、因果関係が明白とは言えないものの、パンデミックによる日常の破壊が関わっていそうである。

　一方で、この新型コロナ禍を社会心理現象として眺めた場合、馬鹿騒ぎと評したくなるような面が多々あったことも否めない。特に酷かったのは多様性のないマスメディアの報道で、そのおかげもあって、思った以上に人々の心理は萎縮し、あるいは神経が過敏になり、言葉は平板化して、社会のあちこちで過剰な反応が見られた。

　私は今のところ、新型コロナウイルスは放置しているとインフルエンザの数倍から一〇倍程度の死者を出す脅威ではないかと考えることにしている（日欧の死亡率の推移などを参考にしているが、あくまで大雑把な素人判断ではある）。また、三月から四月にかけては不確実なことも多く、当面の患者数を減らすため安全策に傾くのは自然なことであるから、我が国でも大規模な行動制限が試みられたのは、ひとまず妥当であったとしてよいとも思う。

しかし政府の指針や民間の自粛措置が決まってゆく過程で、語られるべきことが語られずに終わっているとの印象が拭えなかったことも事実で、パンデミック下における議論や意思疎通の空間は、あまりに一面的であるように感じられた。政策の是非よりも言葉の貧困こそが根深い問題だと私には思われ、その背後にある国民心理と合意形成過程の構造について、いくつかの観点から論じておきたい。

秩序の裂け目から聞こえたもの

今年の二月以来、議会もメディアも、職場も家庭も、ほとんど新型コロナウイルスの話で持ちきりであった。欧米の死者数をみる限り、ウイルス感染症の蔓延それ自体もただ事ではないのであるが、それよりもむしろ、我々の会話の空間や精神の活動領域を、ほとんど隅々までコロナウイルスが制圧してしまったことが顕著な出来事であった。

ちょうど自粛が本格化し始めた三月下旬に、『三島由紀夫VS東大全共闘　50年目の真実』という映画が公開された。これは一九六九年に三島が東大全共闘の左翼学生たちを相手に行った討論会の模様を収めたものだが、その討論で三島の語る思想は、コロナウイルスに怯える世間の様子とあまりにも対照的であった。

三島は当時、大学紛争の激化を受けて、自民党と共産党が「暴力反対」という方針で政策的に一致したことに、強く苛立っていた。そこには戦後日本人の、「当面の秩序の維持」をいかなる理念にも優先する態度が露骨に顕れていたからである。三島を暴力肯定論者と呼ぶのは言い過ぎであるにしても、彼は暴力の衝動や不条理な情念や死の予感とともにあることが、躍動する生命の条件の一つであるとは考えていた。理知的に制御された日常の平和が崩れ落ちるところを目の当たりにしたい、あるいはその兆しぐらいは感じてみたいと願うのも、人間であろうというわけだ。

「当面の秩序」に裂け目を探し出し、その先に何があるのかと覗き込んだり耳を傾けたりして高揚を覚えるようなところが、確かに我々にはある。しかしこの種の人間論は現代にあって殆ど禁忌の対象とされており、三島の言い分もほぼ完全に忘れ去られたと言ってよい。暴力革命を目指した全共闘も、暴力的なものの魅惑を忘れまいとした三島も、ともに敗者なのである。そしてこのたび、新型コロナウイルスによって開かれた秩序の裂け目から聞こえたものはと言えば、三島の嫌った戦後日本的「生命至上主義」の凱歌に他ならなかった。

「臆病な優等生」の生命至上主義

誤解を招きやすい論点なので念のため断っておくが、私はパンデミック下で「命なんか惜しくはないぜ」と強がるのが正常だとは思わないし、「死の予感に高揚を覚えてこそ人間なのだから、防疫の必要はない」と主張したいわけでもない。公衆衛生に大仰な精神論を持ち込んでも仕方がなく、対策は講じておけばよいと思うし、冒頭で述べたように私は今回の自粛措置に反対するつもりもない。

しかし、テレビをつけても新聞を開いても、職場においても家庭にあっても、朝から晩まで「ウイルスの脅威」が話題の中心であり続けた数カ月のあいだ、我々の集団心理が健全であったかについては疑問を持つべきだ。もちろん新型コロナウイルスは欧米を中心に小さくない健康被害をもたらしてきたし、世の中には神経質な人も病弱な人もいるわけで、恐怖が語られるのはごく自然なことだ。もっと言えば、多くの場合、慎重な性格の者に合わせておくほうが優等生的な意味での正解に近いことも確かであろう。しかしこの騒動におけるコミュニケーション空間の萎縮ぶりは目に余るものがあり、怯えたふりをしておくのがあるべき作法だと言わんばかりの風潮には、少々反発したくもなるのである。

自粛も随分緩和された今となっては思い出すのが難しいが、三月から四月にかけてこの社会を覆っていたのは、「臆病な優等生」を演じることを全ての人に求めるかのようなムードであった。「感染者が何人」というような数字や「誰それには危機意識が足りない」というような物言いが、あらゆる情報を押しのけて目や耳に飛び込んでくるのだが、これは人間の言葉の空間のあり方として異様というほかなかった。新型コロナウイルスはたしかにそれなりの危険ではあろうが、三百万の人命を失った大東亜戦争のさなかでも、我々の祖父たちの言葉はもっと豊かだったのではないだろうか。

人間を人間たらしめている「言葉」がこれほど平板になってしまうのは、パンデミック以上に深刻な社会的病理である。その背後にあるものは、ひとまず「生命至上主義」と呼んでおくのが適当だと私は思う。ウイルスが日常の秩序を切り裂き始めた時、人々は、「死ぬのが怖い」「命は大事だ」ということの他に語ることが何もなかったのである。もちろん死は恐れて然るべきものであるし、命の有り難みを忘れてもならないだろうが、それにしても、精神と言葉が恐怖に圧し潰されたままであっては、死を回避するための行動にさえ差し支えが生じるはずなのである。

正確に言えばこれは、「主義」というほど積極的なものではないのかも知れない。人々は、単に死ぬのが怖いというよりも、生命尊重以外の価値を土台にして語る習慣を手放して久しいので、語彙や文体が干上がってしまったのだとも見える。そのせいで、健康に対する少々大きめの脅威に直面すると、とたんに表現が一面化し、硬直するのだろう。もちろん半分は本気で怯えていたのであろうが、もう半分は、単に他に口にすべき言葉が見つからないということなのではないか。

主観を語り合う習慣の喪失

本誌の座談会企画で、カミュの『ペスト』という小説を読んだ。詳細は座談会の本文に譲るが、この物語の醍醐味の一つは、主要な登場人物たちが、それぞれ大きく異なる価値観や人生観を背負いながらペストという共通の脅威に対峙していて、しかもいずれの立場にも相応の言い分があることだろう。

悲観する者もあれば楽観する者もあり、神の思し召しだから災禍を受け容れよと言う神父がいれば、敗北をよしとせず闘いに着手する医者もいる。殆どの市民が日常の喪失を悲嘆する一方で、社会から疎んじられてきた外れ者は、むしろ日常性の破綻を歓迎し高揚してすらいる。その彼らが、自分はどういう人生経験や人間観を持つ人間であるのか、それ故にこのペスト禍に対してどのような印象を抱いているのか、そして未来に何を期待しているのかを率直に語るのだが、その語りを通じて、ペストに襲われた街の全体が一つの有機体のようなものとして浮かび上がってくる。

社会のリアリティというのは、こういうものだ。価値観も立場も大きく異なる人々が、それでも有機的に繋がって一つの物語を成しているように見えるのは、その「違い」を彼らが言語化し、腹を割って話し合うからである。そして今、我々の社会に欠けているのは、そういう会話ではないかとも思える。

我々は政策論ならばいくらでも議論することができるが、その一方で、傾聴に値する人生論や人間論を語る人物は、メディアにも職場にも酒場にも、少なくなってしまった。それは「個人の主観」の押し付けにあたるのを遠慮してのことかもしれないが、それを人前で披瀝する習慣を捨ててしまえば、互いに広がりのある人間観を持つことが難しくなって、余計に不寛容な社会が出来上がるのではないだろうか。

三月から四月にかけて社会活動の大規模な制限が進められた際、人々の持つ主観的な価値判断の幅というものは、ほとんど話題に上らなかったように思う。緊急事態宣言の発令を国民が求め始めたときも、迷いの声は驚くほど聞かれなかった。企業の売上や労働者の給料、教育の機会、酒場のコミュニティ、子供の遊び場、スポーツや武道の大会、冠婚葬祭の儀式など、自粛によって諦めるものが多数あるにもかかわらず、誰も迷いを抱かなかったのだとすればそれはそれで不気味であるし、迷いを口にすることが憚られたというならそれも不健全である。

感染者数や死亡率など、客観的な統計は広く共有されてきた。しかし同じ数字を目にしても、リスクの受け止め方は各々の人生経験、健康状態、生活環境などによって大きく異なるはずで、かなりの程度主観的な問題である。また、社会活動を制限するような防疫施策の是非についても、これまた人生観や社会的立場、家族構成などに左右される主観的な判断が必要になる。さらに言えば一人の人間が一つの価値観で動いているわけですらないし、疫病に感じる恐怖は慣れによって大きく変わりもするだろう。

「人それぞれだ」と相対主義を唱えるばかりでは何も決めることができないが、人それぞれであることを十分確認せずに進められる決定は、良質なものであるとは言い難い。もちろん国や自治体の政策決定の場では、特に今回のように急を要する事態の場合、悠長に摺り合わせをしている暇はないであろう。だが本来は、主観の幅を確認し合うような会話を国民が積み重ね、その上に築かれる輿論や文化が決定の前提になっているべきだ。そのような語りの習慣が、少なくとも長期的には、少数派の不満や多数派の驕りを抑制し、合意形成を安定させるのである。

専門家と国民のあいだの認識のずれ

意思決定や合意形成の質に関しては、もう一つ大きな問題がある。それは今回の騒動を通じて、専門家と一般市民の間に、いくつか認識のずれがあったように思われることだ。

たとえば感染症対策専門家会議は、繰り返し、行動制限の目的は「医療崩壊」(重症患者の治療需要が供給を上回る事態)の阻止であると主張してきた。いわゆる感染爆発(オーバーシュート)に至ることが問題なのではなく、そのはるか手前で医療供給体制が逼迫するのが我が国の現状である、というわけだ。別の言い方をすると、多くの国民にとって「自分や家族が新型コロナの重症患者になる確率」は当面低いのだとしても、現行の資源と制度を前提にする限り、「医療崩壊が起きる可能性」はそれよりもずっと高いという話なのである。

だから専門家会議は、国民の生活行動の変容や制限は

「医療界から国民へのお願い」なのだと強調してきたし、感染拡大が落ち着いた後は、国民への「感謝」を表明してもいた。ゴールデンウィーク明けに緊急事態宣言が延長されたのも、新規感染者数は一貫して減り続けていたものの、治療中の重症患者数が依然として多く、少しでも増えると医療現場が困るからというのが主な理由であった。

ところが多くの国民は、「自分や家族に深刻な健康被害が出ること」を恐れて行動していたのであって、「医療崩壊を防ぐ」ために薬局の行列に並んだりしたわけではないだろう。もちろん、自分も治療を受けられなくなる恐れがあるという点で、「医療崩壊」と「自身の健康」は無関係ではない。しかし今回の場合、死者を千名出す程度の患者数でも崩壊寸前に至ったと言われており、これは実は、多くの国民にとって健康リスクがあまり差し迫ったものとはならない水準に、感染を抑える必要があったことを意味している。

社会にとって取るに足らぬ問題であったとまでは思わないが、少なくとも、人々が主観的に思い描いたリスクの像は、かなり誇張されたものであったと言える。少しでも対策の手を緩めれば死神がすぐそこまでやってくるかのような、きわめて身近な脅威をイメージして、手を洗えだのマスクを着けろだのと注意し合っていた人は多いはずである。しかし実のところは、それぐらいの努力を全員がしてようやく、自分とも家族ともほぼ関係がないどこかの病院で、医療崩壊が防がれるという構図だったのだ。喩えて言うなら、誰がテロリストになるか分からないから、とりあえず全員捕まっておくというのに近い。

また専門家会議は、新型コロナウイルスは短期的に抑え込めるものではなく、第二波、第三波が必ずやってくるとの見通しを繰り返し語ってきた。そしてその際には、また強めの行動制限が必要になるだろうと注意を促してきた。しかし今春の緊急事態宣言下では、少なくない割合の国民が、「一〜二カ月のあいだ自粛すれば日常の生活が戻ってくる」というイメージを持って協力していたのではないだろうか。

こうした認識のずれが仮にあったのだとすると、それに基づく意思決定が良質なものであったと言うわけにはいかなくなる。行動制限措置の民主的な正統性に疑問符が付くし、後々、無用な対立の火種にもなりかねないからだ。国民が政策の背景を何から何まで理解している必要はないものの、あまりに大きな認識の乖離がある場合、それはやはり埋めておく必要がある。そしてその責任を負うのは、主としてマスメディアと政治家であろう。

感染症対策の特殊性

ところが、ここにやっかいな逆説がある。「自分や家族の健康が危ぶまれる」というのは誇大なイメージであったのだとしても、国民がそれを持たなかった場合、合意形成がより難しかったかも知れないのである。

感染症対策の最大の難しさは、健康上のリスクを負う人が国民の一部であったとしても、それを防ぐために大多数の国民が協調して予防行動をとらなければならないところにある。当たり前だと思うかも知れないが、これは景気対策などとは全く異なる性質のものなのだという点は、改めて認識しておく必要がある。

たとえば仮に大不況がやってきて消費が低迷したとしても、政府による財政金融政策や社会福祉政策がある程度は効くと分かっている。だから、失業者を減らすためには消費が増えるのが望ましいとはいえ、全国民に特定の消費活動を強制するような措置は採られない。しかしパンデミックへの対応の場合、ある段階まで来れば、患者を減らす目的で、国民の消費活動を制限することが必要になる。一部の弱者を救済するという点では似ているかも知れないが、求められる措置の性質は大きく異なるのである。

今回の新型コロナウイルスのように、「高齢者や病弱な人にだけ高いリスクがある」ような感染症の場合は、特に扱いが難しい。なぜなら、健康上のリスクが低い若者からも行動の自由を大幅に奪う必要があり、彼らはほとんど不利益しか受けないからだ。金銭面以外の犠牲も大きいので、経済補償だけで済む話でもない。特に、自粛が短期間で済むかどうか分からないような場合は、一方的に不利益を被る層の不満は深刻なものになるだろう。

共同幻想の功罪

こうした問題について、安易な解決策を持ち出すべきではない。むしろ重要なのは、このようなケースに相応しい合意形成の原理が、我々の社会において未発達なのだと認識することではないだろうか。街を出歩いてウイルスをばらまく行為は、問題の分類としては一種の外部不経済で、その点では環境問題や混雑問題に似ているかも知れないが、それを解消するのに必要な「自由の制限」があまりに大規模で、他に類似する例があまり思い当たらない。「自由を奪うな」とだけ叫んでも仕方がなく、今後かなり知恵を絞る必要があるはずだ。

今回の新型コロナ騒動においては、「健康上のリスク」も「自粛がもたらす犠牲」もかなり偏って分布しており、その主観的な受け止め方も人により大きく違ったはずである。しかし現実の経緯を振り返ると、マスメディアの画一的報道が大きな役割を果たし、あたかも国民全体が等しく巨大な健康リスクに直面しているかのような共同イメージが作られることによって、大きく物事が動いていった。ある意味では、「自分も死ぬかも知れない」と皆が勘違いすることによって、大規模な自粛が実現したのである。

もちろん、国民の一体感というのは、仮にそれが幻想であったとしても価値あるものである。他人のリスクを我が事のように恐れる想像力は、共感や結束の条件でもある。しかし、想像と現実の乖離の度が過ぎれば弊害も目立つわけであって、「偏りや多様性を確認した上で合意を形成する手順」を洗練させることもまた不可欠であろう。

少し誇張して言えば、「自粛は一部の高齢者と医療現場を守るための措置であって、若者の大半にとっては損しかない」ことを確認した上で、それでもなお「お爺ちゃんお婆ちゃんには元気でいて欲しいし、お医者さんにはお世話になっているから」と言って合意するような道も、あるはずである。そのほうが、少なくとも「全員に死ぬリスクがある」かのように吹聴するメディアの喧騒の下で自粛を強要されるのに比べれば、健全であることは間違いない。

弱者と強者の複雑な関係

最後にもう一つ、今回のパンデミックを通じて改めて浮き彫りになった課題を取り上げておきたい。それは、弱者と強者の関係を捉えることの難しさである。

たとえば、厳格な行動制限を行わない所謂「緩和戦略」について、「それは弱者切り捨てに当たるのではないか」という批判がある。感染が広がった場合、真っ先に死ぬのは高齢者などの弱者だからである。しかし事はそう単純でもなく、考えなければならないことが二つほどある。

第一に、ある点では強者に属する人が、別の点では弱者に分類されるということがあり得る。たとえば、健康面においては若者が強者で高齢者が弱者に当たるだろうが、金銭面や職業面の不安に目を向ければ、その逆である可能性もある。一概に言えることでもないのだが、年金生活者であれば自粛によって所得が大幅に減るわけではないだろうし、高校生や大学生のように近い将来の就業に関する不安を抱く必要もないからだ。

第二に、弱者を守るのは強者の義務であり重要な美徳でもあるが、強者の強さそれ自体もまた一つの美徳であることを、忘れないほうがよいと私は思う。過去四十年ほどの間、いわゆる新自由主義的イデオロギーの下で「強者の論理」が野放しにされてきたのは、明らかに人類の過ちであった。だから政策論としては、弱者の保護や救済が今こそ唱えられなければならないし、「弱者の怨恨」が道徳原理化することをニーチェのように過剰に警戒する必要もない。しかし、だからといって、人間が強さに憧れる生き物であることをまで否定する必要はないし、強さに美徳を認めることをやめる必要もない。

ここで強さというのは、腕力や財力や権力の類いだけでなく、他者の羨望を集め得るような人間の積極的な性質全般を指している。そしてなぜこんな話をするのかと言えば、感染症対策における厳格な行動制限が、「強さの美徳」の発露を妨げるところがあるからだ。

たとえば、アーティストが持つ創造力は一つの強さであって、我々はそれが大いに発揮されるのを目の当たりにしたいと望んでいる。あるいは私のような中年の眼には、十代や二十代の人たちが繁華街で若さを発露するのはそれ自体が美徳と映るし（もちろん無限定にではないが）、公園やプールで遊ぶ子供たちの元気な姿も、一つの積極的な価値である。

そして自粛は言うまでもなく、こうした美徳の発現に対する制約となる。自粛で犠牲になるのは、決して金銭的利益だけではないのだ。

悩み方と揉め方

一方、「死の回避」や「弱者の救済」というのは、どちらかといえば消極的な価値である。だから後回しにしてよいとまでは言えないが、防疫のための自粛が「積極的価値を犠牲にして消極的価値を守る」行為であるということと、おそらく人間の文化は積極的価値を抜きにしては洗練も保持もされ得ないだろうということは、思想の論理として押さえておく必要がある。

弱者が見殺しにされることのない社会を作りたいというのは、もちろん有意義な理想である。しかし同時に我々は、活気のある社会を作りたいとも願うであろうし、非凡な者に惜しみない称賛が送られる社会を作りたいとも考えるはずなのだ。

新型コロナに関しては、「早期に自粛を行って感染を短期間で終息させ、弱い者を守ると同時に強い者への制約も最小限に留める」という道があったかも知れない。しかし弱者救済の論理にこだわるなら、たとえばインフルエンザで死ぬ高齢者が存在する限り、新型コロナが収まった後もロックダウンを主張し続けなければならなくなる。多くの人がそう主張しないとすれば、その理由の少なくとも何割かは、捨て難い「強さの美徳」というものがあるからであろう。

結局のところ、「弱者の救済と強者の美徳」「自粛に対する賛成と反対」「生命の維持と自由の確保」といったものは、決して二値的な選択問題ではなく、どこに線を引くかという程度問題や、両睨みで考えるべき組み合わせ問題なのだ。そして線の引きどころや組み合わせ方に唯一の正解はなく、どこまで行っても我々は、悩んだり揉めたりしなければならない。「弱者を守れ」「最悪の事態に備えよ」「命は大事である」といったスローガンは、それぞれ正しいことを言ってはいるが、人間が持つ複雑な価値観の一面を捉えたものに過ぎず、我々を悩み事や揉め事から解放してくれる究極の原理ではないのである。

そもそも、我々が目標とすべきは「解放」などではない。求められるのはむしろ、「悩み方」や「揉め方」をいくらか秩序立った、地に足の着いたものにするような会話と議論の作法であろう。そしてそうした作法を身につけるには歴史的経験の蓄積が必要だというのが、保守思想の教えるところである。

［本稿は、『表現者クライテリオン』メールマガジンの連載記事に、大幅な加筆修正を行ったものです。］

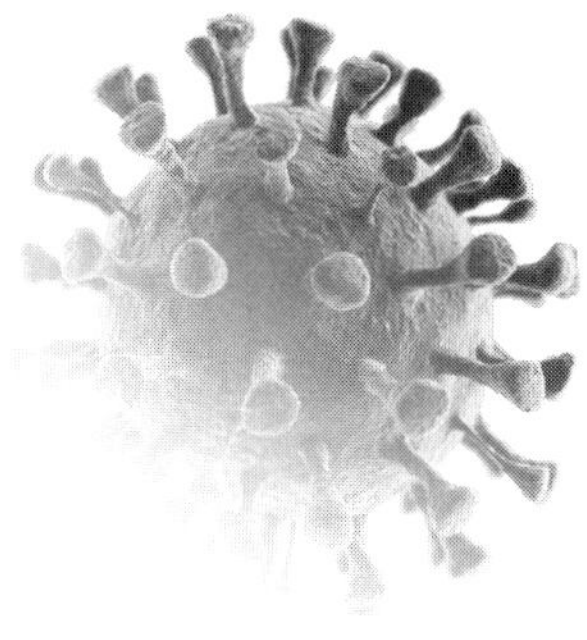

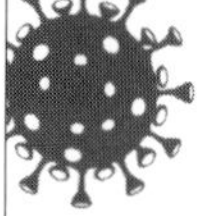

背骨のない民族

磯邉精僊

Isobe Seisen

臆病風に吹かれた日本人は、疫病を前にかくも狼狽える。矮小な生命に恋焦がれる我々に欠けたるものは何か。反省なき民族には進歩も成熟も決して成し得ない。

磯邉精僊
91年福岡県生まれ。麻布高校、東京大学文学部思想文化学科倫理学専修課程卒業。東京都在住。元陸上自衛官。

一、疫病騒ぎが示す日本人の姿態

withコロナだか、afterコロナだか、その些か淫らな言葉の主は寡聞にして知らないが、世間にindifferent to コロナを説く者がこれだけ少ないのも奇妙である。日本人は滑稽なほど画一的な群生生物であり、色調乃至陰翳というものを欠いてはいないか。それはコロナ騒ぎに限らず観察されるもので、例えるなら、ＬＧＢＴに関して世間的な意味で肯定してみせない者は皆、杉田水脈と同断の蛮人であり、或いは政権に批判的でない者はすべてが安倍シンパの犬畜生である、といった調子である。それ故か、今はどうか知らぬが、世間にはマスクを着用する者かせざる者か、その二種類の人間しか存在しないと考え、またそのように振る舞う者が如何に多かったか。

しかしながら、ＬＧＢＴに〝分類〟される者を友や家人に持ちながらも、所謂ＬＧＢＴ差別撤廃運動とは距離を置くことは一向に可能であるし、それはＬＧＢＴ当事者にすら広く許された途であることは多くの場合忘れられている。然るに、この手の乱暴な見立てが国民の思慮と品性とを著しく堕落させているのである。

これと同様に、マスクを着用しないからといって、何も公共心が欠如しているわけではない。現に私は、世間の大方よりも公の倫理を備えたマスク非着用者を知っているし、世間のマスク着用者に彼を無責任なアウトサイダーとして譏謗する資格はないことをひとまず〝独断〟しておく。

むしろここに睨むべきは、日本人が渡世の都合に極めて従順であり、その軽薄なマスゲームに永い間右往左往し続けている姿である。「自分の一生の終わりを初めと結びつけることのできる人は最も幸福である」（ゲーテ『格言と反省』）

のだとすれば、これほどに不幸な民族もあるまい。或いは、「人間の精神構造は、彼に内在する衝動の原始的な性格と文明生活の高度な要求とが矛盾し、作用し合う場であり、この矛盾が人間の営みの統一性と一体性を破壊し、彼の努力を混乱させ、その可能性に限界を設ける」(『二十世紀を生きて』)としながらも、「真の栄光は目に見えた成功の見通しよりも、その戦いに内在する価値にある」(同)と語ったG・ケナンに倣うのであれば、日本人ほど栄光に遠い民族もなかろう。

何故か。それは、この民族には凡そ一貫した了見というものが無いせいである。我々が戦い続けるためには、その人生に生き様としての基調音を帯びねばならないが、この生き様とは渡世の論理を越え、そうでしかあり得ぬとの納得と覚悟とに裏打ちされた、希望に満ちた諦めの様式である。それを得て初めて、人は生の価値と向き合い始めるが、この態度を欠いた日本人は物質としての生命を後生大事にするくらいしか能がなく、コロナという ひとつの疫病を前に、我々は蛋白質とカルシウムの混ぜ物でしかない。

世の人は言う、コロナ禍にあって日本人の民度はかくも高しと。アミノ酸の高分子化合物連が笑わせてくれる。生のみでもって生を量る不当に思い当たらぬ生きものとはこういうものか。この椿事の中で日本人が示した貧しさは、我々の文化と精神の貧困そのものである。

二、理想と現実を観ずる態度

然るに、思えば日本人は、昭和三十五年にライシャワーによって「明らかなごまかし」(″in Foreign Affairs″)に過ぎないとあっさり暴かれてしまった憲法九条をその後六十年に渡って抱懐する国民である、ややもすれば類い稀なる健気さでもって理想を守る民族だという者もあるかもしれない。

だが譬えて言えば、団子一つ一つは串で貫かれて初めて、晴れて全き団子となる。この時、それぞれの団子は現実の在り方や各局面における努力を、出来上がった団子は理想の姿を、そしてその串は人間の〝戦い〟を意味する。然るに、平和に対しても戦争に対しても、或いは生きるという事それ自体に対しても向き合わず、反戦や護憲の空念仏に終始する戦後日本の努力とは、この串を欠き、ただ大きさも形もまちまちな団子をこね続けているに過ぎず、その努力が実って一串の団子となることは決してない。だからこそ、食えない団子を作り続ける日本人は、いつまで経っても腹を空かせた子どものように平和をせがむのである。

然らば、日本に蔓延る、自分のいびきや屁まで軍靴の音と聞く哀しき幻聴患者たちは、理想を抱く者でもなければ、理想の為に努力する(＝戦う)者などでは決してない。

真に理想を暖める者は現実と理想との懸隔のただ中で引き裂かれながらもその身を矯め、扱き、耐えて歩く[1]のであり、そうした努力とは無縁に出来合いの理想をひろげて見せる彼らは、カタログ片手にバッタ物の理想を売り歩く行商人に過ぎぬ。

　ところが困ったことに、これを摑まされる国民が余りにも多いのである。一体何故我々日本人はこれほどまでに理想を追う〝戦い〟から遠い生きものであるのか。そしてまさにここにこそ、あの愛らしい形をしたウイルスに生命観も、倫理観さえも支配されて鼻づらを引き回される日本人の弱さが潜む。

三、背骨のない民族

　日本人の斯様な弱さが露呈したのは今に始まったことではない。

　昭和十二年、日本は中華民国の首都南京を陥落させたが、この際日本軍将兵による中国人民に対する残忍な行いがあったとする南京事件に関する議論は今も終決をみない。私はこれにある程度の関心を払い、南京の〝虐殺記念館〟にも足を運んだが、その規模や戦争間の出来事として汲むべき事情などは今は問題としない。私がここで言い得るのは、たとえそれが中国側の主張とはかけ離れたものであったにせよ、あの時あの場所で日本軍による軍規違反としての〝残虐行為〟は確かに存在したし、それを問題視した日本人も存在したということである（〝虐殺はなかった〟との強弁は、所詮は贔屓の引き倒しに過ぎない）。

　南京攻略を担った中支方面軍司令官松井石根陸軍大将は、その攻略戦直後、麾下の将兵を前に次のように説いたという。

「『おまえたちは、せっかく皇威を輝かしたのに、一部の兵の暴行によって、一挙にして皇威を墜としてしまった』という叱責のことばだ。しかも、老将軍は泣きながらも、凛として将兵らを叱っている。『何たることを、おまえたちは、してくれたのか。皇軍として、あるまじきことではないか。おまえたちは、今日より以後は、あくまで軍規を厳正に、絶対に無辜の民を虐げてはならぬ。それが、また戦病没者への供養となるであろう』云々と、切々たる訓戒のことばであった」（松本重治『上海時代』）

　将軍はその後、A級戦犯容疑で東京裁判にかけられ、絞首刑に処されるが、刑執行を前にこうも語ったという。

「慰霊祭の直後、私は皆を集めて軍総司令官として泣いて怒った。（中略）ところが、このあとでみなが笑った。甚だしいのは、ある師団長の如きは『当たり前ですよ』とさえ言った。従って、私だけでもこういう結果になるということは、当時の軍人たちに一人でも多く、深い反省を与えるという意味でたいへんに嬉しい」（花山信勝『平和への道』、傍点筆者）

東洋の平和と団結とを願った松井大将の人柄と思想とを思えば、彼は平生、〝皇威〟を吹聴し、〝皇軍〟を喧伝しつつ、親愛なる中国人民に塗炭の苦しみを与える戦争を賛美する朋輩を苦々しく思っていたであろう。その彼らがなんだ、なんというざまか。諸君らは錦の御旗の下に集い、戦ったのではなかったのか。そう叱った相手は、泣いて諭す軍司令官を嗤い、何を綺麗ごとを言っているのだと言わんばかりの嘲笑を向けた。

一体、これほどまでに醜い笑いがあるか。将軍の心中は察するに余りある。理想を前に敬虔であろうと戦う者を嗤う大勢の男たち、私は彼らの姿こそ、日本人の今に続く醜さの典型であろうと思う。

また、我々戦後の日本人は軍国日本を指して荒唐無稽な精神主義と笑い、かの大戦争は精神の物質に対する敗北であると見做してきた。なるほど、米国が日本に比して数十倍ではすまない粗鋼生産量を誇る物質の帝国であったことは事実である。ところが、一方で日本人はその戦争遂行の精神において真に米国その他に優越したと言えるのか。

思うに、日本の兵が戦闘に際して示した自己犠牲と敢闘精神は世界に冠たるものであろう。(2) ところが、こと国民の生き方それ自体に目を向ければ、その足元は矢庭に危ういものとなる。これにつき、折口信夫は次のように回想している。

「昭和二十年のことでした。まさか、終戦のみじめな事実が日々刻々近寄つてゐようとは考へもつきませんでした。その或日、ふと或啓示が胸に浮かんで来るやうな気持ちがして、愕然と致しました。それはこんな話を聞いたのです。あめりかの青年達がひよつとすると、あのえるされむを回復する爲に出来るだけの努力を費やした、十字軍における彼らの祖先の情熱をもつて、この戦争に努力してゐるのではなからうか、と。もしさうだつたら、われわれは、この戦争に勝ち目があるだらうかといふ、静かな反省が起こつても来ました」（「神道の新しい方向」）

もっとも、その情熱の優劣を後世の私が判断できるものでもない。しかしながら、巣鴨に繋がれた、かつて国民の儀表と仰がれた指導者たちは、押し並べて日本人の反省すべきを語った。この時、少なくとも彼らは敗北を我がものにした。

なるほど、国民が彼らを憎み蔑んだのは、一面では無理からぬが、陰に陽に戦争に協力し、日本の覇道に喝采を送っていた大多数の国民の一人として、戦争に対する自省の必要を免れているものなどいないはずではないか。然らば、巣鴨に露と消えゆく老将軍らの回心と日本への忠告は、片腹痛い戯言などではなく、近代日本の袋小路の末に或る一群の日本人が歴史から汲み出した教訓とすべきであったのではないか。

敗北した彼らは口を揃えて訴える。日本に、日本人に欠けていたのは永遠への道であると。(3) その精神的欠乏が国民や軍の無責任を招き、或いは捕虜に対する過酷な取り扱いを引き起こしたのだと。そしてこの貧困こそが日本が敗北した因であるが、その反省に立ち至った彼らは、今やその人生の故郷に帰順し、生まれて初めてその足で地に立ち、日本と言う故国を赤き心で見つめることが出来たのだと。彼らはそれがもはや同胞の耳に響かぬと知りながら、清潔なプリズンの中にあって、原野と化した祖国の行く末を思った。その時彼らは、この国の悲哀を背負って死んだ、孤独で尊い民族の犠牲であったのだと、私は信ずる。

されればこの〝罪人〟たちの償うべきは日本民族の精神の沙漠である。そして我々は、彼らの見た景色を未だその眼に映じ得ていないばかりか、彼らが敗北のなかに観じた日本の失陥とともに、この今を生き永らえているのである。

四、反省のない民族に進歩はない

東條英機が死刑執行の間際に書き連ねた遺書のまさに最終項において彼は、

「再建軍隊の教育は、精神主義をとらなければならぬ。忠君愛国に基礎をおかねばならぬが、責任観念のないことは淋しさを感じた。この点については、大いに米軍に学ぶべきことがある」(「平和への道」)

と書いた。また、学校教育については、

「人としての教育が大切だ。言いかえれば、宗教々育である。欧米の風俗をよく知らすことも必要である。俘虜に関する問題……」(同。なお、時間切れの為中断)

と、絞首台に向かうその瞬間まで筆を運び続けた。この時、あの見るだに気恥ずかしい夥しい勲章も、階級章をも剝ぎとられた裸の東條が思ったのは、囚われた自らの姿と同じく卑小な日本民族の愚かさと未熟さ、そしてそれでもなおその克服と向上とを願わずにはいられない、我が身に宿る真情としての祖国への慕情であっただろう。

思えば、戦争の前後を問わず日本人が真に向かい合うべきは、我々が背骨としての永遠への経路を蔵さず、風の吹くままに漂泊せる無責任と不名誉である。それに遅ればせながら思い至った敗北の人々、シベリヤに、比島に、沈みゆく大和の艦上に、そして巣鴨の絞首台にあった人々を、我々は豊かさへの渇望が生んだ戦後の狂乱と、それに続いた白痴の渦中に忘れてしまった。

だが、彼らこそが日本民族に、その精神における反省と修練を促す尊い尖兵であったのである。特攻隊員の海軍少尉岡部平一は出撃を前にして言った。「もし万一日本が今ただちに戦争に勝ったら、それは民族にとって致命的な不幸といわねばならない。やさしい試練では民族は弱められるばかりである」（『神風特別攻撃隊』）、と。日本が勝つことは無かったが、敗戦という巨大な試練さえも彼が望んだ幸福な試練とはなり得なかった。

背骨のない民族。日本人がその運命を自らの手で握り、いかなる難局にあってもその生き方を保ち得るには、何としても我々の内に永遠への扉が開かれねばなるまい。それを成し得ぬ限り、日本国民はあらゆる危難において、人間の仮免許証に過ぎぬ〝民度〟でもって生存を図ることになるだろう。天災にも、核兵器にも、その麗しき〝民度〟で立ち向かうのであろう。

反省のない民族に進歩はない。七十五年前から反省に背を向け続けた日本人を待ち受けるものはいったい如何なる災厄であるか。その暗く不浄な道の上では、今般の疫病など、民族を弱めもしなければ強めもしない、貧弱な一個の小石に過ぎぬ。

為すべきは、何か。日本民族の課題は敗戦の日から寸分も変わっておらぬ。COVID－19なるウイルス氏が万が一にも日本人にこれを悟らせるのであれば、私は心密かにこう言ってやる用意がある。

「コロナ君、よくやってくれた、ありがとう」

（1）海軍少尉岡部平一（台北帝大卒享年二十三、特攻隊員）は言う。「悲壮なる祖国の姿を眺めつつ余は行く。全青春を三十日間にこめて人生駆け足に入る。出撃を旬日にひかえて。自分は一個の人間である。善人でも悪人でもない。偉人でもなければ愚人でもない。あくまで一個の人間である。最後まで人生をあこがれの旅に送った漂泊者として、人間らしく、ヒューマン・ドキュメントと諦めのうちに終りたいと思う。雑多すぎる浮世であった。たったひとりの偉大なる指揮者がいなかったために、みんなが勝手な音調を発したために、ついに喧騒きわまりない社会を出現したのであった。もっと落着いた人間社会が建設されなければならぬ。われらは喜こんで国家の苦難のまっただ中に飛込むであろう。われらはつねに偉大な祖国、美しい故郷、強い日本女性、美しい友情のみ存在する日本を理想の中に確持して敵艦に粉砕する」（『神風特別攻撃隊』猪口力平・中島正）

（2）昭和二十六年横須賀、特攻に対する感情を尋ねた安延計夫元海軍大佐に対し若い米軍人は、「一〇人のうち七人は感激の涙をもって見、あとの三人はむしろ憎しみをもって見ている」と答え、「僕は七人のうちの一人である」（『神風特別攻撃隊』）と答えたという。

（3）佐々木萬之助大佐は、「宗教や哲学、真善美を表現する文学、芸術が我国民とくに国軍に普及滲透していたならば、この破局はなかったたろうと思われることがしばしばあります。（中略）しかしこれもいまは一つの愚痴に終るような始末となったのは誠に遺憾と思います」（『平和への道』）と述べた。

鳥兜

TORI KABUTO

軽く〝毒〟を盛りつつ、
世のあらゆる事象を軽妙洒脱に論ずる
「表現者クライテリオン」の名物コラム「鳥兜」。
刻々と変化するコロナ騒動をもホンネで斬る！

「単に死んでいないだけの人々」に送る

一律「接触八割削減」による緊急事態宣言が解除に向かうなか、今度は、「ソーシャルディスタンス」による「新しい生活様式」である。なるほど、彼らは「コロナウィルス」のことは舐めていないのかもしれない。が、しかし「人間」の生き方を舐めていることだけは間違いない。

「八割削減」で言えば、黙って座って見ているか、鑑賞しているだけの映画や芝居、寄席や美術館、果ては博物館から図書館までを全面閉鎖し、「新しい生活様式」とやらでは、今や政府は、自宅でのプライベートな些事にまで首を突っ込んで「社会的距離を取れ！」とうるさい。ほとんど正気の沙汰とは思えないが、これこそが「リスク」と聞けば、自らの生活と、その生き方の全て——他者との接触——とを擲って、感染症に怯え慄くことしか知らない現代人の卑小な現実である。

「そうしなければ、リスクが抑えられ

ないではないかー！」という自粛警察の悲鳴が聞こえてきそうだが、今更、どの口が「ゼロリスク」を言うのか。コロナ以外の感染症も含めて、進学、就職、起業、失業、転職、結婚、出産、子育てなどなど、これまでも私たちは、「リスク」と共にある人生を常に送りながら、それでも何とかやってきたことに自らの自信と誇りを見出してきたのではなかったか。その生活の全てを、単なる「事なかれ主義」で放棄してしまうのなら、これほど「人間」の営みを、つまり他者と共にある生活をバカにした話もないと言うべきだろう。

　かつて、イヴァン・イリイチは、現代人の未来を考えるためには、「技術」の「自然な規模と限界を認識することが必要だ。〔…〕この限界をこえれば、社会の全般的な校舎化・病棟化・獄舎化が現れる」（『コンヴィヴィアリティのための道具』渡辺京二・渡辺梨佐訳）と書いていたが、まさに、このコロナ禍で現れてきたものこそ、イリイチの指摘する社会の「獄舎化」だったと言えよう。「ゼロリスク」を目指した「技術」によって、確かに私たちは「管理された安全」を手に入れた。が、その自然の「リスク」に対する過剰な目配せは、逆に人々から「自立共生」の喜びを奪い、その「コンヴィヴィアリティ」――優雅な遊戯心＝不要不急の結びつきによる人格的な自由と自立――を暴力的に破壊してきたのである。

　それは、まるで「異常者」を生み出す家庭環境のように息苦しい。子供たちを「リスク」から守る親の配慮は、その成員に対する一見細やかな「愛情」を示しているように見えて、しかし、それが過剰になってしまった場合、その「リスク管理」への欲望そのものが、個人の見透し得ない未来に対する「憎しみ」と化し、その不自然な「偽自己の体系」（R・D・レイン『引き裂かれた自己』）は、子供たちの自然な「心」（常識の働き）を奪ってしまうのである。結果、「子供は親の『愛情』によって完全に自己の立場を奪われ〔…〕そして、そのような子供はやがて分裂病者への道を歩むことになる」（木村敏『異常の構造』）のだった。

　果たして、今、私たちを過剰に「指導」しようとしている政府が、国民に対する虐待主体ではないと誰が言えようか。私たちの「生」は、いつでも「リスク」を避けることによってではなく、「リスク」を引き受けることによって生きてきたことを、その引き受けのなかにこそ、私たちの「生き方」（倫理）を育ててきたことを、今こそ思い出すべきである。さもなければ、私たちは、「ヒューマニズム」の仮面を被った医療機械の奴隷に、「リスク管理」の仮面を被った生命至上主義の家畜と化してしまうことになるだろう。それでもいいという人間は、「人はパンのみにて生きるにあらず」という真理を知らないのである。

（二〇二〇年七月号）

コロナが脅威であればこそ、狼狽えてはならない

今、新型コロナウイルスで世界中がパニックに陥っている。中国で感染死者が出始めた一月、日本はそんな中国を対岸の火事と眺めていた。結果、安倍総理は何の危機意識も持たずに、よりたくさんの中国人に春節の期間に日本に来て欲しいという動画を臆面もなく一月下旬まで配信し続けた。結果、例年より大量の中国人が来日し、新型コロナが日本にも蔓延する事態を導いた。

欧米諸国もまた、日本のダイヤモンド・プリンセス号での感染拡大が連日世界中に報道されていた二月、同じくこれを「対岸の火事」と認識していた。例えば欧州サッカー・チャンピオンリーグが平常通り行われていたが、その内の一つがイタリア・アタランタとスペイン・バレンシア戦だった。この試合はイタリアの北部ベルガモで、三五〇〇人もの観客を集めた。この時点では未だ「飛沫感染」「接触感染」という概念を理解していた観客もほぼ皆無だったのだろう。数万にも上るサポーターが密集したスタジアムで大いに叫び、歓声を上げ、点数が入る度に抱き合って喜びを分かち合った。特に勝ったイタリア側は、深夜まで酒場で大いに盛り上がった。結果、観客と選手から大量の感染者が出た。バレンシアのメンバーは実に三五%もの感染が確認された。そもそも、イタリアには中国からの労働者が大量に滞在しており、すでに二月の時点で多くのイタリア人が感染し、この試合を通して一気に感染が爆発したのだ。そして、ベルガモが位置するロンバルディア地方もバレンシアも、イタリア、スペインそれぞれの感染拡大の「中心地」となったのだ。この一試合さえなければ、イタリア、スペインのその後の感染状況は大きく違っていたに違いない。

つまり、日本も欧米も、外国で感染が拡大し、その危険性が科学的に十分に理解できる状況であるにもかかわらず、自国の感染者が少ない頃には何の危機感も持たずに無為無策を繰り返し、自国における大流行を導いてしまったわけだ。そして感染が明るみになった途端、「パニック」に陥った。結果、直前までほぼ何の規制も課していなかったのに、あっという間に、「全国一律外出禁止」に踏み切る国(ならびに、米国内の州)が続出した。

結果、失業者は一気に拡大。例えば米国では、失業手当申請者が一気に十倍以上に跳ね上がった。

言うまでもなく、社会的活動の「自粛・禁止」レベルには適切な水準がある。一月の日本や二月の欧米の態度は明らかに「過小自粛」だった。これは極めて危険な状態であり、これが感染の爆発的拡大を導いた。しかしだからといって、感染リスクを「ゼロ」に近づければ、極端なケースでは家庭内の全ての接触も、医療や食料の物流も全て停止しなければならなく

なる。それは明らかな「過剰自粛」だ。そうなればどれだけ政府支出を拡大しても、社会そのものが崩壊し、防疫の基盤そのものが失われる。

そもそも未知なるウイルスとはいえ、感染のメカニズムや重症化・死亡リスクが高くなる条件などを含めて、すでに明らかになっている事もある。そうした知見に基づいて「過小自粛」リスクの「絶対回避」を前提としつつ、過剰自粛を可能な限り縮小する努力は必須なのだ。にもかかわらず、パニックに陥った者は、ウイルスに対するあまりの恐怖故に、「過剰自粛を可能な限り縮小」せんとする意志を失いがちとなる。

今の日米欧はまさにこの状況に陥っている。未知なるウイルスを恐れるあまり、自らの過剰自粛がもたらす破壊に十分に思いが及んでいないのだ。危機の今こそ、全体を見渡す大局観、ならびに胆力が求められているのである。

（二〇二〇年五月号）

防疫と経済は両立させなければならない

新型コロナウィルスによる被害が、最終的にどこまで拡大することになるか分からない。イベントの自粛や都市封鎖など、人の活動を制限すれば感染拡大は防げるかもしれない。その代わり、経済の落ち込みは深刻なものとなる。結果、ウィルスによる死者よりも、不況による「死者」の方がはるかに大きくなる可能性が出てきた。

三月末の時点では、感染者が増え続けていることもあって、さらなる自粛を求める声が支配的である。だが、世論とは移り変わりやすいものだ。あと一月、二月も経てば、倒産や失業が相次いで、今度は「自粛は行きすぎだ」という声が大きくなってくるのではないか。

日本の死者数はまだ五十人ほど。一昨年、季節性インフルエンザが三千人を超える死者を出したことを考えると、被害の規模はいまだ小さい。もちろん、死者数はもっと増えるだろう。自粛を続ければこの数字を百人以内、あるいは数百人以内に抑えられるのかもしれないが、生活の犠牲は莫大なものになる。体力の弱い中小零細企業から、バタバタ倒れることになるだろう。失業率は上昇し、社会不安が一気に高まることになる。

経済悪の進行を食い止めるには政府による支出拡大が不可欠だ。短期的には給付金を、中期的には減税を行うのが定石だが、自粛が続く限り、効果は限定的なものにならざるを得ない。消費に回せるお金が増えても、外出が制限されている状況では使う機会がない。企業も、輸出の落ち込みで業績が大幅に悪化しているので、投資を手控えるだろう。

もちろん、財政出動は大々的に行うべきである。そうしなければ不況はさらにひどいものになるからだ。ただし、財政政策を真に実効性のあるものにするためには、合わせて次のことにも目を向けなければならない。

まず、自粛ムードをできる限り早く緩和することだ。未知のウィルスを警戒する気持ちはよく分かる。しかし、いくら自粛を続けても、感染リスクはゼロにはならない。エボラ出血熱のように致死率が五〇～九〇％の感染症であれば、どんなに犠牲を払っても封じ込めなければならない。だが今回は、感染者の致死率が数％（この数字も統計が集まると下がる可能性が高い）と見込まれている。医療体制の拡充に予算を増やし、あとはうがいや手洗いなどの生活習慣を定着させることで、この人騒がせなウィルスと共存していく覚悟を固める他ない。

もう一つは、グローバル経済への依存度を下げることだ。今回のコロナ禍は、海外に依存する経済がいかに脆弱かを、誰の目にも明らかにした。外国からの部品供給が途絶すると国内の生産ラインも停止してしまう。インバウンド（訪日観光客）に依存した地方経済は大打撃を受けた。政府はインバウンドを呼び戻そうとしているようだが、現下の情勢では元通りになることはないし、戻っても秋冬には再びウィルス騒ぎが起きる。それよりも生産拠点を国内に戻した方が、よほど経済は安定する。そのためには、政府投資でインフラを整備し、都市間の有機的な結びつきを強めることがどうしても不可欠になる。

グローバル化は、ウィルスに対する防疫体制を弱体化させただけでなく、経済を著しく不安定にした。今回の騒動で明らかになったのはそのような事実である。日本はこれから、防疫と経済の双方を強くしていかなければならない。今後、正しい経済政策が必要になるのは言うまでもないが、それ以上に求められるのは、ウィルスを過度に恐れない国民の胆力ではないだろうか。


（二〇二〇年五月号）

「マス・コミ」の時代は終わらない

フランスとシンガポールのシンクタンクが日本を含む二十三カ国で行った調査によると、コロナ禍に対する「政治的リーダー」の対応に満足している市民の割合は、二十三カ国平均で四〇％であった。その他「ビジネスリーダー」は二八％、「地域社会」は三七％、「マスメディア」は七六％の市民から高く評価されている。

驚くべきは日本国民の満足度の低さである。例えば政治的リーダーの対応を評価する国民はわずか五％に過ぎず、二十三カ国中ダントツの最下位だ。健康被害が軽度な水準に留まり、私権制限も控えめであることを考えれば、幾分不可解な評価ではある。その原因は、例えば経済活動の自粛要請に十分な補償が伴わないことにあるのかも知れない。ただ、「ビジネスリーダー」と「地域社会」の対応に満足すると答えた国民もそれぞれ六％

しかおらず、同様に最低の評価を受けていることを考慮すれば、何かもっと根の深い不安や不信が国民心理を覆っているようにも思える。

　その原因の一つとして考えられるのは、日夜繰り返されるマスコミの悲観的報道であろう。どのメディアも一様に、「日別感染者数」のような数字を並べたてて、新型ウイルスへの恐怖を煽り続けてきた。そして、死者数が欧米諸国に比べ遥かに少ないことや、他の疾病と比較して目立って多いわけでもないという事実には目をつぶり、「もっと強力な措置をとらなければ大惨事になる」と政府の弱腰を批判してきた。

　報道内容そのものも問題視されて然るべきではあるが、それよりも重要なのは、メディアを通じた「マス」(大規模)なコミュニケーションに、依然として我々が強く依存しているという事実を確認することである。じつは先述の調査において、マスメディアに対しては四七%もの日本国民が満足を覚えると回答していた。これも二十三カ国中最低の値ではあるものの、政治・企業・地域社会に比べれば八倍から九倍に相当する高評価であり、この「落差」は諸外国と比較して圧倒的に大きい。

　要するに日本人は、政府も企業も隣人も信用していないのであるが、メディアだけは特権的に、国民からある程度の評価を勝ち得ているのである。とすれば、政府や企業に対する不満も、隣人に対する不信も、人々が現実に被った迷惑を反映したものであるというより、メディアによって作り出されたムードに過ぎないのではないかと疑いたくもなる。

　ちなみに日本以外の諸国においても、マスメディアへの評価は驚くほど高い。これは現代文明の、かなり安定した特質の顕れなのであろう。そしてこの度、「健康」という万人の関心を惹く領域で危機が生じたものだから、その特質が一層際立つことにもなったのではないか。

　インターネットの全面普及によって、マスメディアは衰退に向かうとも言われてきた。消費者の多様な欲求や関心に応じて情報は細分化され、コミュニケーションが「タコツボ化」に向かうとみられたからである。テレビ・新聞・雑誌のように画一的な情報が「マス」に配信される時代は終わり、かわりにブログや動画配信サイトのような、「等身大」の個人メディア文化が花開くであろうと。しかし結果的には、マス・コミュニケーションがインターネットの世界にも入り込んだだけのことで、我々は少しも「等身大」の「多様性」を謳歌してなどいないのである。

　国内外のリベラル派の中には、パンデミック下で数々の私権制限措置が発動されたのを目の当たりにして、政府権力の暴走と独裁化の懸念を抱いた論者もいるようである。だがその前に我々は、「マス・コミ」の持つ不断の影響力に、改めて注意を向けるべきではないだろうか。

（二〇二〇年七月号）

文学座談会「コロナ禍」特別編

カミュ『ペスト』を読む

大衆社会の「不条理」と闘うために

藤井聡
柴山桂太
浜崎洋介
川端祐一郎

『ペスト』（新潮社）

「コロナ禍」と状況が似ていることもあって、今、七十年以上も前に書かれた一冊の小説が注目を浴びつつある。カミュの『ペスト』である。イタリア、フランス、イギリスなどでベストセラーになった『ペスト』は、日本でも、文庫本の累計発行部数が一〇〇万部を超えた。果たして、大衆文明社会の果てで発出された「緊急事態宣言」のなか、クライテリオン編集部は、『ペスト』に何を読み込むのか。文学座談会「コロナ禍」特別編

カミュと「不条理文学」——サルトルとの違い

浜崎▼今回、雑誌（『表現者クライテリオン』二〇二〇年七月号）では「『コロナ』が導く大転換——感染症の文明論」と題した特集を組んでいますが、個別の特集原稿とは別に、不意に人間を襲う「不条理」な「感染症」について、それを人間論的・思想的・文明論的な視点で考えてみたいということで、この度、改めてベストセラーになっているカミュの『ペスト』を文学座談会で取り上げることにしました。

カミュといえば、不条理文学の旗手として知られ、よくサルトルの「実存主義」なんかと並び評されることが多いんですが、カミュ自身は、「自分はむしろ実存主義に反対する者だ」と公言していたといいます。実際、サルトルの「実存主義」は、「世界にアプリオリな意味がないのだから、意味は主体が自由に作り出せる」という、多分にロマン主義的で観念的な「主義」なんですが、カミュの不条理文学の方は、むしろ、その「アプリオリな意味がない世界を、どう生きていくのか」という、実践的で人生論的な問題を提示するものでした。

そもそも、パリで生まれて、高等師範学校を出たエリートのサルトルに対して、フランス植民地のアルジェリアの寒村に、貧しい労働者の子として生まれたカミュの人生は完全にインテリコースからは外れていました。幼くして父

を亡くし、アルジェの場末町の小さなアパートで、文盲の家族（母、祖母、叔父、兄）と共に育ったカミュは、また、学生時代の共産党への入党と離脱、病気による大学教授資格試験の断念、新聞記者や雑誌記者としての生活、戦中のレジスタンスや地下出版『コンバ』誌の編集などを通じて、人は、現実において、いかに不条理を乗り越えていくことができるのかという問題意識を育てていくことになります。

特に、戦後になって書かれた『ペスト』（一九四七年）という作品は、戦前の一九四二年に刊行されて、世界的な評価を受けたカミュの代表作『異邦人』や『シーシュポスの神話』の世界を前提にしながらも、なお、そこから一歩踏み出すような内容になっています。

たとえば『異邦人』の主人公のムルソーは、母が死んだ翌日に海水浴に行き、そこで一人のアラビア人を殺し、それを「太陽のせい」だと言って死刑になるような男、要するに、一切の「意味」や「秩序」に無関心で、ただ現在の衝動に忠実である不条理な人間でしたが、それが、『ペスト』では一転することになります。「感染症」という厄災によって、人間的で、日常的な条理＝意味が崩されていく状況のなかで、なお人は、どのようにして「自立」と、その「尊厳」を守ることができるのか。そこには、対独協力派と闘ったカミュ自身のレジスタンスの経験が反映されているといわれますが、いずれにしろ『ペスト』が描いていたのは、「不条理」のなかで、なお人間の「基準」を求めて闘い続ける人間の姿だったといえます。

カミュ『ペスト』の「あらすじ」

浜崎▼少し長くなりますが、「あらすじ」を紹介しておきましょう。

一九四〇年代のある年、人口二〇万の、アルジェリアのオラン市に突如ペストが発生する。

四月十六日の朝、医師のリウーは、階段で一匹の死んだ鼠に躓く。その後、鼠の死骸は増えていったが、それと同時に原因不明の熱病による死者が急増し、リウーは、その原因をペストではないかと疑いはじめる。当初、市当局は楽観的で、「ペスト」を認めようとはしなかったが、総督府からの命令で一転、汚染地域であることを宣言し、市は閉鎖される。

市の閉鎖によって、そんなつもりもなかった人々は、突如、知人や恋人との別離を強いられ、一種の追放状態に置かれることになる。市の出入り口には衛兵が配置され、港は閉鎖され、海水浴は禁止され、市には一台の乗り物も入ってこない。多くの商店や事務所が閉鎖され、そのため暇を持て余した人々が街頭やカフェに溢れ出すが、次第に人々は、ヒステリックな不安から、現実的な苦しみへ、そして絶望と無気力へと追いやられてゆき、ときには放火や略奪までが行われるようになる。そこには、過去を失い、未来を奪い取られ、現在の苛立ちに縛り付けられながら、次第に「絶望」に慣れていく人々の姿があった。

そんななかオランの住民は、様々な思いから、様々な行動へと向かっていく。

医師のリウーは、治療というよりは診断と隔離の終わりなき作業に追われ、旅行者でホテル住まいのタルーは志願の保健隊を結成し、そこに下級官吏のグランも加わって、人々の排泄物や死体の処理にあたっていく。一方、オランの街に取材に来ていた新聞記者のランベールは、恋人の待つパリになんとか脱出しようと画策し、ペストによる混乱を喜ぶ密売人で犯罪者のコタールは、その脱出を手伝おうとする。そして、パヌルー司祭は、ペストは人々の罪から生み出されたものであり、今こそ、悔い改めが必要なのだと熱心に説教する。

が、ペストが猛威を振るうに従って、コタール以外の人々は、次第に心を一つにしていく。病気の妻との別離を強いられながら、なお闘うことを止めない医師のリウーが、観念やヒロイズムではなく、置かれた状況への「誠実さ」によって自らを持していることを納得したランベールは脱出計画を取りやめ、保健隊入りを決める。また、何の罪もない少年が、苦しみながら死んでいく姿を見たパヌルー司祭は、ペストを解釈せずに全的に受容することを説き、保健隊に志願してその命を落とす。そして、ある日、市のロックダウンによって禁じられていた海水浴にリウーを誘ったタルーは、その友情の印に自らの半生を語りだす。ペストのように無差別に人々を巻き込んでいく暴力的なイデオロギー――システム的な思考――に抵抗し、そこから零れ落ちた人々への「共感」によって生きてきたこと、それはシステムから「追放」されながら、なお、どうやって「聖者」たりうるのかを問うことでもあった。

そして、クリスマスの頃、隔離者のなかにも回復する者が現れはじめ、統計は病疫の衰退を明確に示しはじめる。しかし、市が解放される数日前、突如タルーはペストに倒れ、また、リウーは療養中の妻が死んだことの知らせを受ける。最後に、この「打ち続く敗北」の記録が、しかし、やり遂げるべきことをやり遂げた人々についての、リウー自身による記録であることが明かされる。そして、ペスト菌は決して消滅しないこと、また、いつか人間に不幸と教訓をもたらすために、どこかの都市に現れるだろうことが記され、物語は終わる。

というような内容なんですが、まず藤井先生、いかがでしたでしょうか。

危機のなかでこそ浮かび上がる「誠実さ」

藤井▼この『ペスト』は今、手に入れるのが難しいくらい売れているんですよね。僕も買えなかったのでKindleで読んだんですが、まず、最初の印象としては、このコロナ禍のなかで身に覚えがあること、見たことがある現象が、本当にたくさん詰まっていますよね。

もちろん、ペストと、今度のコロナウイルスとでは、その毒性が何百倍も違いますが、それを差し引いても、感染症の拡大に伴う諸事項に対する「誠実さ」という主題は、現状においても完全に共通する非常に普遍的なものと感じました。たとえば医師のリウーでいえば、医師として彼ができることを一つ一つ粛々とやっているところが誠実だし、医師でありながら生命至上主義には囚われていないところも、人々がどんどん人間性を失っていくことについて悲しみを感じながらもそこをきちんと記述しようとしていることもみな、誠実ですよね。

この本はまさにそんなリウーの立場から書かれているわけですが、この現代の日本、世界のすべての人に、本来なら、こういうふうに「誠実」に向き合っていくしかないんだということを、この本を通して分かってもらいたいと思いいました。

もう一つ申し上げると、平常時においては現実に「誠実」に向き合っている人とそうでない人との差が見えにくくなっていて、ある種の「不誠実さ」が隠されているんですけど、危機のなかでは、そんな不誠実さが炙り出されてくるんだなっていうのがよく描かれてますよね。でもそれって、まさに今、我々の身の回りで起こってることそのものですよね。

「社会」を描いた小説——人間社会の根本的な脆弱性について

柴山▼僕も、面白かったですね。この座談会ではこれまで、浜崎さんの推薦でいろいろな日本の文学を読んできましたが、その延長でいうと、これまで読んだものとは違うと思いました。というのも、この小説は「社会」を描いていますよね。

ペストが流行するなか、人々がどう振る舞ってきたのか、それが具体的にイメージできるように書いてある。最初は都市封鎖に反発し、やがて希望を失っておとなしくなり、最後はもういいじゃないかとばかりに手を繋いで街を歩く人たちが出てくるとか、八カ月にも及ぶ時間の経過のなかで人々の行動や心理状態がどう変わっていったのかを描いていて、そういう背景の下に登場人物たちが置かれている。社会の変化を遠景に置いて、個々の人間を描くというスタイルは、これまで読んできた日本の小説ではあまりなかったように思います。しかも面白いのは、登場人物の内面描写はほぼなくて、基本的には会話だけで物語が進行していきますよね。戯曲みたいな感じで。こういうところが、とても洗練されているというのが最初の感想です。

加えて、この小説は今と非常に近いと感じられる部分と、ちょっと違うと思える部分があるように思えます。浜崎さんからも紹介がありましたが、これはやっぱりレジスタンスの経験を下敷きにしているのではないか。フランスがナチスに支配されて、ヴィシー政権の下で行動の自由を奪われる。その体制の下でのフランスの庶民の振る舞いを観察した経験が投影されているのかな、と。疫病だけではなくて、もっと一般的に、我々の行動を制約する外部の巨大な力とどう向き合うか。この小説は、そういうものの寓意的な表現になっているように思えます。最後の「ペストは決して死ぬことも消滅することもない」という表現は、感染症がなくならないという以上に、人間社会が持っている根本的な脆弱性がなくなることはない、自由を脅かす力は必ず発生するんだという警告のように読めます。そういう意味では、社会哲学的な考察をたくさん含んだものだと思いました。

「人間」についての議論の広がり――「メカニックなもの」に抗して

川端▼作品自体が不条理な力の寓意なんでしょうが、特に後半になると直接的に「ペスト」を寓意として持ち出している場面がいくつかありました。たとえば、タルーが死刑制度を批判する場面があって、彼は死刑制度というものは「我々のペストなんだ」と言っている。カミュの『異邦人』は不当裁判にかけられる主人公の話ですが、その裁判の不当さを「メカニックなもの」と呼んでいて、これは今回の作品における「ペスト」と似たような意味だと思う。何かメカニカルに襲ってくる不条理が、とにかく我々の目の前にあるんだと。そういうものと戦うにあたっての心構えみたいなものを、描きたかったのかなと思います。

ところで、『ペスト』と今のコロナ騒動を比べて思ったんですけど、「我々は政策論は饒舌に語れても、人間についての議論ができなくなったんだなぁ」という感じがすごくしました。この『ペスト』を読んでいると、登場人物がすごく多様ですよね。不条理に対して力を合わせて戦いましょうというような単純な作品では全くなくて、むしろ不条理下で人間がいかに多様であるかということを書いている。しかもそれは、「多面的」といえば一言なんですけど、そんな抽象的な言い方では伝わらないような具体性を持って、文学作品だからこそできるやり方で描かれている。

カミュほどの作家を今更褒めても仕方ないんですけど（笑）、『ペスト』を今回初めて読んで、名作中の名作だと思ったんですよ。主人公のリウーという医者が、あるシーンで新聞記者のランベールから批判されますね。リウーたちは頑張ってペスト対策をやってるんだけど、ランベールは「君たちはヒロイズム的な観念のために戦ってるだけだ。俺はそんなことよりも、愛する恋人に会うためにこの街を脱出して逃げたいんだ」と言う。そしてリウーとランベールの二人が、お互いに言いたいことを言い合うんですよね。ランベールは、そもそもこの街によそ者として滞在しているだけです。そこでリウーたちに、「君たちには悪いが、俺には俺の人生があるから脱出するぜ」と言う。それに対して医師のリウーは「気持ちは分かるし、止めはしない。だけど俺にとってはこれが仕事なんだよね」と言う。するとランベールは、「いや、君は分かってないね」と認めない。「君たちはあくまで、観念のための戦いをやってるだけで、人ひとりの人生がどれだけ重いかを知らないんだ」と食ってかかる。要するに、淡々と真面目に戦いを続けるリウーたちを見て、その態度を「抽象的で冷たい」と批判してるんですよね。

これは、どちらの人生観にも相応の言い分があると思うんです。でも今の日本人は、こういうリウー的な人生観とランベール的な人生観の間でどちらを取るかというような会話を、あまりしてないんじゃないかな。この小説を読んでいて爽快なのは、お互い言いたいことを言い合うんですよね。腹を割った言い争いがあって、最後は、まぁお前の気持ちも分かるよと言って双方納得する。しかも、ランベールは後で意見が百八十度変わるんですよね。「これまで逃げたいと言ってきたけど、いろいろ考えて、やっぱり俺もこの町に残ることにしたよ」と。素直な感情についての議論があって、それを経て人生観や社会観が広がり、かつ変わっていくという過程が描かれていて、「あ、我々の社会が失ってしまったのはこういう習慣だな」と痛感したというのが、まず最初の感想です。

藤井▼本当にそうですね。僕は、今、京大のレジリエンス実践ユニットなるところで日々、リスクマネジメントとか一〇〇兆円の財政支出だとか疫学だとか集団免疫だとかの議論やら検討やら提案にあくせく従事してるんですが、だからこそ、終盤の方でリウーとタルーが海に行く話が心に沁みましたね。

あれは、プライベートな愉しみとパブリックな仕事とが、バームクーヘンのように重なり合いながら循環しているってことを示してるんだと思うんですよ。彼らは海を楽しむ余裕があるからこそ仕事に向かえるんだし、仕事が過酷だからこそ海に浮かぶ時間の意味がぐっと深くなっていく。

もちろん、海に浮かんでいる時は、仕事から逃れて「僕たちの生はいったい何なんだ」と考える。星と海と夜と戦友と。しかも一言も語らずに、何も言わずに帰っていくというあのシーン。この本の究極のシーンだと思うんです。そういうような生や仕事や他者との向き合い方を、どれだけの人間がこの日本でしているんだろう――と思うと哀しくなってしまいます。僕がそういうふうにできているかどうかは分からないけど、そういうあり方以外に本来は何一つないだろうと思っているし、それに同意する人もいるとは思うんですが、あまりにもそう生きている人が少ない。もしも皆、我々と同じような感覚で生きていたとしたら、感染症対策だとか経済対策だとかの議論でこんなに疲れることはないはずなのに、感染症に関する徒労とも思える不毛な膨大な議論に莫大な時間を費やしているという状況が辛いなと僕は思ったりしますね。

「落ち着き」と「過剰」――社会の「外」を知る人間と、知らない人間

浜崎▼本当にそうですね。医師のリウーは、まさにプライベートなものの重要さ、その感情を理解しているからこそ、なお、自覚的にパブリックな仕事に身を挺しているんですよね。

たとえば、ランベールとの対話で「抽象（ペスト）と戦うにはこちらも少しばかり抽象に似なければならないのだ」って言うじゃないですか。でも、これは「具体」を知っている人間の言葉ですよ。だって、あえて「抽象」に似ようとしているわけだから。つまり、リウーのなかにも、ランベール的な具体への愛情があるんですが、ときに数字や抽象に従うしかないときがあることは理解している。だから結局、リウーの「抽象」は抑制が効いているんですよ。まさに、ロックダウンの禁を破ってタルーと海に行って会話を楽しむくらいの余裕があるんです。その点、「八割削減」のような「抽象のための抽象」とはわけが違う。

それを考えると興味深いのは、ペストの前と後とで、医師のリウーと、旅行者のタルーと、下級官吏のグランの態度が何も変わっていないことなんです。逆に態度が変わるのが、新聞記者のランベールと、神父のパヌルーですね。では、リウーと、タルーと、グランの落ち着きがどこで担保されているのかというと、この三人は「社会的な意味」を相対化できる「単独者の目」を持っているんですよ。リウーは、貧しさのなかで「どうにかやってきたこと」の個人的体験を手放さないし、タルーは、父親との葛藤と、その後の政治運動での挫折を引き受けながら、それゆえにシステム

の外で一人生きることを覚悟している。最後にグランは、彼は、どこにでもいそうな善良なおっちゃんなんですが、実は、密かに「小説」を書いてるんですね。この「不要不急」なものに一人で触れ続けている感じ(笑)。

でも、その感覚が、システムの「意味」に皆が囚われていくなかで、そこから一歩引いた場所を彼らに用意することになるんです。つまり、彼らは、片足をシステムの「外」に置いているがゆえに、一方で、システムの「内」に対しても自覚的に振る舞うことができるのだと。

藤井▼つまり、どこに行っても何の議論をしてても心のなかに、リウーとタルーが共有した海の中の時間・空間があるんですね。

川端▼今の浜崎さんの分類はすごく分かりやすいですね。リウー、タルー、グランの三人は、やっぱりいろんな経験を持っていて、地に足がついた常識人という感じがします。彼らの言動には「過剰なところ」がないんですよね。逆に過剰な人物として現れるのが、前半のパヌルー神父と新聞記者のランベール。しかもこの二人は正反対の過剰さを代表していて、ランベールは「俺はとにかく恋人と会いたいから逃げるぜ」という過剰。パヌルーは、「これは天罰です。皆さん神様の意志なんだから諦めましょう」みたいな究極のきれい事を言う過剰。で、その二人もいろいろなプロセスを経て、結局、真ん中の三人のグループに引き寄せられていく。これって、一連の流れを全部合わせて見事な「保守主義の物語」ですよね。

浜崎▼そうなんですよ。ランベールは、いい奴なんですが(笑)、でも、スペイン戦争のトラウマがあって、もう二度と「大義」のために自分を犠牲にしたくないと力んでいるんです。その意味では、やっぱり余裕がない。あと、パヌルー神父も、頭はいいんでしょうが、結局「神学的解釈」を一貫させなきゃいけないと力んでいるから、事態に柔軟に対応できない。つまり、二人とも自己執着が過ぎるんです。が、なかでも、その究極版がコタールでしょ。

コタールには、社会の「外」が一切ないんです。犯罪者である自分を自意識過剰気味に気にしていて、ペストで社会が崩壊すれば、自分は自由になれるんだと思っているんだけど、ペストが去れば、また犯罪者の自分が戻ってくると思い込んでいる。だから、彼の心は社会に合わせて一喜一憂するしかない。つまり、システムの外に足場がないから、すべてが社会の問題に直結していて、それゆえに彼だけが、リウーたちと一切交わることがないんです。

しかし一方で、自己に囚われていたランベールやパヌルーは、試練のなかで少しずつ学び、次第に意味の「外」へと開かれていく。その変化が、この小説最大の魅力ですね。

「高貴な孤独」に戻ることができない大衆社会

柴山▼この小説は、ミクロなレベルでは、様々な個性の人生観のぶつかり合いを描いているんですが、もう一つマクロな視点もありますよね。

カミュはフランス人なので、フランス社会思想で繰り返し問われている問題を扱っているようにも読めるんです。ルソーが『人間不平等起源論』のなかで、人間は自然状態では高貴な生き方をしていたんだ、といっていますね。それぞれが独立し、同胞の苦しみに憐れみの情を持ちながら暮らしている。ところが文明社会になると人間は堕落して、自尊心を競わせながら所有欲を肥大化させて生きるようになった。そういう不自由な鎖を断ち切り、野生の本来あるべき姿に変えるべきではないか。自然に帰れ、とルソーはいったわけですね。確かに近代人は、どうしようもない嘘と虚飾にまみれた世界を生きている。しかし文明社会の土台を壊したときに、人間は本当に高貴さを取り戻せるのか。これは、十九世紀以後のロマン主義的な文脈で絶えず問われてきたテーマだと思うんですが、この小説でもその思考実験をしているようにも読めます。ペストの流行で、無理やり社会が停止された。その時に人間は、ルソーがいうように高貴な精神に戻れるのか。答えはおそらくイエスであり、ノーでもあるんですよ。

藤井▼イエスの人もいたり、ノーの人もいたり。

柴山▼マクロで見ると、まずノーなんですよ（笑）。

一同▼（笑）。

柴山▼大衆社会の最も醜悪な部分が出てくる。今のコロナ状況も全く同じですよね。

誰もが慌てふためくし、今と同じで社会が分断されて、お互い非難し合ったり責任をなすりつけ合ったりする。途中からは諦めて、この小説では二カ月後となっていますが、皆が茫然自失になって、ただボーッと待合室にいるような状態になる。

川端▼「待合室」っていう言い方、あれはなかなかいい比喩ですね。

柴山▼ずっと自宅で待機してると、まるで待合室にいるみたいな状態になってくる。時間感覚が麻痺してしまって、ひたすら呆けている状態ですね。日本も今、その段階に入りつつあるんじゃないですか。次の段階では浪費に走って、これまでの無為な生活に復讐するかのように要らないものを買いはじめたりする。ルソーがいうみたいに、社会が停止状態になれば人間の精神が高貴な状態に戻るということはないんです。

ただ、ミクロな視点で見ると違う。リウーは一貫して医師としての仕事を忠実にこなしていきますよね。患者を救うというヒロイズムじゃなくて、これは職業上の「誠意」なんだ、と。リウーは、危機のなかにあっても、自分のプリンシプルを絶対に見失うまいとする人物ですね。別の場合には、これは名前を持った登場人物ではないんだけど、明日死ぬかは問題じゃない、今この恋人と手を繋いで歩くんだと決意する人物も出てくる。文明社会が半停止状態になると、大きく見れば人々は右往左往してひどい有様なんだけど、高貴といってもいい人間の生き方を何とか実践しようとする人たちが出てこないわけではない。そういう描き方になっているんだと思うんです。

浜崎▼マジョリティではないという点では、「打ち続く敗北」なんでしょうが。

柴山▼ええ。そこがこの小説の良いところというか、人間に希望を持てるという感じがしたんですよね。ただ『ペスト』の世界と今の決定的な違いは、今はテレビ社会でインターネット社会だから、「高貴な孤独」という境地にはなかなかいけないということですね。

不条理は「コロナ」ではない、「過剰自粛」である

藤井▼まさに柴山さんがおっしゃったルソーのイメージとは正反対のものが今、日本でより腐臭の漂う格好で具現化している。おぞましいものの典型は朝のワイドショー。特にコメンテーターや司会者の方は、もうちょっとパンデミック前はまともだった方もいるかもしれないですけど、日に日に歪んでいっている。たぶん月~金でずっとやっていると、安全側を言わないといけないというのが累積していって、家にいることが善であって、それ以外の価値観をすべて排除しようという空気になっている。『ペスト』のなかでも最初はみんな社会生活のなかで普通に暮らしているけれども、どんどん「今」しかなくなっていって、先のことは全く考えない、まるで条件反射以外何もない虫みたいな存在になっていくという描写がありましたが、まさにそれが日本で起こっている。

柴山▼カミュは自宅待機の状態を、まるで「流刑」に遭ったみたいだと表現していますね。まるで罰を受けているみたいだ、と。普通はそう考えるはずなんだけど、今はそういう議論が一切出てこない。むしろ自宅でじっとしていることこそが啓蒙主義的に正しいのであって、それに少しでも反発するのは理性を持ってない証拠だ、という扱いをされてしまう。

浜崎▼その通りです。その意味でいえば、今、世間は、カミュの『ペスト』をコロナ禍の比喩として読んでいるけど、むしろ、今、人々に一律の「追放と死」を与えている不条理は、「コロナ」じゃなくて、この「過剰自粛」の空気の方ですよ。

藤井▼完全にそう。今、みんな完全にそれにやられちゃってる（笑）。

浜崎▼リウーとか、タルーが抵抗したものが、人々に一律に「死」を与えるペストの不条理ならば、僕たちが、真に反抗しなければならないのは、まさに「八割おじさん」と、その「抽象」を鵜呑みにして、岩手県も含めた全国一律の緊急事態宣言を出した政府ですよ。

「ペスト」の寓意——合法的殺人・システム・ナチス・機械・無気力

川端▼タルーは父親が検事で、自分が高校生の時に父親から「俺の職場に一回来い」と言われて、裁判の場面を見せられたという回顧談がありますね。その時、自分の父親が殺人犯に死刑を求刑している姿を見て、心からおぞましいと思ったと言う。それでよく読むと、単に死刑が暴力的だからおぞましいと言っているわけでもなく、「フランス国民の名において」みたいな社会正義を笠に着て、合法的に人を殺すような暴力の振るい方がとにかく許せないんだという言い方をしている。これはよく分かるんです。たとえば三島由紀夫も、俺は合法的殺人というものが嫌いなんだと言ってるし、チェスタートンもまさにそういう理由で死刑制度を批判している。チェスタートンは、激情に駆られて目の前の人間を殺す奴はまだ理解できるが、ルールに従って、官僚仕事として、死刑を執行できるような人間はどうしても許すことができないと言っている。もちろん死刑の必要性も認めながらですが、それでも合法的殺人というものがいかに気味が悪いかを論じている。その気味の悪さに対して人が疑いというか感受性を持たなくなることを、三島もチェスタートンも恐れたし、カミュもおそらくそういうものを指して「ペスト」と呼んでいるのだと思います。要するに、システムを押し付けてくる忌まわしい力が、病原菌のように見えるのだと。彼には、ナチスに対するレジスタンスもそうなんでしょうけど、システマティックな不気味なものと俺は戦うぜという、一貫した哲学があるんでしょう。

柴山▼逆にいうと、文明人のなかには機械になりたい欲望があるんでしょうね。

一同▼（苦笑）。

柴山▼自分は自宅でじっとしてたいんだ、誰かと直接会うなんて面倒なことは止めたいんだ、という現代人の無気力な感覚が、コロナ状況の下でいきなり道徳的に正当化されてしまった。おそらく二十世紀前半のレジスタンス期もそうだったんでしょうね。ナチスが強権支配してる状況に逆らっても仕方ないじゃないか。戦争負けたんだし、ナチスのいうことを聞いておとなしくしておこう、みたいな無気力者が大量に出現したんじゃないですか。

全体主義システムを求める「大衆」たち
――ワイドショーで回る社会

藤井▼大衆社会論の典型的な議論の一つですけど、次のような「大衆現象」が進行していく様子が『ペスト』のなかに描かれている。ペストの感染が広がる前、人間は自分の好みだけに興味があって、他人の好みのことなんかには何の興味もなかった。それぞれの人々が個人、individual のなかで思考することができていたけど、感染が広がっていくとあるところから、他人が興味を持つことにしか興味を持たなくなって、「一般的」な考え方しか持てなくなっていく。まさに今ワイドショーを見て自粛が善で、自粛緩和の議論なんてするのは非国民だみたいに口にする人々って、まさにこういう大衆人そのものなわけです。そういう状況をずっと見ていて思うのは、コロナで我々が直面している一番深刻な問題は、まさに自分自身の「生」に対する「愛」がなくなっているということではないかと。

川端▼最近よく行くカレーうどん屋があるんですよ。店でいつもテレビを映していて、フジテレビの『バイキング』という、坂上忍さんがやっている昼のワイドショーが流れてるんです。その坂上忍さんが、失礼ですがとにかく不気味でね。コロナは危険で政府はだらしないという話ばかりなんですが、ものすごく表情豊かに、ものすごく平凡なことを言うんです（笑）。それが一時間ぐらい繰り返される。カレーうどんを食いながら横目に見ていると、何というか、人々の恐怖を煽るためにプログラムされた台詞を繰り返す、人形みたいに見えてくるんです。さっき柴山さんがいわれた「機械」や「ロボット」みたいな。

浜崎▼ほとんど条件反射的な反応なんだけど、表情が「過剰」だから、誰もそれを「ロボット」だと見抜けないんですね。

柴山▼別の見方をすると、現代人は人間的な感情が麻痺しているので、この「恐怖」というリアルな感情だけは手放したくないと思っているのかもしれませんね。もっと俺たちを怖がらせてくれと。その瞬間だけは生きている感じがするんだという。

藤井▼日常だと社会のいろんなものの歯車がだんだん合ってきて、余裕が出てきて、自分の個人的な嗜好が生まれてくるんだと思うんですけど、非日常になると社会全体が混乱するから歯車の合わせ方が皆分からなくなっていく。そうなるととにかく一番分かりやすく原始的な恐怖だけでぐるぐる回されて初めて仮初めの安心を得る。どこか人工的なもののシステム、全体主義的なものの部分に組み込まれていかないと不安なんでしょう。今、根無し草たちは、「外出したらあかん」というワイドショーだけで回っている。大衆人の典型です。

「死の恐怖」に打ち勝った例──困難な「自立」

川端▼『ペスト』のなかにも書いてありますけど、人口二〇万人の町のなかで、愛のような人間的な感情が死の恐怖に打ち勝った例は、たった一つしかなかったと書かれてますね。

藤井▼ああ、あの老夫婦ね。

川端▼老医とその夫人。この夫婦はそれまで、自分たちは本当に愛し合っているのだろうかと、確信がなかった。だけどペストで隔離されてみた瞬間に、ああやっぱりこの人がいないと俺はやっていけないいんだということに気づいた、だから俺はペストがあって良かったんだ、と言うわけです。打ち勝ったのはこの一例だけ。あとあるとすれば、コタールという犯罪者ですかね。僕が一番好きなキャラクターですが、こいつはこいつであまり人間的ではないけど、追われる身の犯罪者だから、秩序が壊れてくれると自分の利益になるんで、ペストは大歓迎だという人物。こいつもある意味では、恐怖よりも希望が勝っている。

柴山▼この人、ペストが終息して日常に戻った瞬間、おかしくなっちゃうんですよね（笑）。

川端▼二〇万人のうちに、リウーたち保健隊を除けば、それだけしか見るべき例がないわけですね。おそらく、カミュが観察したレジスタンス下のフランス人というのも、案外そういうもんだったんじゃないですかね。

浜崎▼そうなんですよ。さらにいえば、レジスタンス自体が「高貴な孤独」を生きていたのかというと、それも怪しい。というのも、戦後になって、カミュがそれまで敵だった対独協力派の文学者ブラジヤックの特赦請願書に署名をするんですが、それによってカミュはレジスタンスの「立場」を失うんですね。本当なら、レジスタンスの英雄として、サルトル以上に派手に振る舞えたはずなのに、彼はそれをしなかった。後でサルトルと論争があったときも、マルクス主義による「革命」を言うサルトルに対して、そうではないんだ、「反抗」なんだと、あくまで個人の実感、身体に基づく抵抗の姿勢を捨てなかった。でも、それは結局、「分かりにくい」姿勢ですから、カミュは、次第に文壇のなかで孤立していくんです。

「抽象」に浮き上がるサルトル、「具体」を手放さないカミュ

川端▼カミュとサルトルの論争について詳しくは知らなくて、少し読んでみたものの争点が今ひとつはっきり分から

なかったんですが、どうやらとにかくサルトルの圧倒的勝利だってことになって、文壇からカミュを干してしまったらしいですね。これ、僕はカミュが保守思想家だったから負けたんじゃないか、という気がするんです。作品を見て分かるように、カミュってすごく多面的で、バランスの良い人でしょう。人間にはこういうところがある、いやしかしこういうことだってあるじゃないか、という行ったり来たりを繰り返す人です。人間の逆説や葛藤を見つめるような作家だから、どうしても論争になると、歯切れは悪くなるわけです。ああも言えるし、こうも言えると。だから、革命論者が先頭に立っているような状況では、やっぱり負けますよ。でも、長期的にはカミュのような健全な感覚の方が、残るんじゃないかと僕は思いますけど。

浜崎▼間違いないでしょうね。カミュはイデオロギーから自由に、普遍的に読むことができるけど、サルトルの、特に戦後のものは、マルクス主義を前提にしなければ読めない。

柴山▼やっぱり、抽象と具体の違いですね。抽象的な正義でいえば対独協力は全く正当化できない。だけどたとえば、自分のお母さんが病気で苦しんでて、ナチスに協力すれば薬をもらえるという状況があるとすれば、そういう個別具体の局面においては何が善で何が悪かという問題は微妙で繊細なものになってくる。

以前、カミュの伝記映画(『最初の人間』)を見たんですが、アルジェリアの独立運動が始まった時、カミュは引き裂かれるんですよね。彼はアルジェリア生まれだから、アルジェリア人からは独立は支援してくれと言われ、フランス人からは植民地支配を擁護してくれと言われる。カミュはどちらでもないという態度を貫こうとするんですが、そのために双方から非難されてしまう。カミュはフランス人でありながらアルジェリアのアラブ人とも交友があって、その個人的な経験を絶対に手放さない。植民地支配に賛成か反対かという抽象論では思考しないんです。それが小説家としてのカミュなんですよね。その点、サルトルは良くも悪くも思想家でしょう。

浜崎▼それでいうと、カミュは、自分のクライテリオンを語った印象的な言葉を残しているんですよ、「私は正義を信じる。しかし、私は正義より前に母を守るであろう」と。

藤井▼中江藤樹みたいですね(笑)。

浜崎▼そう、まさに中江藤樹。サルトルが朱子学なら、カミュは陽明学です(笑)。

サムウェアーズの「教養」——人間を支える「生活感覚」

柴山▼さっきの伝記映画に戻ると、カミュはお母さんがいい人なんですよ。働き者だけど文盲でね。同じく文盲の叔父さんがいて、カミュも小学生の頃から叔父さんが勤める印刷工場で働いていた。ただ小学校の先生がとてもいい人で、この子は才能があるから学校に行かせるべきだと家族を説得して、それでカミュは中学校に上がれるんです。親族は、学校なんか行って何になるんだと言うんだけど、このとき先生の勧めで進学したことでカミュは文学者になるんですよね。彼はそういう自分の原点というか、サムウェアーズ的な生活感覚を最後まで持ち続けていたのではないか。

川端▼サムウェアーズ的生活感覚を持った人間の物言いというのは、やっぱりいろんな逆説が埋め込まれた言い方になるんですよね。それで、上手い形で真理を突いたような逆説や名台詞がいっぱい出てくる。たとえばランベールは、この町を出て愛する恋人のところに逃げたいわけですが、「愛する者からの隔離を正当化するほど値打ちのあるものなんて、絶対にこの世には存在しない。しかし、そうだと信じていながら、僕も結局は、愛する者と離れて君たちとともに戦う方を選ぶんだ。理由は、分からない」と言って町に残るんですよね。どう考えても愛の方が大事で、それを覆すような道徳はどこにも見当たらないんだけど、それにもかかわらず、なぜかは分からないが、この目の前の戦いに参加せずにはいられないんだと言うわけです。

藤井▼感激しますよね。

川端▼もうひとつ思い出せる範囲でいうと、パヌルー神父は当初、決定論を唱えるんですよね。「ペストで死ぬのは運命で、これは神様が決めました」と。それに対してリウーは「俺は神は信じない」と言うんですが、決定論についてなかなか面白い議論をしている。彼は、「神から見れば、人間が誰も自分のことを信じてくれない方がいいんじゃないか」という言い方をするんです。「みんな神様を信じているくせに、実は必死で頑張って生きているじゃないか。頑張るってことは、要するに誰も決定論なんか信じてやしないんだ」ということを見抜いて、その方が良いじゃないかと言うんですね。

藤井▼キリスト教の、自由意志についての論争に対する一つの答えですよね。

川端▼神を信じていながら、神の意志を当てにしないで行動していると。そんな逆説が、この作品には至るところに埋め込まれている。これはやっぱり、インテリ的に頭で考えるんじゃなく、生活感覚を何とか言葉にしようと努力していくと、こういう逆説的な言い方にしかならないということだと思います。

浜崎▼それでいうと、リウーとタルーとグランって、前半生のことが、しっかりと書かれているでしょ。さっき柴山さんが、危機において大衆は「高貴な孤独」を維持できなくて崩壊するんだとおっしゃいましたが、その点、この崩壊しない二人は、前半生の「生活」において、しっかりと「教育」されているんですよ。とはいえ、それはもちろん「学校教育」じゃないですよ（笑）、様々な状況のなかでの試行錯誤というか、試練を潜っている。

藤井▼つまり「教養」があるんですね。精神的な鍛錬と体験を積んでいるという。

浜崎▼その「教養」を十代から二十代に培っておかないと、後で崩壊するということなんでしょうね。

大文字の『神学』に抵抗する「誠実」――「保守思想」の原点

柴山▼僕はパヌルーとの対決というのが思想のドラマとして面白いと思いました。現代の日本にはこういう人いないじゃないですか。

川端▼「天罰です！」みたいな。

藤井▼意外と魅力的に映るんですよね。僕も三十歳ぐらいの時に一回そっちにグーッと振れたことがあります。今はそういう傾きはありませんが、内村鑑三じゃないですが、少なくとも世間のごく一部に、そういうキリスト教的な極端な神学論理があってもいいというか、あった方がいいんじゃないかっていうふうにも思います。

柴山▼パヌルーは死ぬまで「神」の観念を手放さなかったですよね。非転向といえば非転向なんだけど、ペストに罹って信仰が揺れるという人間らしい描写もある。人生がどうしようもない危機に陥ったときに、それとどう向き合うかという問題を描こうとしているんだと思うんです。分かりやすい解決法は、すべては神が与えた試練だと思い込むことですね。今でも「神は乗り越えられない試練は与えない」みたいなメッセージが、けっこう出回っていますよね。「みんなで頑張って自粛すればこの危機は乗り越えられる！」というのも、擬似パヌルー的な言説だと思うんです。でも、カミュは明らかにそういう考え方を嫌っていますよね。パヌルーの最期を悲惨な仕方で描いたのは、そういう考え方を拒否するためだと思うんです。この問題に対するカミュの答えは、俺たちは生きてるじゃないか、ということです。その象徴がリウーです。目の前の患者を救う、自分が生きているというのはそういうことなんだ、「神」の意志なんか知るかというね。

藤井▼「誠実さ」で対応するんですね。

柴山▼生の危機があった時に、ありもしない楽観とか悲観に囚われて、何かを信じていれば救われるみたいな話に逃げるんじゃなくて、とにかく自分に与えられた役割を「誠実」にこなす。仕事でもいいし、家族の面倒を見るでもいい。自分に与えられた小さな世界で、誠実に何かをするということが、「神」の不在を乗り越える唯一の方法なんだ、と。これは保守思想以外の何物でもないという感じがしますよね。

川端▼しかもカミュは、神の意志を崇めたりはしない一方で、人間的な頑張りを必要以上の美談に仕立て上げることもしないんですよね。「美しい行為に過大の重要さを認めることは結局、間接の力強い賛辞を悪に捧げることになる」と書いている。これは名台詞だと思いました。

「巡り合わせ」に淡々としていること――「人間」を「聖者」にするもの

浜崎▼では、何に対して「誠実」なのかというと、もちろん、仕事でも、家族でもいいんだけど、最終的には自分の「巡り合わせ」に対する誠実なんですよね。「脱出」に気を奪われていたランベールの心が変わりはじめるのも、実は、そのことに気づいた瞬間なんです。

最初ランベールは、リウーが「ヒロイズム」や「正義の観念」で動いているのではないかと疑っていたんですが、でも、リウーの行動原理が、「巡り合わせ」に対する誠実さであることに気がついた瞬間、すでに自分を取り囲んでいる大きな文脈、今、自分自身が身を置いている「巡り合わせ」を納得して、オランの街に残ることを決意するんですよ。

藤井▼その通りや。

浜崎▼ちなみに、リウーは、その「巡り合わせ」に対して淡々としていることこそが、神学に頼らない「人間」の生き方だと考えているんですが、しかし、タルーは、その「巡り合わせ」に淡々としていることこそが、神なき世界における「聖者」だと考えている。

一方は「人間」を強調し、一方は「聖者」を強調しながら宿命を語っているんですが、ということは、その宿命観においてこそ、人間の聖性は可能だということでもあるんです。

藤井▼本来、日本人は「まあそれはご縁でっさかいに(ご縁ですから)」ってことで、巡り合わせの神聖さを直感的に理解できるはずなんですけどね。

川端▼ランベールの意見が変わるところは感動しましたね。後付けでその説明が出てくるんです。彼はもともとこの町から脱出したいと思っていて、逃げるための作戦をいろいろ立てていた。門番に裏から手を回して、非合法な形で抜け出そうとずっと画策しているんだけど、最後の最後に、結局行くのをやめる。その理由について、「俺は愛する恋人に会いに帰りたいと思った。その思いは変わらないんだが、今行ってしまったら、あの時あの街で頑張っていた君らのことを自分は裏切ったという後悔が残って、それが邪魔になって彼女を存分に愛せないかもしれない。それは嫌だから、ここに残ることに決めたんだ」と言う。かっこいいですよね。

それともう一つ、「俺はこの街で、ずっと自分はよそ者だと思ってきたけれども、ある程度経つとよそ者ではいられなくなってしまうんだ」みたいなことを言っている。まさに巡り合わせの問題で、しばらく君たちと一緒にいたら、やっぱり仲間になっちゃうんだよなと言って、残る方を決断すると。

ジレンマの渦中から立ち上がる「アウフヘーベン」

藤井▼「誠実」というのは、実は保守思想というか、生きる上で一番大事なことだと思うんです。しばしば僕は「インテグレートおじさん」とか「アウフヘーベンマン」とかと揶揄されることがあるんですけど（笑）、まさに、ここでのランベールはテーゼとジンテーゼ、「彼女と会いたい」と「宿命を引き受ける」をアウフヘーベン（止揚）して、「彼女を愛すためにこそ、ここに残らなければならない」という、二つの美点を含んだジンテーゼ（合）を得たわけですよね。これって宗教的にいうと神に近づいているわけですが、それはやっぱり努力と真剣さがないと無理ですよ。彼女に対しても真剣、目の前のリウーに対しても真剣だったからできたわけで。実際、彼は彼女に会うためにめちゃくちゃ努力するわけじゃないですか。莫大なエネルギーを使い、リスクをとって、ようやく、アウフヘーベンは叶う。保守思想というのは、「ジレンマのなかでこのアウフヘーベンを繰り返し続けていくこと」だと定義することすらできると僕はいつも考えているんですが、そういうことは平時においては難しいんですよね。

不条理っていうのは要するにジレンマということですから、不条理文学はアウフヘーベンする機会を莫大に与えてくれる。それぞれの人間がアウフヘーベンするかどうかを見て、こいつはただ単に大きい歯車で全体主義的に動いているだけだけど、こっちの奴はアウフヘーベンしとるなと。そこに本当の人間性というものがあって、それをカミュはずっと一人で考えて、こういうアウフヘーベンもありうる、って書いたんでしょうね。

川端▼今起きているのは、非常時であるにもかかわらずジレンマを直視しない、という状態ですよね（笑）。つまり、みんな、なぜか「答え」は決まっていると思っている。

藤井▼ホント馬鹿ですね。

川端▼アウフヘーベンの前提は葛藤があることであって、逆説とか葛藤とか矛盾とかがあることを前提に努力をしているわけです。だけどなんか、片方側だけ見て結論がメカニカルに決まるみたいな……。

柴山▼リウーがペストとの戦いは「際限なく続く敗北ですよ」って言っていますね。こういう分別ある言葉が今全く出てこないですよね。もちろん医者や行政官は感染症による死を減らすために努力している。だけど一方で、生と死が「巡り合わせ」のものである以上、どうにもならない部分もある。そういう分別のある言葉が、今は表舞台から消えてしまった。

藤井▼圧倒的な敗北があった時にも、やっぱり、「負け方」というのがありますからね。そこで人間の真価が問われてくる。

「愛」を守るための闘い——本末転倒の「接触八割削減」

浜崎▼今、藤井先生が「真剣であること」を強調されたけど、本当に、それが大事なんだと思うんです。その「真剣さ」の積み重ねの先にしか、アウフヘーベンもないんだから。

たとえば、ランベールが、リウーたちを見捨てて逃げたとして、確かに一時的な解放感はあるでしょうけど、そうすると、その後に恋人と再会を果たした時、「都合が悪くなれば、また逃げるかもしれない」という疑念が払拭できなくなってしまう。しかし、そうなればもう、ランベールは恋人を自信を持って愛せなくなるわけで、どこかで自分の感情を信じられなくなってしまう。しかし、だからこそ、自分の「愛」を守るためにも「巡り合わせ」からは逃げてはいけないんです。「逃げ癖」をつけてはいけないんですよ。

藤井▼「愛」があるんですよね。

浜崎▼「愛」が中心なんですね。それで思い出すのは、タルーが、リウーを海水浴に誘いながら言う台詞なんです、「せんじつめてみれば、あんまり気のきかない話だからね、ペストのなかでばかり暮らしてるなんて。もちろん、人間は犠牲者たちのために戦わなきゃならんさ。しかし、それ以外の面でなんにも愛さなくなったら、戦っていることがいったい何の役にたつんだい？」と。まさに、すべての戦いは、この「愛」を守るためにこそあるんです。

しかし、今、人々が口にするのは一律の「接触八割削減」だけ。「八割おじさん」に聞いてみたいですよ、「戦っていることがいったい何の役に立つんだい」って。

藤井▼何のためになんやと。何かを愛して、そのためにだったら分かる。

浜崎▼それを自覚した時初めて、「取るべきリスク」と「ヘッジすべきリスク」を区別できるのに、しかし、今や、そんな議論も自覚も、どこを探してもないから、いきなり、一億玉砕的に「緊急事態宣言です！」ってことになるんです。もうムチャクチャです。

藤井▼本当に近代主義者どもなんですよね。

粛々と仕事を果たすこと——普通に生きる人の「自然道徳」

柴山▼僕は政治体制としてのコミュニズムは嫌いなんですけど、実存的コミュニズムとでもいうのかな、一人一人が自分の仕事を誠実にこなすことが社会を共に生きることにつながるという感覚は嫌いじゃないですね。リウーは医者という、ある意味では分かりやすく人の命を助ける仕事をしているけど、別に医者でなくてもいい。誰もが等しく、目の前の職務を着実にこなすなかで、社会が成り立っている。そういう感覚です。全員が確かなものとしてそういう感覚を持っていれば、危機に怯える必要はない。非常事態でも皆が粛々と自分の仕事をやっていればいいんで、八割削減だとか行動様式の刷新だとか、大がかりな社会変革を唱える必要が本当にあるのか。

藤井▼老いも若きも、「お迎えが来た」と思うしかないですよね。

柴山▼自分の職務を粛々と果たすというのは、自己に対する誠実さという以上に、コミュニティに対する誠実さでもある。ペストのような致死率だと都市封鎖もやむを得ないのかもしれませんが、コロナくらいの脅威でそこまですべきなのか、というのはやっぱり疑問です。

話は逸れてしまうんだけど、さっきも言ったカミュの伝記映画に印象的なシーンがあるんです。カミュはお父さんが若くして戦争で死んでしまったので、もっぱら叔父さんが働いて家族を養っていた。映画だと、叔父さんはちょっと知恵遅れの気があって、印刷工場でひたすら肉体労働をしているんです。学校の先生の説得でカミュが中学に行くとなった時には、「学校行くのか、勉強すると金稼げるな」と言って無邪気に喜んだりする。それでカミュが文学者として成功して、叔父さんに会いに行く場面があるんです。年老いた叔父さんは施設に入っていて、ほとんど言葉もしゃべれなくなっている。ノーベル賞まで受賞したカミュを前に、「先生がこんなところに来てくれるなんて」と半分茶化し気味に、だけど立派に成長した甥っ子に対する素朴な敬意を全身で表現する。カミュは一言、お礼を言いたかったんですよね。僕を育ててくれてありがとう、叔父さんのお陰で今の自分がある、と。そう伝えようとした時、叔父さんは、そんなに立派じゃなかったんだよ、ほら見てごらんと、傷だらけになった自分の手のひらを見せる。時々、機械に手を入れてわざと怪我をして仕事をさぼってたんだよ、と示すんです。そのシーンはカミュの後ろ姿しか映ってないんですが、おそらく感極まって泣いている。その表情は映さずに、ただ、叔父さんが差し出した、傷だらけの手のひらが映し出されるんです。

「誠実さ」のイメージって、そういうことなのかなと思います。普通に生きている人たちの普通の道徳。ルソーのいった野生人の「自然道徳」ってそういうことですよね。サルトルのようなインテリには絶対に分からないような、社会ってそういう人が支えているんだっていう素朴な信頼があるかないかって、モノを書いたり何かを表現したりする上で、決定的なんじゃないかという気がするんです。

「日常を奪われることの痛み」が分からない人
――テレビ知識人と言論人

藤井▼今の話に引き付けていうと、『グッとラック！』という番組に出て、「緊急事態の出口戦略」をしゃべってくれと頼まれたから、しゃべったわけですよ。そしたらそこの司会の立川志らくさんという落語家が、「こんな時に出口戦略をしゃべるなんて不謹慎だ」と批判された。「出口」が来た時にどうするかを言っているだけなんだけどと思うけど、医療ジャーナリストの女性も、「そんなことしたらまた感染が爆発しちゃいます」みたいに言う。

僕はテレビなんてそんなもんだと思ってるので、特に何も思わず粛々と説明したんですけど、それを見てた家族だとか後輩だとかがすっごい腹が立ったみたいでした。彼らが口を揃えて言ったのは、「要するにあそこに出ている人は、毎日仕事してお金もらってるから自粛しろって言えるから言えるだけであって、今もうほんまに首くくらなあかん人がいっぱいいいて、その人らのために政府がお金くれへんのやったら動かしてあげてくださいよって言うてるだけなのに、それを言うなと言うんなら、お前ら殺す気か？」と。まさに分かってないんですよ、民の痛みが。カミュはそれを分かってて、サルトルはそれを分かってない。それと同じことが今ここで起こっている。「ロックダウンすりゃいいいんだよ、で、その損失は経済政策で補償すりゃいいんだよ、それが答えだ」ということを言う言論人とかも、全く同じ感じがしてます。だってそんなふうにうまくいかなくて、弱い立場の民は皆結局死んでいくんだから。その現実に対して何とも思わないのかと。

柴山▼「日常を奪われることの痛み」がどれほど凄まじいかということですよね。金銭補償があった方がいいのはもちろんだけど、その痛みと釣り合うものにはならないんですよ。

藤井▼だってただの「おカネ」だもん。労働する喜びだってあるし。

柴山▼経済じゃなくて生きる場所なんですよね。

藤井▼人の役に立っているという手触りとかね。

柴山▼カミュの叔父さんは親戚の子供を養って、工場で働き、時々さぼりもするんだけど、それが人生の居場所だった。そういう場所が奪われるということの痛みをどう考えるのか。
藤井▼それが分かる人間だから、ペストで人が毎日いっぱい死んでいるなかでも、海にプカプカ浮いてね、すごく素敵な時間を生きることができる。ああいう時間を、今、テレビ見て「自粛しなあかん」と自粛警察やってる人たちは持ってないんじゃないかと思ってしまいます。

「ニヒリズム」に呑まれていく落語家、文学者、音楽家……

川端▼そういう生活感覚みたいなものに想像力が及ばないという問題と、もう一つはやっぱり、生活感覚を言葉で表現する術を、意外と我々は持っていないことが決定的に大きいように思います。それがひょっとしたら文学や作家の最もやるべき仕事なのかもしれませんね。まぁ、別に作家じゃなくてもいいんですが、とにかく我々は語る努力を全然していない。
　そういえばアメリカのミシガン州では、州議会の議事堂に銃で武装した右翼のおじさんたちが乗り込んで、「ロックダウンをやめろ」と騒いだらしいんですよね。
藤井▼いいっすね！（笑）
川端▼ミシガンは議事堂のなかでも銃を携行して構わないらしく、完全に合法的なんですが、とにかく「俺たちはやる気だぞ」と銃をかついで議員を脅しに行くという、そのぐらいの行動が起きている。でも、それは行動としての爽快さはあると思うんですが、やっぱり行動だけではなくて、それについて言葉で語れる人がある程度はいないと駄目だと思います。それが、ワイドショーとか見ていると、ゼロでしょう。
浜崎▼さっきの志らくの話でいうと、彼は落語家なんだから、むしろ、そういう「生活感覚」が分かっていなきゃいけない側の人間のはずでしょう。
藤井▼志らくの師匠の談志師匠なんか完全にこっち側のはずですよね。
柴山▼間違いなくそうですよ。
浜崎▼志らくの落語は、昔から好きじゃなかったけど（笑）、ちょっとばかり落語が上手かったばかりに、談志師匠が甘やかしちゃったのかなとさえ疑いたくなりますね。
藤井▼さらにテレビの司会者やって、社会の方に組み込まれちゃったのかもしれませんね。落語って、本来は、そういうところから離れたところにあったはずの世界なんですけどね。
柴山▼やっぱりルソーは正しいのか。文明社会って必ずそうなるんですね。
　志らくは、おそらく視聴者の目を気にしているんでしょう。この社会で、マスを相手にしゃべればみんなそうなる。社会を代表する立場にいるほど、同調圧力の罠にはまっていくんです。実際に今、芸術家とか文学者はみんな自粛推進側に回ってるんじゃないですかね（笑）。

浜崎▼詳しくは知りませんが、概ねそうでしょうね（笑）。僕と同世代の芥川賞作家なんて、「ＰＣＲ検査全部やれ！」とか、何にも分からずに叫んでますからね。

藤井▼ロックミュージシャンのくせに、たとえばYOSHIKIとかは「みんなで頑張って一丸となってコロナと戦いましょう」なんてふざけたこと言ってます。ロックの風上にも置けません。

柴山▼ミュージシャンが自粛警察の片棒を担ぐというね。そりゃロックも死ぬはずです（笑）。

「ニヒリズム」に呑まれないために——自分の「防空壕」を作ること

藤井▼でも、それで思うのは、ニヒリズムからどうやって身を守るのかということですよね。

個人的な話で申し訳ないですが、こんな私ごときでも今、コロナ関係で四六時中対応事項があって、テレビやラジオ、新聞、雑誌、インターネット上での情報配信が毎日あれこれあるし、学会の代表理事なり幹事長なりの立場でのコロナ対策も大学の専攻長の立場でのコロナ対策も、政府や各政党へのコロナ関連の提言活動もあって、そして何よりコロナ関連対策についての「科学的批判」や「科学的論争」があって、これらで精神的にかなり疲弊してしまいがちになるんですが、そんななか、つい先日、京都のフォーシーズンズっていうラグジュアリーホテルに行く機会があったんですが、そこのお庭が本当に素晴らしかった。そこで小一時間お茶飲む機会があったんですが、その時心底、「綺麗やなあ…」と。月並みな言い方ですが文字通り心が洗われた。後で調べたら、積翠園っていう妙法院のなかにある平安時代末期にできた数少ない庭園遺構といわれているもので、ものすごく由緒正しいところらしかった。で、そこで、すごいパワーをもらえた。

それは、ちょうどリウーとタルーが海に浮かぶような時間だった。ほんの短い時間でしたけど、本当に八百年間こうやって京都の方が守ってくれた空間にいて、心から「有り難いな」と思いました。小説、文学、それから庭園、そういうものをちゃんと空間として、芸術としても置いとかんことには、我々はこのニヒリズムとの戦いに勝てないなと改めて思いました。

浜崎▼そうですね、それでいうと、「もうこれ、多勢に無勢すぎてダメだ」と見切るというのかな、僕は人間の生き方として「引き籠もる」というのも、一つの手だとは思うんですよ（笑）。

それで思い出すのが、敗戦間際の福田恆存なんです。昭和二十年一月に結婚した福田は、年末までには戦争が終わると見て、あらゆる公職を辞めて防空壕掘りに専従するんですね。昭和二十年にもなれば、今更、何をいっても仕方がないわけで、そういう時は素直に引き籠もって、自分の本や文房具なんか、愛着のあるものを守るしかないんです。実際、空襲で家が焼けても、その時に作った防空壕のお陰で本や文房具は無事だったらしくて、戦後、机の上に転がっている消しゴムを見て、福田はB29に一人で勝ったような気になって、ほくそ笑んだらしい（笑）。状況は違うにしろ、ある圧倒的な時代の流れのなかで、その「ニヒリズム」から身を守るためには、やはり、最後は個々人の自覚に頼るしかないんでしょう。

藤井▼ある種の誠実さですよね。ひとつのアウフヘーベンの形ですよね。

川端▼実際、『ペスト』のなかには、そういう人が意外と多く出てきますよね。

藤井▼そうです。とりわけ驚いたのが、『ペスト』でカミュに批判されている当時の大衆人たちのレベルの高さ。一九四〇年代の大衆人たちって、今の大衆人たちに比べて相当「まとも」なんですよね（笑）。演劇に行ったり、飲みに行ったり、飯に行ったりするじゃないですか。「自粛警察」なんて全然いないんですよ。死の恐怖はあるけれど、大衆人でも淡々と死を受け入れているようにすら見える。でも今は、死を完全にコントロールして、絶対の絶対にコロナから逃げてやろうとしてる。自然の摂理なんだから、完全なコントロールなんてどう考えたって無理なのに。ホント、今の大衆人たちの方が圧倒的に大衆人として進化してしまったんだなぁと。

柴山▼疫学の専門家が自分の立てた予想を語るのはいいとして、テレビタレントはただ大勢についているだけでしょう。自分の経験なり生活感覚なりから言葉を発しているわけじゃない。

川端▼地に足のついた言葉って、案外難しいですからね。いわば数学的人生観というものがあって、今回のコロナで自分が死ぬ確率はどれぐらいだろうかとか、インフルエンザと比べてどうかとか考えるわけですが、そういう抽象的なイメージも必要は必要でしょう。でもそれと同時に、文学的人生観みたいなものもあって、自粛させられる人間の悔しさとか、家族が死ぬ時の悲しみとかを語る必要がある。その両方をうまく組み合わせた総合的な人生観ができて初めて地に足がつくはずですが、今は数学と文学が分離してしまっている。「死者が何人、感染者が何人、あぁ怖い」みたいな数字を元にした話が一方にあって、他方では「こんなに苦しんで死んだ、かわいそうな人がいます」みたいな、過剰に文学的で個人に密着した話がある。それらをつなぐ交通路がなくて、分離したままバラバラになっている。これをくっつけるものは二つあって、「生活者の常識」と、もう一つは「知識人の言葉」でしょう。

浜崎▼ずっと、『表現者クライテリオン』で議論していることですよね、「頭と体の分離」。それを我々はどう結びつけることができるのか、ここにきて改めて問われていますね。

藤井▼だから我々が、どういうふうに「防空壕」を掘るのかも大切なんですよね。

浜崎▼おっしゃる通りです。そこで「愛情」を育てるわけですから。

藤井▼ある程度、余裕が出てきたら手榴弾ぐらい投げてね(笑)。ゲリラ戦ぐらいはできるかもしれないですけどね。

「力」を正しく使えない「大衆社会」――「過剰自粛」を超えて

柴山▼この小説がいいのは、ネズミで始まってネズミで終わるところですね。ネズミの不吉な死がペストの到来を予感させ、ネズミが再び街を闊歩しはじめたシーンでペストの終息を暗示する。でもたぶん今ならね、ネズミを一匹残らず駆逐しろ、となるんじゃないですか。

一同▼(笑)。

柴山▼この時代の人たちはネズミと共存してるから、別にネズミを駆逐しようと思っていない。現代社会ではたぶん、ネズミが原因だと分かった瞬間に、日本中のネズミを根こそぎ絶滅させるべきだ、じゃないと安心できない、となると思うんですよ。

藤井▼そのためにMMT(現代貨幣理論)使えとかってね。

一同▼(爆笑)。

柴山▼オルテガが、大衆社会を指して「潜在的にはかつてない力を持ってるんだけど、それを全く活かすことのできない社会」というふうに表現していましたが、全くその通りだと改めて思いますね。社会の持つ潜在力を、八割削減とか自粛警察とか、非生産的なことに使わないでくれ、と。

藤井▼本当にそう、別のもっと賢いやり方が山ほどあるのに、八割自粛なんていい加減なものにどんだけ国力使ってんだ、って話ですよね。

柴山▼それ、ネズミを片っ端から駆逐しろと言っているのと一緒だよ、というね。そんなことをしたって、次はコウモリが新しい病気を運んでくるんだから(笑)。

「表現者クライテリオン」メルマガ選

「危機と対峙する保守思想誌」表現者クライテリオンは、わたしたち日本国民の様々な「危機」と対峙すべく、隔月の本誌出版に加えて、『表現者クライテリオン・メールマガジン』をはじめとした様々なネットメディアを活用して日々に情報を配信する言論運動体である。そして、新型コロナウイルス感染症問題について本誌編集委員は、日々めまぐるしく変遷していく状況の中で世間の「空気」に棹ささず、各々の「クライテリオン」を縁とした言説／批評を一般の人々を対象に様々に配信していった。ここではそうした編集委員各位のネットを通した諸言論の一端を紹介することとしたい。

❶社会崩壊を防ぐために

柴山桂太

新型コロナウィルスが世界中に混乱の種をばらまいています。中国武漢での「謎の肺炎」が報道されたのは今年一月。それから三カ月あまりの間に、人の移動は止まり、経済はほぼ停止状態になり、地球上で三〇億人以上の人が都市封鎖の状態に置かれるという異例の事態に発展しました。

状況が刻々と変わる中で、起きていることの全体像を見渡すのは非常に難しいのですが、今（四月八日）の時点ではっきりしてきたことがあります。以下、四つの項目に分けて整理してみます。

（1）まず、今回のコロナ禍はグローバル経済の脆弱性を、誰の目にも明らかにしました。国境を越えた人の移動は制限され、企業のサプライチェーンは寸断され、世界経済は大混乱に陥っています。

グローバル化の本質は、国際分業にあります。各企業が専門性を高め、グローバルな供給網を形成することで生産の効率性を高めていく。それを可能にしたのが情報通信技術の発展であり、国際的な協調体制であり、その下での各国の市場開放政策でした。

この体制の下では、企業も消費者も「在庫」を持とうとしません。備蓄のために倉庫代を払うよりも、ジャストインタイムで生産するほうが効率的だ。家に生活物資をストックしておく必要はなく、欲しければスーパーやコンビニに走ればいい。行政も無駄を極力少なくするという至上命題の下で、人員削減や非正規への代替を進めてきました。

今回、その全てが仇になっています。部品の供給網は寸断され、生産が停止してしまう。各国は競ってマスクなどの必要物資を囲い込むようになる。あわてて買いだめに走る消費者の行動で、流通が混乱してしまう。行政は圧倒的な人手不足に陥り、今後は危機対応(給付金の配布等)の政策にも支障が出てくるかもしれない。平時における効率の追求が、パンデミック状況の下ではおそるべき非効率を発生させることになったわけです。

日本人は、東日本大震災で今と似た状況を体験していたはずです。平時には無駄に思えるものも、危機には役立つことがある。その教訓から、日頃の備えを強化し、経済全体でのレジリエンスの強化を急ぐべきだと、われわれも提言を続けてきました。

ところが「喉元過ぎれば…」のたとえ通り、ふたたび大きなパニックに襲われてしまった。しかも今回は、供給網の寸断が世界全体で生じています。今後、供給網の再編が進んでいくものと思われますが、その過程で予想外の出来事が次々と起きてくることでしょう。特に懸念すべきは食料危機です。すでに生産国で囲い込みが始まっていますので、これから深刻な問題を引き起こす可能性があります。

(2)コロナ禍が過ぎ去った後、世界は元通りの姿に戻るでしょうか。その可能性は低いと思います。特に人の移動については、これからパスポートやビザだけでなく、ウィルスに感染していないことを示す証明書のようなものが各国で求められるようになるかもしれません。実際、東京五輪は、そのような対策なしには実行不可能になるのではないか、と思われます。

すでにひび割れが始まっている国際協調体制は、今後さらなる崩壊の危機に直面していきます。WHOの指導力欠如は、人々の国際機関への不満を否応なく高めることになりました。トランプ政権は中国への批判姿勢を強め、中国が猛反発するなど、米中の対立がさらに激しくなることが予想されます。欧州でも、財政支出の負担をめぐってふたたび国家間の対立が顕在化してくるでしょう。

グローバル化は、情報通信技術の進歩という物理面だけでなく、各国の協調体制や市場開放などの政策面によっても支えられていました。技術の進歩はこれからも続く――

リモートワーク関連で新たな経済機会も生まれる――でしょうが、政治の混乱はこれから大きくなると考えるのが自然です。二〇〇八年の世界金融危機によって露わになり、二〇一六年のブレグジット・トランプで加速した脱グローバル化への動きは、これから国際秩序を様変わりさせていくはずです。

（3）新型コロナウィルスをめぐって、今や誰もが即席の疫学者になっています。感染拡大はいつまで続くのか。医療崩壊を起こさないために何が必要なのか。専門家と非専門家が入り乱れて、テレビやSNSを舞台にさまざまな議論が交わされています。

しかし長期的に見た時、恐ろしいのは医療崩壊ではなく「社会崩壊」の方だと思います。自宅待機を余儀なくされた人々は、テレビやSNSを通じて情報の洪水を浴び続けています。すると、少しの不道徳も我慢ならないものに思えてくる。ウィルスの危険がこれほど言われているのに、感染を広げてしまった――あるいは広げてしまうかもしれない人々が許せなくなってくるのです。

ある大学でクラスター感染が起きたとなれば、抗議の電話が殺到する。売り上げが落ちた事業者に給付金を配ると決まれば、不正受給が出たらどうするんだと炎上する。パチンコ屋に並ぶ人たちが犯罪者のように連日テレビで報じられる。コロナ禍に対して社会が一体とならなければならない時に、分断と対立を煽る言葉の暴力が、人々のストレスを養分として巨大に膨れあがってしまいました。

欧米社会では、アジア人差別が日増しにエスカレートしていると聞きます。セーフティーネットが脆弱な国では、これから社会秩序の深刻な崩壊が起きるかもしれません。もちろん、日本も他人事ではない。ネオリベ社会の中で広がった、都市と地方、老人と若者、富裕層と貧困層、エニウェア族とサムウェア族の亀裂が、さらに広がっていくおそれがあります。

現時点（四月八日）で報じられている政府の緊急経済対策では、家計への経済対策として低所得層向けの給付金を配るとなっています。こうした世帯の消費性向が高いことや、格差是正などを考えれば、この選択しかないと政府は考えているのでしょう。しかし、ただでさえ社会の分断が広がっているときに、わざわざ不公平感を高める政策を打つ必要が一体どこにあるのか。

コロナ禍の影響は、社会のあらゆる部分に及びます。今は飲食業や観光業など、特定の部分に被害が集中しているかもしれませんが、あと一、二カ月もすれば経済全体にその影響が及ぶようになるでしょう。家計も同じです。今は貯蓄を切り崩して生活費に充てている世帯も、いずれ手持ちが尽きてしまう時が来ます。社会の大部分がそうした不安を抱えている時に、現金一律給付を選択肢から排除しようとする政府の方針には、強い疑問を抱かざるをえません。

　麻生財務大臣は、リーマンショック後の二〇〇九年に実施された現金一律給付が「失敗だった」という主旨の発言を繰り返しています。給付が消費を刺激せず、貯蓄に回ってしまったというのがその理由です。しかし、これはまったく誤った診断と言わなければなりません。前回の給付が消費に回らなかったのは、単純に金額が少なすぎたからです。

　しかも今回は、十年前とは危機のあり方が違います。前回求められていたのは、落ち込んだ消費を上向かせるための「経済政策」でした。しかし今は違う。自粛や自宅待機が要請されている現状で、現金を配ったからといって買い物や旅行に行かないのはわかりきったことです。現金給付は貯蓄に回るでしょう。しかし、それの一体何が問題なのでしょう。

　普通の生活が送れなくなり、いつまでこの状態が続くのかを誰もが不安視している時に必要なのは、景気刺激のための「経済政策」ではなく、国民生活を支援する「社会政策」です。政府による現金一律給付は、「この危機を一体となって乗り切ろう」という国民へのメッセージとなりうるのではないか。

　医療崩壊を防ぎ、社会崩壊を防ぐ。そのために出来る政策手段は全て動員しなければならないはずです。「経済対策」は、自粛や自宅待機が解消してからの話です。景気の落ち込み具合を見ながら、必要な政策を考えればいい。しかし、今はまだ、その時ではないはずです。危機に瀕しているのは経済である以上に、その土台となる社会である。そのように考えれば、現金一律給付は、すぐにでも実施すべき政策と言えます。

（4）最後に、次の問題にも触れざるをえません。それは今回の危機の本質が、「死」をめぐるわれわれの態度にある、ということです。

　高度な文明生活を送るわれわれにとって、日常生活で死に触れる機会はそれほど多くありません。ところが感染症の拡大によって死が、急に視界に表れる。病気や事故、寿命による死ではなく、誰にうつされるか分からない未知の感染症によって死ぬかもしれないという想像力が、突然、作動しはじめたわけです。

　病気や事故であれば、自分の責任だと割り切れる部分があります。しかし、感染症は違います。自分は衛生に気をつけているのに、どこの誰とも知れぬ者が危険なウィルスを運んできてしまう。自分の不養生や不注意によるのならまだしも、見知らぬ他人のせいで死の可能性を突きつけられるのは我慢がならない。新型コロナ対策をめぐって世論が沸騰しているのも、その過程で社会の亀裂が大きくなっているのも、つきつめればそのような想像力が働いているからと言えるでしょう。

死は、思想的にも感情的にもきわめてデリケートな問題です。人は誰しも、死の可能性と向き合い、死についての考えや覚悟を持っています。それに口を挟むのは難しい。ただ、一般論としていえば、感染症による死(の可能性)を、他人への怒りや憎悪に転化するのは健全な精神のあり方ではないと思います。

そもそも、われわれの生の可能性は、見知らぬ他人によっても支えられています。人生の成功も失敗も、自分一人の才覚や責任でのみ決まるものではなく、見知らぬ他人が運んでくれる機会や利益にも(大なり小なり)依存しているはずです。ところが個人主義の価値観は、われわれの視界から他人との目に見えない関わりを切り落としてしまう。社会は、そうした「閉じた個人」の集合体であるかのように錯覚されてしまうのです。

そのような価値観の下では、ウィルスによる死者の発生も、誰かのせいとされてしまうことになります。ある場合には外国人が、別の場合には(自粛要請に従わない)若者や水商売の人たちが、あるいは社会のどこかに潜んでいる「不道徳」な者たちが、という具合に想像力が拡大し、自らの生の可能性を不当に縮めた(あるいは死の可能性を不当に広げた)と、怒りをぶつけたくなる。社会をつなぐ微妙な絆は、そのようにして毀損されていくのだと思います。

そもそも、感染症は新型コロナウィルスだけで引き起こされるわけではありません。毎年、インフルエンザで数千人の人が亡くなっています。インフルエンザも社会の誰かにうつされるものですが、普通は感染源をいちいち特定したりしません。他にも、沢山の感染症がありますが、われわれはその存在をほとんど意識しないまま生活しています。それらの感染症で死者が出たからといって、社会のつながりはいちいち壊れたりしません。社会生活をしていれば、流行病に罹ることもある。その可能性は管理しがたい(どんなに管理しようと思っても管理しきれない)ものだと、ごく自然に納得しているからです。

今回は「未知」の感染症であり、マスコミが大々的に取り上げているがゆえに、その存在が特別視されています。「未知」の感染症に対してリスクを高めに推定するという方針を批判するつもりはありません。防疫措置や、感染リスクの高い層の社会的隔離などの政策も、必要に応じて実施されるべきでしょう。

しかし、相手は感染症なのですから、どんなに対策を立ててもうつるときにはうつってしまいます。それを誰かのせいにすべきではない。少なくとも私は、感染者を槍玉に挙げ、少しでも規律に従わない「私以外の誰か」に過剰な制裁を加える今の風潮が、倫理的に正常な姿とは思いません。むしろ、それこそが不道徳な振る舞いと言うべきです。われわれは、普段、見知らぬ誰かが運んでくる死の可能性よりも、社会のつながりがもたらす生の可能性を信じて生きています。相手が「未知」の感染症であっても、その当たり前の生活態度を崩すべきではないのです。

今回のコロナ騒動がわれわれに突きつけているのは、疫学をめぐる専門的な問題である以上にグローバリズムの問題であり、経済政策の問題であるのと同時に生と死をめぐるわれわれの倫理の問題である。今後、事態が進行する中で新たな危機が次々と生じてくることでしょう。その将来に備えるためにも、思想や感情の不要な混乱は、今から少しでも減らしておく必要があると思います。

（二〇二〇年四月八日）

追記

以上は、四月八日に配信されたメルマガの原稿に、若干の加筆修正を行ったものです。政府の経済対策が一人一〇万円の一律給付に切り替わるなど、現時点では古くなった部分もありますが、緊急事態宣言が出された前後の世論の混乱ぶりを記録する意味で、そのまま残してあります。

「長期的に見れば、恐ろしいのは医療崩壊よりも社会崩壊の方」だという考え方に、その後も変化はありません。むしろ、四月の時点よりもますます事態は深刻になっているように思えます。そこで、追加的な論点を二つほど記しておきます。

（5）若者の苦境について

今回のコロナ騒動は、日本が若者に冷たい社会だということをあらためて証明したように見えます。コロナによる健康被害が高齢層に集中していることから、マスコミは「高齢者を守れ」の大合唱でした。経営危機に陥った企業を救済すべく、持続化給付金や家賃支援給付金の予算も計上されました。しかし、十代、二十代の若者を慮る声は、ほとんど聞こえてきません。

臨時休校要請で、小中高校は三カ月にわたって閉鎖が続きました。再開後も、三密を避けることが要請されているため、教育活動は普段通りには行えない状態が続いています。大学ではリモート講義が実施されていますが、対面講義は行えず、図書館などの施設も閉館、または利用制限の状態が続いています。

そのように言うと、「学生運動の頃も大学は閉鎖されていた」という年長者がいるのですが、当時と今では状況はまったく違います。大学紛争が盛んだった時分でも、街は普通に動いていました。大学の講義に行かなくても図書館で勉強したり、友達と騒いだり、アルバイトやサークル活動に精を出したり、気ままに放浪したりと若者らしい自由を謳歌できたはずです。しかし今は違います。学ぶ機会を大きく制限され、人生経験を広げる機会さえ奪われている。世間の目は厳しく、どこかで集まって騒ごうものなら「自粛警察」に捕まってしまう。強い同調圧力の中で、おとなしく自宅待機していることを強いられているのが現状です。

「コロナから弱者を守れ」と言われます。確かに、健康面では高齢者がコロナ弱者です。身体的には強者である若者に、より多くの配慮が求められるのは当然です。現に多くの若者が、要請に従って自宅待機をしていました。その代償は決して小さなものではありません。学ぶ機会や働く機会が奪われ、身体的接触も社会的接触も制限されてしまった。もちろん、高齢者が恵まれすぎている、などというつもりはありません。ただ、「弱者を守れ」というなら、健康面での弱者だけでなく、自粛によって重い負担を強いられている若年層の現状にもっと目を向けるべきではないか、と言いたいのです。

日本だけではありません。若年層の苦境は、今や世界的な問題となっています。例えばアメリカでは、ミレニアル世代（一九八一～一九九六年生まれ）の十八歳から三十三歳までの所得の増加率が、過去のどの世代と比較しても低いという統計が発表されて、大きな話題を集めています。親世代と比べて低いというだけではありません。統計が確認できる、十八世紀以後のどの世代と比べても低いというのです。

働いても賃金は伸びず、資産も形成できない。経済危機が起きればクビを切られ、感染症が流行すれば「街を出歩くな」と行動の自由を奪われる。政府は、票を持つ高齢世代や、経済を支える現役世代の苦境には敏感に反応しても、奨学金の負債に苦しんでいる若年層には目もくれない——事情は日本でも同じです。公的教育への政府支出（対GDP比）は、先進国でも最低水準。アルバイトや非正規労働など、雇用の調整弁として便利に使われ、将来の資産を形成する余裕もない。政府の要請に応じてコロナ自粛に協力しても見返りも感謝の言葉もなく、それどころか感染者を出そうものならマスコミ世論から囂々たる非難を浴びてしまう。これが日本の現状です。

繰り返しになりますが、年長世代は保護されすぎている、などと言いたいわけではありません。コロナ弱者として高齢世代を保護するなら、国家の未来を担う若い世代にも同じくらいの配慮がなされてしかるべきではないか。国家は過去世代のものであると同時に未来世代のものでもあります。未来を生きる世代の自由を奪い続ければ、国家はいずれ衰滅することになるでしょう。

（6）ソーシャルディスタンスについて

再開した小学校では、子供達が接触しないように机をアクリル板で仕切るなどの対策を取るところもあるようです。教室が無数の透明な板で仕切られ、その小さな箱にマスク姿の子供が閉じ込められる。これが近未来のディストピアでなくて何であろうか、という光景です。

あらためて確認するまでもなく、近代は個が共同体から切り離されていく時代です。互酬と再分配の経済から、貨幣を媒介とした市場経済へと移り変わる。社会は分子状に結合した共同体の重なり合いではなく、原子となった個人の集合体としてイメージされるようになる。近代主義者は、そうした社会の変化こそ進歩の証だと考えてきました。

ソーシャルディスタンス（本来はソーシャルディスタンシングですが、通例表記に従います）という言葉ほど、近代の欲望を赤裸々に示すものはありません。会合はオンラインに変わり、仕事はリモートになる。公共の場ではマスクを着用し、身体的な接触は避ける。個人と個人の間に距離を作ることが、感染症防止という名目の下で積極的に推奨されている——それも全世界的に推奨されているわけです。

リモートで会議をしたり、講義をしていると、意識が身体から遊離してしまったような錯覚に陥ることがあります。目の前の画面に集中して話したり、聞いたりしているうちに、精神が身体を脱ぎ捨ててさまよいだしているような感覚に陥る。対面であれば、このようなことは生じません。相手の仕草や目線、息づかいや身振りといった全体に注意が向けられる——と同時に、相手も自分の全体に注意を向けていることがわかるため、精神はつねに自らの身体へと引き戻される。オンラインでは、注意が画面にのみ集中するため、われわれの五感の一部（主に視覚）が異様に鋭くなり、後は鈍くなるという歪な精神−身体関係に作り替えられてしまうのだと思います。

もちろん、いつまでもソーシャルディスタンスが続くとは思いません。コロナの脅威が去れば、人々はふたたび集まり、身体の距離を縮めていくでしょう。しかし、第二波・第三波の懸念がマスコミで盛んに報じられ、政府の打ち出した「新生活様式」を守ることが正しいとされる状況が続く限り、人と人とを切り離していく力は、いつまでも社会の中から消えずに残るでしょう。

感染症からわれわれの身体を守る？　なるほど、人と人が物理的に接触しなければ、ウィルスに感染せずに済みます。しかし、ソーシャルディスタンスが厳密に守られる世の中は、身体性を喪失した歪な精神がオンラインで——あるいは透明なアクリル板越しに——空しいお喋りを続けるだけの、恐るべきディストピアではないのか。私にはそうは思えて仕方ありません。

❷コロナ禍における「落ち着き」

よりよく「敗ける」ために

浜崎洋介

「緊急事態宣言」に際して

新型コロナウィルスによる「医療崩壊」が現実味を帯びてくるなか、二〇二〇年四月七日、政府が「緊急事態宣言」を出すとのニュースが入ってきました。

データを見る限り、コロナウィルスそれ自体に強毒性があるとは思えませんが——つまり、ウィルス自体に過剰に慌てふためく必要はないのですが[1]——、しかし、それによる社会崩壊と人心不安は無視できません。とすれば、ここで改めて問われるべきは、この「コロナ禍」における「不安」の本質であり、それに対する、私たちの身の処し方でしょう。危機に際して、私たちは、どのように「落ち着き」を保つことができるのか。それは、そのまま、この危機をどのように乗り越えていくべきなのかという問いでもあります。

ウィルスが運ぶ「二重の苦しみ」について

かつて、アルベール・カミュは、小説『ペスト』（一九四七年）のなかで、突然ペストに襲われ、ウィルスに閉じ込められてしまった人々の「不安」を次のように描いていました。

「天災（ペスト）というものは人間の尺度とは一致しない、したがって天災は非現実的なもの、やがて過ぎ去る悪夢だと考えられる。ところが、天災は必ずしも過ぎ去らないし、悪夢から悪夢へ、人間の方が過ぎ去っていくことになり、それも人間中心主義者たち（ヒューマニスト）がまず第一にということになるのは、彼らは自分で用心というものをしなかったからである。（中略）ペストという、未来も、移動も、議論も封じてしまうものなど、どうして考えられたであろうか。彼らはみずから自由であると信じていたし、しかも、天災というものがあるかぎり、何びとも決して自由ではありえないのである。」

「事実上、われわれは二重の苦しみをしていた──まず第一に我々自身の苦しみと、それから、息子、妻、恋人など、そこにいない者の身の上に想像される苦しみと。

それも、ほかの事情のときであったら、市民たちも、もっと外面的で活動的な生活に、はけ口を見出すこともできたであろう。ところが、同時にまたペストは、彼らを閑散な身の上にし、陰鬱な市内を堂々めぐりするより仕方がなくさせ、そして来る日も来る日も空しい追憶の遊戯にふけらせたのである。（中略）そういうわけで、ペストがわが市民にもたらした最初のものは、つまり追放の状態であった。」（ ）内引用者、宮崎嶺雄訳

ここには、感染症に襲われた人々の二つの「不安」の姿が描き出されています。

一つは、「みずから自由である」と思い込んできた「人間中心主義者」たちの恐慌の姿であり──グローバリズムの崩壊に慌てふためく新自由主義者、あるいは、近代文明の自由を無自覚に享受してきた「大衆」（オルテガ）たちのヒステリックな姿だと言ってもいいでしょう──、そして、もう一つは、「追放の状態」を強いられた人々において現れてくる現実の「苦しみ」の姿です。

まず「人間中心主義者」ですが、彼らは、普段から「人間の尺度と一致しない」もの、つまり、人間の「理性」によって処理できないものなどはないと考えているため、いざ目の前に、「自然」本来の非合理性が現れると、それに過剰に怯え、狼狽え、その「ノイズ」を消し去るためにヒステリックな声を上げはじめる。が、結局、その叫び声自体が、人々から冷静さと落ち着きとを奪っていくので、「ノイズ」は収まるどころか、ますます増幅して社会全体に広がっていくことになる。つまり、偶然性を排除する意志が強固で

あればあるほど、それだけ目の前にある偶然性の異常性は増し、人々はますますヒステリックになっていくというわけです。これが、ヒューマニストが作り出す「悪循環」の形です。

しかし、時間が経つに従って、その「ノイズ」を消し去ることができないことが分かりはじめると、今度は、「追放の状態」を長く強いられた人々の現実的な「苦しみ」の方が大きくなってきます。

カミュは、それを「二重の苦しみ」として描いていましたが、まず、第一に現れてくるのは、感染症の苦しみはもちろんのことですが、いつ終わるとも知れない「天災」のなかで生活をしていくことの「苦しみ」、つまり、社会崩壊それ自体がもたらす「苦しみ」です。出所不明の情報に振り回され、確かだった「日常」が崩されていくことの「苦しみ」。それは、生活基盤の溶解がそのまま精神的危機に繫がっていく際の「不安」だと言ってもいいでしょう（経済危機が自殺率を高めてしまうのは、この意味においてですが、だからこそ政治の適切な介入が必要なのです。できもしないロックダウンを軽々に口にして政治パフォーマンスを繰り広げる小池都知事にしろ、自粛に対する損失補償や消費減税対策を一切示さないままに、お肉券やらマスク二枚の話を持ちだす安倍政権にしろ、その「愚かさ」は止め処がありません。このままであれば、今後襲ってくる世界的大恐慌に対して日本は全く対応できないでしょう）。

が、注意すべきなのは、カミュが、さらに深刻な「苦しみ」を描いていたことです。それは、ウィルスに襲われた人々において、その「生活苦」を何とか支えていくための心の「はけ口」――他者との接触、不要不急の社交――までが奪われてしまっていることの「苦しみ」、連帯感を支えにすることのできない人々の「孤独」でした。そして、それこそが私たちに「出口なし」の絶望感を強いることになるのです。

「ペスト」が出たと分かった途端、アルジェリア海岸のフランスの一県庁所在地であるオランは、その門戸を閉ざし、そんなつもりなどなかった人々が、突如、別離の状態に置かれることになります。市の出入り口には衛兵が配置され、港は閉鎖され、海水浴も禁止され、市内には一台の乗り物も入ってくることができなくなる。こうして、数日あるいは数週間後には再会できるものと信じていた人々は突如分断され、会って話すことはもちろん、今や文通によって、互いの状況を知らせ合うことさえできなくなってしまうのでした。

よりよく「敗ける」ために――医師リウーの生き方

が、そんな「出口なし」の状況で、次第に人々が現実逃避的な姿勢を見せはじめるなか、終始一貫、「落ち着き」を示し続けた人々がいました。それが医師のリウーであり、旅行者のタルーであり、あるいは下級官吏のグランでした。

彼らは、どんなときも「人生とは、そういうものだ」といわんばかりの落ち着きを示しながら、ペスト患者の処置、死体と汚物の処理にと奮闘し続けることになります。が、注意しなければならないのは、そのとき彼らの「落ち着き」を支えていたものが、個人的な観念や計算ではなく、きわめて単純な「誠実さ」、偶々身を置いたその人生のめぐり合わせに対する「誠実さ」だったという点です。

たとえば、ペストの発生が発覚した直後から、オランの街から脱出しようと焦燥しはじめる新聞記者のランベールに対して、医師のリウーは次のように語りかけていました。

「僕は、たとい何もののためにでも、君が今やろうとしていること（脱出工作）から君を引きもどそうとは思いません。それは僕にも正しいこと、いいことだと思えるんです。しかし、それにしてもこれだけはぜひいっておきたいんですがね――今度のことは、ヒロイズムなどという問題じゃないんです。これは誠実さの問題なんです。こんな考え方はあるいは笑われるかもしれませんが、しかしペストと戦う唯一の方法は、誠実さということです」

「どういうことです、誠実さっていうのは？」（中略）

「一般にはどういうことか知りませんがね。しかし、僕の場合には、つまり自分の職務を果たすことだと心得ています」（同前、〔　〕内引用者）

リウーは、その「際限なく続く敗北」を覚悟しながら、なお、ペストとの闘いを放棄することがありません。が、それは単なるヒロイズムではない。ただ置かれた状況に対する「誠実さ」、そのめぐり合わせに対する真摯さ、そこから逃げ出せば、もう二度と、自分の「職務」（人生）に対して自信を持つことができなくなってしまうだろうという直観だったのです。

しかし、それなら、目の前の「自然」（ウィルス）に対して勝利（封じ込め）を説く言葉もまた、リウーにしてみれば、自らのめぐり合わせに対する不誠実さを示しているということになりはしないでしょうか。というのも、ウィルスが存在するという事実＝運命を引き受ける以上、そこには「完全な勝利」などはあり得ないからです。ウィルスと人間との戦いにおいて人間に許されているのは、ゲイン（勝利）ではなくロス（敗北）だけなのです。

とはいえ、それは決して「敗北主義」ではありません。むしろ逆に、自然に対する「敗北」を初めから引き受けていればこそ、私たちは、よりよく「敗ける」――リスクを最小化する――ことを落ち着いて考えることができるのです。「自然」は抑えつけるものでも、排除するものでもない。それは受け入れ、味わい、ときには従い、ときには譲歩するものとしてあります。そして、その「自然」に対する従い方、己の譲り方のなかにこそ、私たちの「生き方」は現れてくる。「リスク」の引き受けにおいてこそ初めて、私たちは、その「リスク」に対して人生の何を譲り、何を譲るべきではないのかを問い返しはじめることになるのです。いや、だからこそ、「死」を含んだ自然の「全体」を引き受けられない限り、いつまでたっても私たちは、その「生」の「部分」に対する適切な位置を見出すことができないのです。

果たして、今回の「コロナ禍」は、私たちの「生き方」を問う一つの試練です。日々書き換えられる不完全な情報のなか、なお狼狽えることなく、よりよく「敗ける」ための判断を下し続けることができるのか。情報が錯綜し、どこにも硬い岩盤を見つけることのできない泥沼のような日常のなかで、なお自らの「生き方」を見出すことができるのか。

いずれにしろ、この度の試練は、今後の私たちのクリティカルポイントを画すことになるでしょう。不条理に際してこそ、私たちの「生き方」は問われるのです。

（二〇二〇年四月七日）

（1）まず新型コロナウィルスの毒性についてですが、それが異様に強力だと言っている専門家を私は知りません。その毒性についても、MERS（致死率三五％）やSARS（致死率一〇％）のような強毒性はなく、そもそも無症状患者が多く、感染者の八割は普通の風邪同様三、四日で治り、医療崩壊さえ起こさなければ、その致死率も全体の一％程度で抑えられるだろうと言われています（岡部信彦氏インタビュー「『コロナ、そこまでのものか』専門家会議メンバーの真意」https://digital.asahi.com/articles/ASN3L3D4DN3GUPQJ001.html参照）。また、五十歳代以下の致死率に至っては〇・一％であり、PCR検査をしていない隠れ感染者が一〇倍以上いることを示すデータを加味すれば、現役世代の致死率は、さらに下がって〇・〇一％以下ということになります。

さらに補足すると、日本では毎年一二万人以上の方が肺炎で亡くなり（毎日三〇〇人以上の計算）、毎年流行るとは限らないインフルエンザでさえ年平均三〇〇〇人〜一万人の方が亡くなっていることまでを考えれば（関連死も含めれば最大四万人に達するという説もあります）、やはり、新型コロナウィルスだけを過剰に恐れる――過剰に慌てふためく――必要は全くないと言うべきでしょう（ちなみに、アメリカの二〇一七年〜一八年におけるインフルエンザによる死亡者数は六万人だと言われています――和田秀樹氏「日本の医療生かしコロナ対策を」https://special.sankei.com/f/seiron/article/20200401/0001.html参照）。

ただし、その一方で、先ほど挙げた致死率は、「医療崩壊」がないという前提で導かれた数字であることも事実です。とすれば、すでに藤井編集長も強く訴えられているように（https://www.youtube.com/watch?v=Ffi59sND5i4&fbclid=IwAR3e75y2IxLemre5DOnjEX4IILuV-L6UFxllSwBEVAV76l_eHLIgBIIFBdI）、感染者増大に従って増えてくるであろう医療需要に対しては、それを抑え込む努力をしつつ（感染防止の努力をしつつ）、感染症法の柔軟な運用（あるいは改正）も視野に入れながら、医療供給能力を高めておくこと（一般病棟の転用、病床の拡充、医療従事者の休息など）は、早急に必要な対策となってきます。

　また、その感染拡大抑止（自粛要請）に伴う経済恐慌に対する万全の対策が必要であることも論を待ちません（四月～六月のアメリカのGDPは前期比マイナス三四％、日本もGDPの二割が消し飛ぶと言われています）。経済対策を徹底する姿勢（圧倒的な財政出動と、一律補償と、消費減税）を政府が見せるだけでも、人々の将来不安のいくらかは和らぎ、そこから、「何とか、今を持ち堪えて頑張ろう」とする希望や明るさも見出し得るはずです。この期に及んで「財政規律」を言う人間がいれば、それこそコロナ以上の「強毒性」を持った人間だと言うべきでしょう。

＊本稿は、緊急事態宣言発出の四月七日に配信したメルマガ「『コロナ禍』を乗り切るために――『平常心』への問い」を改題し、改めて書き直したものである。基本的に主張内容に変更はないが、文学座談会でカミュ『ペスト』を取り上げたことを考え、引用部分を変更し、それに合わせて特に後半の文章に手を加えた。また、注についても新しい情報を補足した。

③「過剰自粛」の不条理と戦うために

敵は「コロナ」ではない「過剰自粛」である

浜崎洋介

こんにちは、浜崎洋介です。

　これまで私は、ウィルスや感染症、あるいは経済の素人である自分が、一知半解の理解で、ただでさえ情報過多な現状において、軽々に言葉を発するべきではないと思ってきました……が、緊急事態宣言の延長が決まった今、さすがに堪忍袋の緒が切れました。

　結論から書いておきましょう。私は、どのような事情があろうと、この「接触八割削減」による「過剰自粛」という不条理は、一刻も早く解消すべきだと考えています。

　まず、現状を「過剰自粛」だと感じる理由を率直に述べておくと、私自身が「コロナ感染者」を見たことがない一方で、日常を奪われ、失業の憂き目にあい、生活苦に喘ぎ、将来不安に慄き、その人生を狂わされた人々を、毎日のように見ているということがあります。つまり、「八割削減」などというたった一つの「計算式」、「抽象」のために、私と、私の目の前にいる人々との生活が、具体的に破壊され続けているという現実があるのです。

　なるほど、とはいえ、国民国家を営むには、ある程度の「抽象」が必要であることは否定しません。以前のメルマガで紹介したカミュの『ペスト』においても、医師のリウーが、「〔感染症という〕抽象と戦うためには、多少抽象に似なければならない」と語っていましたが、まさに、目に見えないウィルスとの戦いにおいて、人間的感情（具体）がときに合理的計算（抽象）に席を譲らなければならない状況があることは私も理解しています。

が、それは飽くまで「具体」を守るための「抽象」であることを忘れてはならない。つまり、「抽象」にも、程度やリアリティの幅があるわけで、それを一律の「八割削減」に見定めるのか、「手洗い・うがい・高齢者の自粛」に見定めるのかは、まさしく、私たち自身が守る生活の具体的イメージによって異なってくるのだということです。その「具体」を忘れてしまえば、私たちは、いつでも「抽象」によって殺されてしまいかねません。

しかし、そう言うと、必ず「お前は命より経済を取るのか」と言う人間が出てきます。が、そう言う輩は、むしろ「経済」をこそ舐めていると言っていい。「経済」とは、すなわち、日々の生活であり、その生活を支える生業であり、私たち自身の暮らしの異名なのです。それは「おカネ」を媒介としますが、単なる「おカネ」の問題ではない。人と人との接触、ギブ・アンド・テイクの関わり合いの中から生まれてくる感情の総体、喜怒哀楽の流れそのものなのです。覆水盆に返らずとはよく言ったもので、生活を「一度止めてしまう」ことの取り返しのつかなさは、まさに東日本大震災で、私たちが経験したことではありませんか。

しかし、だからこそ、「おカネ」だけを渡しておいて（金銭補償）、経済は止めておいてもいいのだ（ロックダウンを目指すべきだ）などといった言説は、ニヒリズムの肯定以外の何ものでもないのです。「金をやるから大人しくしておけ」などという言葉は、家畜や奴隷には言えても、日々の仕事と、その生活の中に喜びを見出して生きる「人間」に向かって用いるべき言葉ではない。しかも、政府が「おカネ」をケチっている現状で、安易に「自粛延長」を唱えることは、それ自体が、ほとんど不条理な暴力と化していると言っていいでしょう。

しかし、だからこそ、自粛の大義名分である「医療崩壊阻止」の掛け声にしても、それが、私たちの「具体」を守る上での「抽象」であることが自覚されなくなってしまえば、いつでも「暴力」に反転してしまいかねないのだという事は忘れてはなりません。何も私たちは、「日本医師会」や「医療」のためだけに存在しているわけではない。むしろ「医療」という行為は、私たちの暮らしや、生活を豊かにしていくための一つの「手段」でしかないのです。しかし、それが「目的」とされてしまえば、「医療崩壊阻止」の美名の下に、「医療」以外の全ての暮らしと人々の生活が犠牲にされ

のか。この「対米従属」ならぬ「医療従属」のニヒリズムを、抵抗すべき「不条理」と言わずして何というのか。

事実、「病からの自由」を担保する医療行為は、消極的価値（死からの自由）にはなり得ても、その自由（命）を使って成し遂げるべき積極的価値（命を賭しても成し遂げるべきこと）にはなり得ません。人が「命」を守るのは、その「命」を使って何かしらの生産をする限りであって、その逆ではない。つまり、医療崩壊を防ぐ努力は当然だとしても、それは、飽くまで、私たちの生活（生き甲斐・喜び）を守る範囲内においてのことであって、そのために生活を過剰に犠牲にすべきではないということです。さもなければ、私たちの社会は、「生き延びる」ことだけを自己目的化した、生きる屍たち（ゾンビ）の楽園となるでしょう。

ただし、誤解してほしくないのは、だからといって私は、即刻、普通の生活に戻るべきだなどとは言ってはいないことです。ただ、出来るだけの感染予防の努力をしながら――三密の回避・手洗い・うがい・手で顔を触らないこと・高齢者などのコロナ弱者の自粛などなど――なお、最低限の生活の営みを守っていくことはできるだろうと言っているだけです。果たして、それで人が死んでしまうのなら、それはそれで「仕方がないこと」ではありませんか。そう言うことは、冷酷でも何でもない。単に当然の事実を引き受けているだけのことです。むしろ、その当然の事実を避けて、人々の生活を破壊し続けることの方が何百倍も罪深いのではないでしょうか。繰り返しますが、私たちは、決して「医療」のために生きているのではない。たとえ死んでも、「生活の喜び」（生き甲斐）のためにこそ生きているのです。

この「仕方のなさ」から逃げようとするから、「仕方がない」などということはあり得ないと考えるから、つまり、「封じ込め」は可能だというゼロリスク神話に囚われるから、「八割削減」などという「抽象」を、バカの一つ覚えのように叫びはじめることになるのです（ちなみに、無症状患者が多い新型コロナでは、「八割削減」の前提となっている、クラスター潰しによる感染経路の特定と、それによる封じ込めは間違いなく破綻します）。

よくよく考えてもらいたい、これまでも私たちは、肺炎による死者を毎年一二万人以上出し続け（一日三〇〇人以上の計算）、インフルエンザでさえ年平均一万人の犠牲者（一日三〇人）を出し続けているのです（補足すると、アメリカの二〇一七年～一八年におけるインフルエンザによる死亡者数は六万人です）。それに比べて、今年の二月から五月にかけての「新型コロナ」による死亡者数は一体どれほどのものなのでしょうか（五月五日時点で五二一人）。もちろん、「数量」によって個人の悲劇を測ることはできません。が、それなら、単純に「命」と「経済」とを天秤にかけるべきでもない。「経済」とは「命」なのです。

カミュは、その小説『ペスト』のなかで、旅行者でありながら、保健隊を結成するタルーという人物に、〈抽象的に人々に死を強いるもの〉の比喩としてペストを語らせていました。しかし、だとすれば、タルーが語る――あるいはカミュが描く――「ペスト」の不条理（致死率七割）は、弱毒性の「コロナ」には全く対応していないと言うべきでしょう。むしろ、〈私たちのペスト〉は、「八割削減」と「過剰自粛」の不条理にこそ当て嵌まります。

そして、小説の後半、疲れ切った一日を過ごした後で、タルーは、医師のリウーを、市のロックダウンによって禁じられている海水浴に誘いながら、次のように語るのでした、「せんじつめてみれば、あんまり気のきかない話だからね、ペストのなかでばかり暮らしてるなんて。もちろん、人間は犠牲者たちのために戦わなきゃならんさ。しかし、それ以外の面でなんにも愛さなくなったら、戦っていることがいったい何の役にたつんだい？」と。

この度の「コロナ禍」においても、政策の判断基準（クライテリオン）は、このタルーの言葉と違うものではないはずです。すなわち、私たちのクライテリオンは、人々の「共感」であり、「愛情」であり、その「温かみ」の保守にほかなりません。その他細かい政策は、その時々の状況を見定めながら――コロナの毒性、経済状況、人々の心理状態などを鑑みながら――、その都度、適宜比較衡量して決めて行くしかないし、決めて行けばいい。その「愛情」の基準において、捨てるところは捨て、得るところを得ればいいだけなのです。

果たして、私たちは今、政府の「過剰自粛」によって殺されかけています。が、同時に、私たちの人生を最後に守るのは、やはり私たち自身であることも間違いありません。政府が「不条理」を強いるなら、それに「反抗」（カミュ）することは、決して不道徳なことではない。むしろ、それこそが、私たちの「エートス」（その住み慣れた場所）を守るための最後のエチカ（倫理）なのです。人が何と言おうと、私たちは私たちの「生き方」を守る必要がある。それ以外に、私たちの「生き甲斐」など、どこにもありはしないのですから。

（二〇二〇年五月六日）

＊本稿は、五月四日の「緊急事態宣言」の延長を受けて五月五日に書かれ、翌六日に配信された表現者クライテリオンのメルマガである。文章については一字一句変えていない。

❹ 公共政策とりわけ感染症対策においては「科学者倫理」の確保が極めて重要である

尾身氏・西浦氏ら専門家会議の倫理問題を考える

藤井 聡

当方は、昨日（五月二十一日）、『【正式の回答を要請します】わたしは、西浦・尾身氏らによる「GW空けの緊急事態延長」支持は「大罪」であると考えます。』という記事を、新経世済民新聞で公表し、これをツイッター、Facebookで紹介しました。

そして、この記事にて批判した西浦氏、尾身氏に対して、本記事文末に掲載した書状をおつけして本記事をお送りし、必要でしたらご回答頂きますことをご依頼申し上げました。既にインターネット上には、当方のこの記事について賛否両論、様々な意見が寄せられていますが、本日はなぜ、筆者がこうした西浦・尾身氏批判を、公開の形で展開しているのかを解説したいと思います。

そもそも、「八割自粛戦略」は、経済・雇用・失業・自殺者数に対して甚大な影響を及ぼすものですから、様々な形でその「事後検証」を行う必要があることは明白です。しかし、今回の公開質問においてはそれよりもむしろ、『行政における感染症対策においては、専門家の責任が極めて重く、したがって、専門家の科学者倫理の問題が、厳しく問われねばならない』という点こそが、最も本質的な理由です。

まず、目に見えないウイルスと戦う感染症対策は「高度に専門的な問題」であり、政治家が単なる「常識」に基づいて対策を検討することが著しく困難です。したがって必然的に、その政治的決定において科学者の見解が及ぼす影響は、他の案件に比べて圧倒的に甚大なものとなります。

ただし、感染症対策は最終的には常に政治決断が成されるものですから、その責任の一切は、科学者ではなく政治家が負うことになります。

とはいえ、科学者に一切の責任がないのかと言えばそうではありません。このケースにおいても絶対に守らねばならない責任が科学者にはあります。それが、**「科学者倫理」**です。

「科学者倫理」とは端的に言えば、**科学者としての誠実性**

を確保する、という一点に集約されます。

つまり、科学者といえど、何もかも見通せるわけでは無い、判断を間違うことはある、しかし、「誠実」であることだけは厳しく要請されることになります（例えば、小保方問題はその典型です）。

さて、筆者は先に紹介した原稿で「大罪」と断罪したのは、まさに、科学者としての「誠実さ」に重大な疑義があると認識したからです。

詳しくは、当方の原稿をご覧頂ければと思いますが、簡潔にその概要を整理しますと、筆者は次のような主旨を指摘しました。

（1）尾身氏、西浦氏ら専門家会議は、感染爆発を防ぐために、「八割自粛」が四月七日段階で必要であるという見解を表明した。

（2）当時入手可能なデータに基づけばこの見解表明は、決して「不誠実」なものと断罪することは困難なものであったと考えられる（すなわち、仮に事後的にその判断が「間違っていた」ということが明らかに証明されたとしても、限られた情報しかないその時点での判断は糾弾されるべきものではない）。

（3）ただし、PCR陽性者数は、四月十一日にピークアウトした。その後の経緯を見ても、どんどん減少していく様子が確認できた。一般に、感染からPCR陽性確認まで二〜三週間程度の時間がかかることが知られていることから、その事実を見るだけで、実は三月下旬に感染者数はピークアウトしていたことが明確に類推出来る状況が存在していた。

（4）以上の（3）の事実は、四月七日の緊急事態宣言による八割自粛が、必要ではなかった疑念を関係者全員に惹起するものであったことは間違い無い。なぜなら、四月七日の時点では、感染者数がその時点でも拡大し続けているリスクが真剣に危惧されており、したがって、その時点で宣言を出すことで、その四月七日時点の「新規感染者数」を減少させることを企図していたからである。したがって関係者は、この緊急事態宣言の「効果」は、その二〜三週間後の四月下旬頃に現れてくるであろうと想定していた筈である。

ところが、関係者のそうした予期とは裏腹に、緊急事態宣言の四日後の十一日にピークアウトしたのである！　ということは、繰り返すがそのデータを見た関係者は「あれ、ひょっとして四月七日に八割自粛要請までやらなくてもよかったのではなかろうか……」という疑念が頭をよぎったことは間違いないと考えられる。

(5)ただし、だからといって、四月七日の緊急事態宣言が「不要であったと断定する」ということはできない。なぜなら、ピークアウトしたからといって、そのピークアウト後の終息を「より早める」可能性があるからである。この点を検証する方法としては、「実効再生産数」(一人の感染者が何人に感染させるかという数値)の推移を推計する方法がある。実効再生産数を推計するには、様々な仮定・前提が必要であり、一概に一意に確定することは困難だが、幸いなことに、西浦氏・尾身氏ら専門家会議がそれを行っていた。

ところで専門家会議が自らが提案した「八割自粛」が、感染抑止に役立っていたか否かに重大な関心を寄せていたことは間違い無い。したがって彼等は、この実効再生産数が、四月七日において、大きく「下落」するような推移となっている事を予期(あるいは期待)したことは間違い無いと考えられる。もしそうであれば、「ピークアウト」において は八割自粛は効果を持たなかったとしても、「八割自粛のおかげで収束が早期化した」と結論づけることができるからである。

しかし、実際はそうではなかった。西浦氏が五月十二日に公表したデータによれば、実効再生産数は、四月七日前後で大きな変化が見られなかったのである。

この結果はつまり、四月七日の緊急事態宣言は、ピークアウトに効果が無かったのみならず、収束の早期化に効果があったとも言えないものだったことが、実証的に示されてしまったのである。

(6)以上の経緯から、彼等の実効再生産数の推移を見た尾身氏、西浦氏は、「控えめに言って、四月七日の緊急事態宣言と八割自粛要請が効果があったとは決して言えない……むしろ無かったと言わざるを得ないのではないか」という疑念を持ったことは確実であると、考えられる(ここは、虚偽答弁が絶対無いという条件の下でのインタビュー等がなければ明らかにできないところではあるが、そういう疑念を持った可能性は極めて高いと言わざるを得ない状況だと考えます)。

(7)ちなみに、専門家会議がいつ以上を認識したのかについては、定かでは無い。が、データの性質上、四月下旬にはほぼ確実に、そうした認識を形成するために必要なデータをとりまとめていたものと推察される。

以上はもちろん、筆者の推論です。

が、この推論が外れている可能性は、当方は、ほとんどないものと考えています（もちろん、間違えている可能性もなくはないですから、文章にまとめて、尾身氏、西浦氏に、直接お送りして、弁明の余地があれば、ご回答下さい、とお伝えした次第です。西浦氏への私信については文末をご参照下さい）。

だとしたら、この（1）〜（7）を経た尾身氏、西浦氏が果たすべき「科学者倫理」とは一体何でしょうか？

それは、「あの時点での緊急事態宣言は、今の感染収束状況の創出にあたって、必ずしも効果があったとは言えないこと（あるいは、可能性があること）が分かりました」という事を、いずれかのタイミング（例えば、GW空けや五月十二日、五月十四日等ででも）で表明することであると筆者は考えます。

もしもそういう表明が専門家会議から出されていれば、その後の政府の感染症対策のあり方が、確実に変わり得たでしょう。例えば、もしも、専門家会議が上記を「正直」に表明していたとすれば、政府は次のようなオプションを取ることも可能だったはずです。

・GW空けに緊急事態宣言を解除した
・GW空けに三九県の緊急事態宣言を解除した
・緊急事態宣言を出したままで、自粛要請を緩和した（六割にする、飲み屋以外の自粛を緩和、等）
・五月十四日の時点で全域の緊急事態を解除した

もし、政府がそのように行動していたとすれば、倒産や失業がもっと抑えられ、不幸のどん底に落とされる国民が「減った」であろうことは間違いありません。

ところが、実際は、専門家会議は、八割自粛の効果があったから収束したのだと言わんばかりの態度をとり続けています。その結果、政府は、上記のような様々なオプションを採用することが不可能となり、その結果、倒産や失業が、いたずらに拡大することとなってしまったのです。

これを不道徳といわずして、一体何を不道徳と呼ぶのでしょう……？

しかも、専門家会議が「八割自粛の効果の限定性（あるいは、無効性）」を認めなければ、近い将来、もっと恐ろしいことが生じるかもしれません。

すなわち今のままなら、第二波がやってきた時に、政府は再び「八割自粛の緊急事態宣言」を採用するかもしれないのです!! しかし、そうなれば、経済は確実に破壊されると共に、感染症の拡大も十分に抑止できない可能性があるのです！

もちろん、一回目は効果はなかったが二回目は効果があるかも知れない、と考えることはできるかも知れませんが、少なくとも一回目に効果がなかった（あるいは、薄かった）という情報を持つ場合と、そういう情報を持たない場合とでは、政府の判断が著しく異なることは間違いありません。

いずれにしても、専門家会議が**「正直」**に見解を表明していれば、政府はより的確な判断を下すことが可能となる筈です。

にも拘わらず、「正直」に見解の表明を出さない事を通して、国益がこれから大きく毀損する可能性があるのです。

ここに、筆者は「科学者倫理」として重大な問題が、尾身氏、西浦氏らの専門家会議にあるのではないかという疑念を持っているわけであります。

こうした可能性に思いが至った瞬間に、筆者は、以上の推論が絶対に正しいとまでは断定しませんが、尾身氏、西浦氏は、科学者倫理の視点からいって、極めて重大な問題を抱えた振る舞いをしている疑義を糾弾すべく、筆者の見解をとりまとめ、公表した次第です。

恐らく、以上の様な推察を行っている国民、専門家は限られているのかも知れませんし、あるいは筆者の推察が間違っているのかも知れません。だとすれば、こういう記事を公表して傷付くのは先方ではなく、**当方の「面子」だけ**だという事になりますから、公益上の被害は少ないものとなります。しかし万一筆者の推察があたっていたとすれば（というか、筆者とすれば、あたっていると確信しているのですが）、凄まじい数の人命が失われ、失業、倒産、自殺が激しく拡大するリスクが一気に拡大してしまうことになるのです。

これを考えたとき、当方の

「科学者倫理」

からすると、当方が「大恥をかく」というリスクはあるものの、日本国家に最悪の被害が生ずるリスクを僅かなりとも軽減させるために、筆者の推察に基づく断罪を公開し、両氏に送付することが「科学者として求められる、なすべき振る舞い」なのではないかと考え、この度、自らの科学者倫理にしたがって、記事公開に踏み切った次第です。

以上に加えて、筆者は次のようにも考えています。

すなわち、感染症対策の専門家会議は今、日本国中で重大な関心を集める組織となっています。そんな国民に極めて重大な関心を寄せられている研究者集団において、筆者が懸念を抱くような科学者倫理上の問題が存在しているとすれば、それは、日本の学術界の倫理性が著しく損なわれる契機となると同時に、社会一般における科学者の権威の失墜をもたらすことが懸念されます。

日本の学術界を守り、それを通して日本の国益を守り続けるためにも、今般の専門家会議の科学者不道徳の疑念については、徹底的に追及する必要があると考えています。

以上の筆者の認識がどこまで正当であるか否かはもちろん、神のみぞ知るところではありますが、筆者としては可能な限り本件について誠実に対応いたしたいと思っております。そしてその上で、西浦氏、尾身氏の誠実な反応をお待ちしたいと思います。

（以下、西浦氏に五月二十二日付けで送付したメール文面です）

西浦博先生

はじめまして。私、京都大学大学院工学研究科都市社会工学専攻の教授の藤井聡と申します。また、京都大学レジリエンス実践ユニットという分野横断研究組織のユニット長も仰せつかっております。

日本の新型コロナウイルスの感染症対策に連日ご尽力賜り、一国民として心より御礼申し上げます。

さて、当方のレジリエンス実践ユニット（http://trans.kuciv.kyoto-u.ac.jp/resilience/）では、ウイルス学、環境衛生学、防災、社会心理学、都市工学などの様々な研究分野の先生方と一緒に、パンデミックを含めた様々な災害に対する強靭性（レジリエンス）の確保に向けた研究を進めております。この研究の一環として、二〇一二年から一八年の六年間、安倍内閣の内閣官房参与を務め、災害レジリエンス確保のお手伝いを致しておりました。

さて、この見地から、本ユニットではこれまで、今回のパンデミックについて、ユニットとして検討した対策方針提案を公表し、安倍総理ご本人をはじめ、官邸、与野党の皆様方、ならびに、メディアを通して幅広く提案を配信して参っております。

http://trans.kuciv.kyoto-u.ac.jp/resilience/documents/corona_riskmanagement.pdf

http://trans.kuciv.kyoto-u.ac.jp/resilience/documents/corona_suicide_estimation.pdf

（その他ユニットＨＰ　http://trans.kuciv.kyoto-u.ac.jp/resilience/event.html をご参照下さい。）

以上は、ユニットとしての組織的な提案活動でありますが、この度連絡さし上げましたのは、一人の学者として、西浦先生が公表されたデータと、それに基づく解釈、ならびにその後の公的なご発言について、重大な疑義を感じました件を、お伝え申し上げたく連絡さし上げた次第です。

詳細は、昨夜公開いたしました、下記の記事をご参照頂きたいと存じます。

【正式の回答を要請します】わたしは、西浦・尾身氏らによる「GW空けの緊急事態延長」支持は「大罪」であると考えます。

https://38news.jp/economy/15951

本記事の趣旨につきましては、本記事冒頭に記載しました下記文章をこちらに再掲する形でお伝え申し上げます。

京都大学大学院教授、同大学レジリエンスユニット長の藤井聡です。本原稿では、西浦・尾身氏らの「四月七日の八割自粛要請」という提案についてではなく、「五月六日のGW空けの緊急事態解除を要請せず、逆にその延長を支持したこと」は、極めて深刻な罪であるという筆者の見解を公表します。

以下はあくまでも筆者の見解ですので、もしも、西浦氏・尾身氏ら等の専門家委員会側に、弁明の余地があるとお考えでしたら是非、正式にご回答頂きたいと思います。

西浦氏、尾身氏ら、専門家委員会の誠実な回答をお待ちしています。

京都大学　藤井聡

大変お忙しい所誠に恐縮でありますが、是非ともご一読頂けますと幸いです。その上でもし、何らかご回答頂けますようでありましたら、ご一報願えますと大変に有り難く存じます。

なお、本記事にて論じております論点については、本年度予定されております行動計量学会のシンポジウム、

「数理モデルからの予測と社会政策」

にて発表予定であります。当該シンポジウムでは、早稲田大学の竹村和久教授が主催のもので、科学者倫理と数理モデルと社会政策について、集中的に議論させていただくことを考えている次第です。

当方の記事、ならびに、それを踏まえた諸議論が、先生が日々献身的に取り組んでおられる日本の感染症対策を鋭意改善していく上で僅かなりとも貢献できる帰結となりま

すこと、心より祈念いたしたいと存じます。
お忙しい所ご一読下さり、誠にありがとうございました。

京都大学大学院教授・京都大学レジリエンス実践ユニット長
藤井 聡

追申1：
上に掲載した記事は一般の方に分かり易くご理解頂く事を前提として記載したものですので、詳細な議論は割愛されているところはございますが、論旨としては、当該記事にて十分ご理解いただけるものと思います。ただ、補足として一点、下記申し添えさせて頂きたいと思います。
すなわち、実効再生産数の推計については様々な前提があり、当方が引用した先生のＰＰＴグラフで掲載している以外の推計値もあるものと思われますし、三月二十七日にピークアウトした背景に様々な（緊急事態宣言以前に行われた一部自治体の）「自粛要請」などもあろうかと思われますが、ここでは、それらを論じているものではありません。あの感染日毎の感染者数推移の推計値、それに基づく実効再生産数の推計値はＧＷ空けの緊急事態宣言解除判断の折りに西浦先生ご本人がお持ちであった（あるいは推計可能な状況だった）という一点について指摘している次第です。

追申2：
なお、同趣旨のご依頼は、尾身先生にもお伝えする予定で考えております。ただいま、連絡先を、当方の共通の知り合いを通して確認させていただいている次第です。

追申3：
なお、上記記事はユニットとしてまとめたものではなく、当方単名にてまとめており、その文責は全て当方個人に帰属しますが、記事作成にあたっては、医学博士、感染症研究者にもプルーフリーディングいたした上で公表さし上げております点、念の為に申し添えておきます。

＊本稿は、令和二年五月二十三日に配信したインターネットメールマガジン『藤井聡・クライテリオン編集長日記』である『公共政策とりわけ感染症対策においては「科学者倫理」の確保が極めて重要である～尾身氏・西浦氏ら専門家会議の倫理問題を考える～』として配信した記事である。

表現者バックナンバー

80号（2018年9月号）特集 ポピュリズム肯定論 「トランプ・英EU離脱」現象とは何だったのか

81号（2018年11月号）特集 ネオリベ国家ニッポン 「新自由主義」という悪魔の挽き臼

82号（2019年1月号）特集1 「思想」としての防災

83号（2019年3月号）特集1 平成デフレーション いま終わる、昨日までの閉塞時代

84号（2019年5月号）特集 「令和」への建白書 新時代を切り拓く国家戦略の提言

85号（2019年7月号）特集 日本外交の大転換 新時代の勢力論

86号（2019年9月号）特集1 MMTと日本 現代貨幣理論の真実

87号（2019年11月号）特集 安倍晋三 この空虚な器

88号（2020年1月号）特集 引き籠もるアメリカ、すがり付く日本 安倍外交〝真〟総括

89号（2020年3月号）特集 「ウソ」で自滅する国家 安倍・トランプ・文在寅

90号（2020年5月号）特集 「中華未来主義」との対決

91号（2020年7月号）特集 「コロナ」が導く大転換 感染症の文明論

編集後記

表現者クライテリオンが始まって以来二度目の別冊。前回の「消費増税」問題は、まさに日本の危機を回避せんがための発刊でしたが、あれから二年弱の間に、あの危機が「コロナ禍」という形でさらに凶暴化して我が国に襲いかかっています。そもそもこのコロナ禍の発端は、昨年十月の一〇％消費増税による大きな景気後退。その低迷に焦った政府が、景気対策のつもりで武漢肺炎リスクがあるのを知りながら中国からの大量のインバウンドを引き受けたがために、日本でも感染蔓延が始まったのです。そして激しい活動「自粛」が繰り返され、消費税でボロボロだった経済がさらに大打撃を受けると同時に、世界を見回しても大恐慌が深刻化し、中国が香港を事実上制圧し、アメリカでは暴動が拡大。まさに巨大な内患外憂に直面しているのが今の日本。この危機は看過するわけには行かぬとのことで七月号のコロナ大特集に続いて別冊を刊行することにした次第。七月号と九月号の合間でのスタッフ、執筆者の皆様の突貫作業でどうにか出版に漕ぎ着ける事ができました。おかげさまで他に類例無き、新型コロナについて至って充実した一冊と自負しております。関係各位に改めて感謝申し上げたいと思います。読者各位も是非、本書を日常を取り戻す縁としてご活用願いたく存じます。よろしくお願いいたします。

F

別冊クライテリオン *criterion*

「コロナ」から日常を取り戻す

2020年8月1日　第1刷発行

編集長　藤井 聡
顧問　富岡幸一郎
編集委員　柴山桂太　浜崎洋介　川端祐一郎
発行人　漆原亮太
発行所　ビジネス社
〒162-0805
東京都新宿区矢来町114
神楽坂高橋ビル5階
TEL 03-5227-1602
FAX 03-5227-1603
http://www.business-sha.co.jp
編集　毛利編集事務所 毛利千香志
株式会社啓文社 漆原亮太＋荒井南帆
ブックデザイン　芦澤泰偉＋五十嵐 徹（芦澤泰偉事務所）
写真　佐藤雄治
印刷所　株式会社光邦

本書の内容に関する問い合わせは啓文社書房までお願いします。
TEL：03-6709-8872

ISBN978-4-8284-2207-7

ビジネス社の本

不条理を生きるチカラ

コロナ禍が気づかせた幻想の社会

香山リカ　佐藤優

日本は大丈夫なのか？

未曾有の大災厄にあって闘う思想家と精神科医が「不条理」を読み解く
ポストコロナの「不条理」を生き延びろ！
「コロナ禍」という不条理をのりこえるために自分でできること

- ●「タブー」がポストモダンの不条理をのりこえる
- ●一人ひとりの「専門性」が不条理を突破する
- ●「知力」を武器として不条理に切り込む

定価：本体1,600円＋税
ISBN978-4-8284-1976-3

新型コロナウイルスは世界をどう変えたか

21世紀大不況で資本主義が崩壊する

増田悦佐

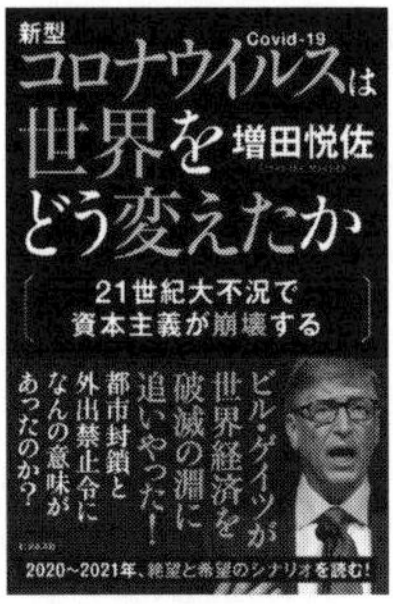

定価：本体1,700円＋税
ISBN978-4-8284-2198-8

ビル・ゲイツが世界経済を破滅の淵に追いやった！

都市封鎖と外出禁止令になんの意味があったのか？
2020～2021年、絶望と希望のシナリオを読む！
あさはかにも人類の指導者を自任している大国のエリートたちが、
この難敵ウイルスさえ利権拡大の道具に使おうと画策している！